KB195285

단죄의 신들

단죄의 신들

박해로 장편소설

네오픽션

차례

단죄의 신들
7

작가의 말
333

1

1857년

온통 비명뿐이었다. 검은 동굴 안의 광경은 사찰에 걸린 지옥도(地獄圖) 그대로였다. 자욱한 안개 속에 벌거벗은 사람들이 있었고 벌거벗은 마귀들이 있었다. 마귀들은 형벌을 가하고 사람들은 형벌을 받았다. 민머리에 귀가 길고 이빨이 치솟은 마귀들은 거두(去頭) 톱으로 사람의 몸을 썰고, 끓는 물에 끓이고, 혀를 뽑고, 바늘판 위를 걷게 했고, 칼날 같은 나뭇잎이 빽빽한 수림 속으로 밀어 넣었다.

이제 막 고초굴(苦楚窟) 진입에 성공한 토포사(討捕使) 유중활은 몸이 굳어 한 걸음도 나아갈 수 없었다. 눈앞에 펼쳐진 지옥은 환상이 아닌 실제였다. 저승의 심판이 하늘이 아닌 땅속에서 행해지고 있었던 것이다. 인파와 귀파로 발 디딜 틈 없는 그곳은 가학과 피학의 절정이었다. 흉악스러운 고문 도구들은 마귀들의 것이었고, 사람들은 맨몸으로 내몰렸다.

거대한 솥에서 나오는 김으로 사방이 자욱했다. 부글부글 끓는 솥에는 피부가 벌겋게 부어오른 사람들이 허우적거리고 있었다. 붉은 몸의 마귀가 단을 밟고 올라가 솥 위에 서서 거대한 국자로 탈출하려는 사람들의 머리를 눌렀다. 그 광경은 화승(畵僧) 탁휘가 상주 남장사 〈감로도(甘露圖)〉에 묘사한 '확탕지옥(鑊湯地獄)'과 똑같았다.

푸른 마귀 두 명이 흥부 부부처럼 분주한 톱질로 사람의 몸통을 반으로 잘랐다. 허연 마귀는 열십자 형태로 누운 사람의 입을 벌리고 집게로 혀를 뽑았다. 검은 마귀는 노인의 목에 쇠사슬로 된 목줄을 채워 개처럼 끌고 다녔다. 노란 마귀가 바늘이 빽빽하게 박힌 이부자리에 엎드려 있던 아낙을 일으켜 세우자 전신에서 피가 쏟아졌다.

유중활은 이미 제정신이 아니었다. 인간이 죄를 지으면 가는 곳이 바로 이곳임을 깨닫고 절대 죄짓고 살지 않으리라 결심했다. 곳곳에서 지옥의 형벌이 거행 중이었는데, 이 아비규환의 꼭대기에 두 개의 대좌가 있었다. 검은 그림자 둘이 그곳에 앉아 있고, 그 아래에는 화려한 전포를 두르고 길게 수염을 기른 장수 네 명이 동서남북으로 앉아 있었다. 장수들은 비파, 보검, 용과 여의주, 작은 탑을 손에 쥐고 있었고, 그들 발아래에는 흉악하게 생긴 마귀들이 깔려 있었다. 사찰문(寺刹門)에 배치된 사천왕상(四天王像)과 정확히 일치하는 모습이었다. 유중활의 음성이 떨렸다.

"지국천왕, 증장천왕, 광목천왕, 다문천왕?"

그러나 네 장수는 움직이지 않았다. 대좌에 앉아 있던 두 그림자만이 몸을 일으켰다. 목각인형인 사천왕과 달리 그들은 실제로 움직이는 신장(神將)이었다. 창을 꼬나잡은 8척 장신의 두 신장이 횃불 아래 위용을 드러내자 유중활은 한 걸음 물러섰다. 하나는 검은 수염을 가슴께까지 드리운 남자 신장, 또 하나는 옥처럼 깨끗한 얼굴로 인자한 미소를 짓고 있는 여자 신장이었다. 유중활이 혼잣말하듯 물었다.

"저들이 사천왕을 거느린다는 제석천(帝釋天)과 이곳의 주인인 염마천(閻魔天)*인가?"

"장군! 우, 우린 어찌해야 하옵니까?"

등 뒤에서 군사의 떨리는 목소리가 들렸다. 군사들 역시 유중활처럼 공포에 질렸음이 명백했다.

여 신장의 음성이 안개를 뚫고 날아와 유중활의 머릿속을 파고들었다.

"너의 죄를 고하라. 대오(大悟)하고 각성(覺醒)한 후, 무화(無化)를 받아들여라."

신적 존재와 눈을 마주친 순간, 유중활의 입에서 탄식 같은 소리가 새어 나왔다.

"이럴 수가…… 염마천이 지상에 실제로 존재하다니."

* 밀교에서 받드는 염라대왕.

"사이비(似而非)에 속지 마소서! 세상에 염라대왕이 어딨고 도깨비 따위가 어딨습니까!"

군사들을 인솔한 부장(副將) 이합정이 하나밖에 없는 팔로 칼을 뽑은 뒤 유중활 앞으로 나섰다. 이합정은 유중활의 사위였다. 음양을 상징하는 두 신장의 눈이 유중활에게서 이합정으로 옮겨 갔다. 그들의 창끝도 마찬가지였다. 이합정의 아내 초아도 검을 뽑아 들었다. 두 신장의 눈길이 남편의 텅 빈 왼쪽 소매로 쏠리자 초아가 그 앞을 막아섰다. 남 신장이 입을 열지 않았는데도 소리가 귀로 전해졌다.

"너의 죄를 고하라. 대오하고 각성한 후 무화를 받아들여라."

2022년

"누가 면회 왔어."

이성제가 하주생의 어깨를 툭 쳤다.

"있어 보이는 사장님하고 젊은 아가씨던데 누구야?"

하주생은 자신을 찾아온 사람이 누군지 짐작되지 않았다. 하주생과 이성제는 다홍 구치지소(拘置支所) 소속 교도관이었다. 이곳에서 면회 신청을 받는 건 죄지은 자들이지 그들을 지키는 자들이 아니다. 허가 없이는 아무나 비극의 종착지인 이곳을 찾아오지 못한다. 김만식의 수하 우럭이나 김 전무일 수도 있었다. 개새끼들, 직장까진 찾아오지 말라고 했는데…….

그는 정수리가 가려워 머리를 북북 긁었다.

마침 교대 근무를 마치고 쉬는 시간이라 곧장 보안과를 나섰다. 여러 겹으로 가로막힌 창살 문을 거쳐 지소 출입문까지 벗어나자 바깥세상이 나왔다. 범죄자들의 집합 장소를 벗어나도 그를 맞이하는 건 건조한 잿빛 하늘뿐이었다. 미세먼지만큼이나 눈에 띄지 않는 실체 모를 사악한 기운이 대기를 가득 채우고 있는 것 같았다. 입구에 걸린 플래카드에는 '코로나 극복할 수 있습니다! 마스크 착용을 생활화합시다'라고 쓰여 있었다. 눈에 보이지 않는 병균에 맞선 그 글귀는 귀신을 제압하는 부적처럼 보였다.

이성제가 말한 두 사람은 민원실 안쪽 휴게실에 앉아 있었다. 교도관 몇 명이 그들을 빙 둘러싼 채 화목한 분위기를 연출했다. 특히 민원실 책임자인 우은채 계장은 평소에 볼 수 없던 미소까지 지었다. 책 한 권을 품에 안은 그녀는 열렬한 신앙심으로 유일하게 경전을 얻은 맹신도처럼 보였다.

"저를 찾으신 분들입니까?"

활기 띠던 대화가 뚝 끊겼다. 휴게실 테이블에 앉아 있던 남녀가 주생을 돌아보았다. 일일연속극에 나오는 회장님과 비서 같은 이미지였다. 오십대 초반으로 보이는 남자는 신사복 차림으로 점잖은 인상이었다. 하지만 길게 기른 머리와 마스크로도 다 가려지지 않는 풍성한 턱수염 탓에 도심 속의 야수처럼 보였다. 우은채 계장의 뜨거운 시선은 주로 그를 향했다.

이십대 후반으로 보이는 여자의 매력 또한 신비했다. 이목

구비가 인형처럼 반듯하게 생겼지만, 미소를 지을 때마다 붉어지는 뺨 때문에 인간미가 느껴졌다.

“제가 모르는 분들인데 누구십니까?”

주생이 묻자 우은채가 책을 흔들며 대변인 노릇을 했다. 『단죄의 신들』이라는 제목의 책이었다. 표지가 특이했는데, 삼지창으로 무장한 마귀들이 불길 속에서 사람들을 마구 찔러 죽이는 무시무시한 그림이었다.

“하 교위 왔어요? 이분들은 출판사에서 오셨어. 유명 작가하고 아는 사이면서 우리한텐 비밀로 했어?”

“하 교위님하고만 얘기 나눌 수는 없겠습니까?”

남자가 입을 열었다. 온화하면서도 힘이 느껴지는 음성이었다. 소외감을 내색하지 않으려 우은채는 시원하게 답했다.

“그럼요. 편하게 대화 나누세요. 필요한 거 있으면 말씀하시고요.”

“감사합니다. 정말 친절하시군요.”

칭찬을 취소라도 할까 봐 우은채는 서둘러 직원들을 바깥으로 내몰았다. 휴게실 문이 닫히고 세 사람만 남았다. 여자가 명함을 두 장 건넸다. 주생은 명함을 받고 들여다보았다.

도서출판 ‘연옥’ 대표, 이종하

도서출판 ‘연옥’ 편집장, 석도신애

“저는 두 분을 모르는데요.”

"방금 하 교위님 상급자께 드린『단죄의 신들』때문에 찾아온 겁니다."

석도신애가 주생을 향해 미소 지었다.

"책이라면 1년에 한 권도 읽지 않습니다. 책 같은 게 눈에 들어올 만큼 한가롭지가 못해서요."

주생이 명함을 돌려주었지만 두 사람은 받지 않았다.

"이 책의 저자를 아십니까?"

이종하가 또 다른『단죄의 신들』을 내밀었다. 표지가 방금 전에 봤던 것과 조금 달랐다. 화염으로 둘러싸인 세상에서 뿔 달린 마귀들이 벌거벗은 사람들을 거대한 솥에 끓여서 죽이는 표지였다.

『단죄의 신들 2부 : 사바세계(娑婆世界)의 종말』

저자 반야심

"모르는 이름입니다."

"반야심은 필명이고 본명은 서진이에요. 하 교위님과 성이 같은 하서진."

파블로프 조건반사처럼 주생의 눈살이 찌푸려졌다. 오랜만에 듣는 이름에 말문이 막혔다. 석도신애가 빙그레 웃었다.

"반야심 작가가, 아니 하서진 작가가 하 교위님 얘기를 많이 했어요."

"서진이가 작가가 되었다고요? 제 사촌누나예요. 제가 열아

홉 살 땐가 스무 살 때 집을 나가서……. 무슨 일로 찾아오셨는지는 몰라도 연 끊고 산 지 오랩니다."

"반야심 작가는 우리와 계약을 했습니다. 그런데 일방적으로 연락을 끊어 지금 출판사가 막대한 손해를 볼 처지입니다. 『단죄의 신들』은 3부작으로 나올 예정인데 2부까지만 쓰고 잠수를 탄 겁니다."

이종하에 이어 석도신애가 덧붙였다.

"이달 중으로 3부 원고 『극락정토의 시작』이 완성되지 않으면 우리도 우리지만 영화사를 비롯한 여러 투자사들이 줄줄이 곤란을 겪게 됩니다. 하 작가가 물어내야 할 위약금 역시 엄청난 액수가 될 테고요."

"저는 연대보증인이 아닙니다. 저한테 왜 걔 행방을 추궁하는지 모르겠습니다."

"반야심 작가가 사고를 당했을지도 모른다는 게 저희 생각입니다. 건강이 안 좋았거든요."

"연 끊고 살았다니까요. 20년 전쯤 행불되고 죽었는지 살았는지 생각조차 해본 적 없어요. 내 얘길 했다고요? 분명 애틋한 얘긴 아닐 겁니다. 제 부모님은 서진이 때문에 골치 아픈 일을 정말 많이 겪었습니다. 돌아가신 것도 걔 때문이지요."

주생의 높아지는 음성에도 이종하와 석도신애의 표정엔 변화가 없었다.

"반야심 작가가 정말 무슨 사고를 당해 연락 두절이라는 게 입증되면 모두가 위약에 따른 불이익 상황에서 벗어날 수가 있습니다. 그분은 지병이 있어서 언제 죽을지도 모른다는 말을 입에 달고 사셨어요. 지금 우린 그 상황을 염려하고 있는 겁니다. 하 교위님이 그분을 다시 만난다면 예전의 사고뭉치는 없을 거예요. 황금 알 낳는 거위가 된 누님을 다시 만나는 거죠. 실례지만 그분이 책으로 벌어들인 재산이 하 교위님 연봉의 몇 배는 될 겁니다. 그분은 가족이 없지만 보고 싶은 동생은 한 명 있다고 수시로 얘길 했습니다."

"황금 알요? 미운……."

오리 새끼라는 말이 잦아들었다. 쓴웃음이 나왔다. 자존심을 뭉개는 돈. 모든 일은 돈 때문에 벌어지고 모든 해결도 돈 덕분이다. '단죄의 신'이 '돈의 신'이 되어 전능이라도 행사한단 말인가.

"제복을 입고 있어도 저는 교도관이지 경찰이 아닙니다. 수사권 같은 게 전혀 없어요."

"그래도 가족이라면 저희보다 접근할 수 있는 권한은 크지요."

마스크 위로 드러난 이종하의 눈에 엷은 미소가 나타났다.

"어디 사는지 알아야 찾아가보든 말든 할 것 아닙니까? 전화번호도 몰라요."

"어디 계신지 안다면 한번 시간 내서 들러주실 수 있나요?"

"알고 계신다고요?"

"계약서에는 작가와 출판사 간에 적어서 교환하는 주소가 있지요."

책 표지에서 느껴졌던 불교적인 색채 때문인지, 이종하가 깍지 낀 손으로 연신 염주 알을 굴리는 것처럼 보였다.

"그럼 직접 가보시지 그랬습니까?"

석도신애가 답했다.

"가봤어요. 아파트에 불이 켜져 있는데 아무리 두드려도 문을 열어주지 않아요. 그런데 관리인이 그러더라고요. 저 집은 며칠 전부터 밤이나 낮이나 항상 불이 켜져 있다고요. 우린 그분이 일부러 연락을 받지 않는 게 아니라 무슨 사고를 당한 거라고 보고 있어요. 『단죄의 신들』은 지금까지 44쇄를 찍었어요. 다음 쇄를 찍을 때마다 책을 보내드리고 있는데 41쇄 이후로는 책을 잘 받았다는 연락을 받은 적이 없어요."

이종하가 말했다.

"출판사 관계자인 저희는 119에 신고해 강제로 문을 열 수 없지만 가족이라면 할 수 있겠지요."

"서진이가 그렇게 중요한 작가가 되었나요?"

"반야심 작가는 이미 많은 수익을 낸 작가인 데다가 앞으로도 그분이 받을 수익은 엄청납니다. 우리 출판사는 이름을 연옥이라고 지을 정도로 공포소설만 전문적으로 취급합니다. 물론 지옥이 아닌, 이어지는 집이란 뜻의 연옥(聯屋)이죠. 반 작가를 시작으로 신진 공포작가들이 릴레이처럼 작품을 출간하기로 되어 있습니다. 한국에서는 공포소설의 인기가 낮아 큰 성공은 기대하지 않았지만, 반야심이라는 신인작가가 뜻밖의 대박을 가져다준 겁니다. 출판사 이름을 '신유림'에서 '연옥'으로 바꾼 것도 반 작가의 아이디어입니다. 여기 석신애 편집장의 이름 중간에 어머니 성을 넣어보라고 권유한 사람도 반야심 작가지요. 어떻습니까? 석도신애 이름 넉 자가 반야심과 매치되어 어딘가 불교적인 뉘앙스가 느껴지지 않습니까? 이 또한 판매에 큰 도움이 되고 있죠. 모든 성공 요인이 반 작가에게서 나왔습니다."

글이라고는 결재서류만 접해오던 주생은 공포소설 같은 이야기가 일상에 끼어드니 헛웃음이 나왔다. 하지만 무턱대고 웃을 수도 없었다. 돈이 얽혀 있으니까. 그 어떤 하찮은 것에도 가치를 부여할 수 있는 유일한 존재가 있다면 그건 돈이다. 잃어버린 가정도, 파괴된 과거도, 불안한 미래도 치료할 수 있는 만병통치약이 바로 그것이다.

"서진이가 앓는 지병이란 게 뭐죠?"

"모르겠습니다. 우리한테도 얘기 안 했으니까요. 하지만 항상 얼굴이 창백했지요. 혹시라도 우리가 예상한 최악의 결과가 벌어졌다면 앞으로 발생할 인세와 영화, 드라마, 웹툰 관련한 모든 수익이 유가족에게 돌아가게 됩니다. 물론 변호사와 먼저 상담을 해봐야 하지만요."

이종하가 토스한 공을 석도신애가 스파이크 했다.

"절대로 그래선 안 되겠지만 반 작가가 미리 작성해놓은 유언장이 있을지도 모르죠. 혹은 노트북에 저장된 『단죄의 신들』 3부 파일이라도. 반 작가의 행방만큼이나 중요한 건 3부 원고예요."

그들의 말처럼 서진이 정말 죽었다면 자신이 신작의 권리 주장자가 될 수도 있으리라고 주생은 생각했다. 그녀의 주변에 핏줄이라곤 자신 외엔 아무도 없으니까. 서진이 그동안 벌어들인 소득이 얼마인지 물을까 말까 망설이는데 이종하가 책을 테이블에 내려놓고 일어섰다.

"바빠서 먼저 가봐야겠습니다. 저희와 계약을 맺은 작가가 한둘이 아닙니다. 생각을 정하시면 여기 석도신애 편집장에게 연락하시면 됩니다. 출판사의 운명은 흥하는 것도 쇠하는 것도 한순간이지요. 하 교위님의 협조에 여러 사람의 생계가 연결되어 있습니다. 부디 꼭 도와주시길 바랍니다."

석도신애도 마스크를 매만지며 따라 일어섰다. 주생이 물었다.

"주소가 어딘데요? 서울입니까?"

"섭주예요."

"섭주? 경북 섭주요?"

이종하의 음성에 숨길 수 없는 감탄이 번졌다.

"탁월한 집필지 아닙니까? 『단죄의 신들』은 무속 오컬트 소설이거든요. 섭주는 우리나라 제일의 무속 환경을 기반으로 둔 지역이지요."

"엎어지면 코 닿을 데인데도 몰랐네요."

"저희 입장에서 반야심 작가는 하늘과도 같은 분입니다. 나는 모든 일을 하늘에 감사드리는 수행자일 뿐이고요."

그의 손에 들린 외제차 키에는 십자가와 목탁 형상의 액세서리가 한데 달려 있었다. 완전히 제멋에 사는 사람 같았다. 두 사람이 떠나자, 주생은 이종하가 남기고 간 『단죄의 신들』 1, 2권에 눈길을 주었다. 지옥을 묘사한 표지 그림이 서진의 어두운 면을 보여주는 듯했다.

18년 만이네. 어디서 뭘 하고 지냈는지는 몰라도 유명작가가 되어 나타나셨다고?

그것도 이런 끔찍한 소설로?

아빠도 엄마도 너 때문에 죽은 거야, 서진아.

하지만 돈으로 속죄할 수 있어.

날 좀 도와줘. 이 진저리 나는 일을 때려치울 수 있도록.

주생은 창밖으로 시선을 돌렸다. 투명한 공기 속을 미세먼지와 바이러스들이 부유했다. 보이지 않는 번뇌의 중심에서 이쪽을 돌아보는 서진의 모습이 보이는 듯했다.

*

하주생은 4부제로 근무하는 교도관이었다. 1, 2, 3, 4부 네 조로 나뉜 직원들이 순환 근무를 했다. 주생은 4부 소속이었는데, 첫날 철야 근무를 하면 이틀을 쉬고 나흘째는 주간 근무를 했다. 네 번의 순환이 끝난 닷새째는 다시 4교대의 첫날로 18시부터 철야 근무에 들어갔다. 요사이 그에겐 근무하는 날도 쉬는 날도 악몽이었다. 건설시공업체 사장 김만식 때문이었다. 그는 조직폭력배를 거느린 경제사범이었다. 창살 안에는 김만식이, 바깥에는 김만식의 수하들이 있었고, 그들 모두가 주생에게 스트레스를 주었다.

대학에 합격한 지 얼마 안 되어 주생은 가족을 잃었다. 그 전까지는 아빠, 엄마, 사촌누나 서진과 한집에서 살았다. 2004년 4월 4일 4시, 주생의 부모는 교통사고로 사망했다. 가출한 후 감감무소식이던 서진이 흐느끼며 전화를 걸어온 날이었다. 주생의 부모는 서울에 있다는 그녀를 데려오기 위해 폭우가 쏟아지는 날씨에 길을 나섰다가 맞은편에서 오던 승합차와 정면 충돌해 즉사했다.

그 후로 서진과는 다시 연락이 끊어졌고, 장례식에도 나타나지 않았다. 친척이라곤 없던 스무 살 주생은 홀로 초상을 치러야만 했다. 친할아버지가 있었지만 속세와 연을 끊은 승려였다. 말없이 찾아온 주생의 할아버지는 빈소에서 목탁을 몇 번 두드리고 염불을 외운 후 그대로 떠나버렸다. 뒷바라지를 해주겠다거나 같이 절에 가자는 말조차 없었다. 주생은 유일하게 남은 혈육인 조부에게도 증오를 품게 되었다.

합격한 대학도 포기하고 별다른 인생 계획 없이 방황하던 주생은 우연히 고등학교 동창 용이를 만났다. 교정직 공무원 시험을 준비하고 있다는 용이의 말에, 주생은 교정직이 뭔지도 모르면서 무작정 공부를 시작했고 시험에 합격했다. 예기치 않은 선택이었지만 돈의 압박이 주는 불안은 해소될 수 있었다. 연락 한번 오지 않는 서진도, 할아버지도 신경 쓰지 않았다. 영영 만나지 않는 게 차라리 나았다. 부모님의 사인(死因)이 그녀에게 있다는 원망이 깊었기에, 혹시라도 서진을 만난다면 우발적 칼부림이 일어날지도 몰랐다.

2005년 주생은 스물한 살 최연소 교도관으로 영등포교도소에 발령받았다. 그리고 근무 하루 만에 교도소 업무가 자신과 전혀 맞지 않는다는 사실을 깨달았다. 범죄자와 함께 갇혀 상호 감시를 하는 업무는 징역 아닌 징역이었다. 업무 자체가 신경이 곤두섰다. 모범수들은 괜찮았지만 문제수들은 협박으로 폭력으로 청원으로 소송으로 그를 괴롭혔다. 그들을 매일 상대하니 악성(惡性)조차 전염이 되었다. 주생은 카지노에 출입했고 도박을 배웠다. 향락에의 몰입이 과거의 충격과 현실의 괴로움을 진통제처럼 잊게 했다.

올해는 반드시 그만둔다는 계획은 매년 미뤄졌다. 카지노 출입을 끊어도 바다이야기와 주식 투자가 새롭게 흥미를 끌었다. 흥미는 탐닉이 되고 탐닉은 중독이 되었다. 젊은 나이에 가져볼 법한 미래 계획이 주생에겐 없었다. 새파란 나이의 그는 알 수 없는 이유로 일상에 적응하지 못하고 일탈에 심취했다. 과거의 단절, 현실의 도피는 핑계였다. 왜 심취하고 중독되는지 스스로도 알지 못했다.

길지 않은 기간에 전 재산을 탕진한 그는 낙향을 결심했다. 조용한 시골에서 새로 출발하면 모든 게 나아지리라 싶었다. 서울을 등진 그는 고향인 다흥의 구치지소로 전출을 갔다. 하지만 새 출발은 수월하게 이뤄지지 않았다. 서른여덟 살의 7급 공무원이 된 지금까지 일탈의 중독을 끊지 못한 주생은 끝내

부패 교도관이 되고 말았다.

그는 구치소 교도소를 들락날락하는 건설시공업체 대표 김만식에게 수시로 핸드폰과 담배를 반입해주었다. 김만식이 운영하는 룸살롱에서 향응을 받았고 수하에게서 돈을 받았다. 검은 돈을 주식에 가상화폐에 스포츠 도박에 밀어 넣었고 남김없이 말아먹었다. 다른 사람이 하면 성공할 일도 주생이 했다 하면 실패했다. 이 와중에 김만식의 요구는 점점 커졌다. 포르노 잡지, 헬스기구, 양주, 여자 속옷, 태블릿 PC 등등.

김만식은 절대로 걸리지 않을 테니 안심하라 했지만 위반이 대범해질수록 들키는 건 시간문제였다. 적당한 선에서 이제 그만하자는 주생의 제안은 법무부 감찰관실이나 방송기자에게 제보하겠다는 김만식의 협박으로 되돌아왔다.

"끝까지 갈 배짱도 없이 나하고 후시무역 하려고 했나? 거래 종료 헌장은 네가 아니라 내가 선포하고 낭독하는 거야. 이 부패 간수 새끼야. 끝내고 싶으면 2억 가져와."

주생이 받은 향응은 약 2천만 원 정도였다. 김만식은 그 열 배를 줘야 끝을 내준다고 했다. 한번 잡힌 약점은 김만식이 출소해도 끝나지 않을 것이었다. 그의 수하나 동료가 약점을 인수인계할 테니까. 자진신고를 하고 함께 죽는 것만이 유일한 길이었지만 이미 늦었다. 도를 넘은 주생의 부패는 구제될 수 있을 정도를 넘어섰다.

주생은 일이 더 커지기 전에 모든 걸 정리하고 사표를 내고 싶었다. 아무도 모르는 곳에서 새 인생을 시작하고 싶었다. 하지만 밑천이 없었다. 바로 그럴 때 미운 오리 새끼에서 황금 알 낳는 거위가 된 사촌누나의 소식이 전해져 온 것이다. 동생 얘기를 자주 했다고 석도신애란 이름의 편집장은 말했었다. 다홍에서 근무하는 것까지 알고 있었으니 몰래 지켜보았던 모양이다. 공무원 연봉의 몇 배를 벌고 있다니 새 출발의 자금을 얻을 수도 있을 것이다. 필요하다면 부모님의 사망 책임을 추궁해서라도.

'서진이를 찾아보자. 과거는 과거고 일단은 찾아보자.'

*

도서출판 연옥 사람들은 만난 다음 날, 휴가를 낸 주생은 차를 몰고 섭주로 향했다. 출발 직전 그는 석도신애에게 문자를 넣었다.

알려주신 주소로 지금 가는 중입니다. 소식 있으면 연락드리죠.

바로 회답이 왔다.

정말 감사합니다. 저희를 도와주시기로 했군요.

'섭주 24킬로미터'라는 표지판을 지나갈 때 주생은 어제 읽다 만 『단죄의 신들』을 떠올렸다. 이산가족 상봉 목적이 아니라면 읽지 않을 책이었다. 추악하고 불결하고 끔찍하고 찝찝하며 환상적인 소설이었다. 줄거리는 이랬다.

현대를 살아가는 불특정한 사람들이 언제부턴가 신비한 일을 겪는다. 허공에서 들려오는 신의 음성을 듣는 것이다. 신은 “너의 죄를 고하라. 대오하고 각성한 후 무화를 받아들여라”라고 말하나, 당사자 말고는 아무도 이 소리를 듣지 못한다. 사무실, 야구장, 비닐하우스, 초호화 유람선, 학교, 연구실, 카페, 쇼핑몰 매장, 어린이집, 국회의사당, 박물관, 유흥업소, 비행기, 군대, 가수 무대, 종교시설 등 모든 장소를 불문하고 신의 음성이 개인에게 파고든다. 소리를 들은 사람은 기억상실증에 걸려 자신의 존재를 새롭게 규정하는데, 남자는 일선제력(日線帝力)으로, 여자는 월선제력(月線帝力)으로 스스로를 칭한다.

이 일선제력과 월선제력이 서로 만나 무작위적인 살인을 저지른다. 대학 여교수가 남자 환경미화원을 만나 길 가는 사람을 칼로 찔러 죽이고, 여당의 남자 의원이 야당의 여자 의원과 함께 중산층 가정에 침입해 독극물로 가족을 죽이고, 수녀가 승려를 만나 학교 교장을 차로 치어 죽인다. ‘남혐’ 여자와 ‘성범죄자’ 남자가 합심해 공원의 노인을 죽이고, 남자 가수가 여자 팬과 함께 식당 주인을 죽이기도 하는데, 이들 일선제력과 월선제력은 살인을 이루고 난 후 “신의 단죄를 피하지 말라!” 소리 지르며 스스로 목숨을 끊는다. 가해자와 피해자 간에 아무 원한 관계가 없고, 가해자들끼리의 연결고리조차 없어 수사는 난항을 겪는다. 그 와중에도 살인과 살인 후의 동반자살은 기하급수적으로 늘어난다. 사회는 패닉 상태에 빠지고 기존의 가치는 붕괴된다. 마지막에 반전이 있는 점은 특이했다. 이들에게 죽임당한 이들이 겉으로는 모범 시민이었지만 실제로는 흉악한 범죄를 저지른 짐승이었다는 것이다. 이를테면 길 가던 사람은 동물학대자, 중산층 가정은 재산을 해외로 빼돌린 세금 탈루자들, 학교 교장은 성폭행범, 공원의 노인은 전직 고문경찰, 식당 주인은 시어머니 암매장범이라는 것 등. 신의 정체는 드러나지 않는데 3부작이라고 했으니 마지막에 나올 모양이었다.

휴게소에 차를 세운 주생은 『단죄의 신들』을 펼쳤다. 우연히도 444페이지였다.

정훈과 기숙이 동시에 흉기를 겨누었다. 전직 펜싱선수인 정훈의 에페칼은 최 사장의 오른쪽 눈을, 현직 경찰관인 기숙의 권총은 최 사장의 왼쪽 눈을 겨누었다. 온통 피투성이가 된 최 사장은 이 남녀가 누구인지, 자신과 어떤 원한 관계가 있는지 아무리 머리를 짜내도 알아낼 수 없었다. 정훈은 미투 운동이 왕성할 때 사회에서 매장된 성폭력 가해남이었고, 기숙은 '한남충'의 씨를 말려야 된다고 누누이 외쳐오던 남성혐오녀였다. 물론 최 사장과는 일면식도 없는 사이였다. 하지만 의식이 일치된 둘은 지금 이 순간 똑같이 입술을 움직여 최 사장에게 선언했다.

"마지막 기회다. 너의 죄를 고하라. 대오하고 각성한 후 무화를 받아들여라."

"굴지의 기업 CEO로 전 세계의 칭송을 받는 나 최문선이야! 내가 대체 무슨 죄를 지었단 말이야?"

"무지는 면죄부가 되지 않는다!"

"신은 그대의 죄악을 낱낱이 알고 있다!"

폭발음과 함께 권총은 발사되었고 칼은 머리를 뚫고 나왔다. 얼굴이 박살 난 최 사장은 힘없이 쓰러졌다. 꿈틀거리는 최 사장을 바라보는 그들의 눈빛은 공허했다. 그러나 서로를 바라보는 그들의 얼굴은 환희로 넘쳤다. 기숙이 정훈의 심장에 권총을, 정훈이 에페칼을 기숙의 목젖에 겨누었다. 기도문을 읊는 것처럼 두 사람이 동시에 말했다.

"신의 단죄를 피하지 말라."

다시 차를 몰면서 주생은 상념에 빠졌다. 도대체 왜 이런 소설이 베스트셀러인지 알 수 없었다. 읽는 내내 기분이 좋지 않았고 등 뒤에 시커먼 그림자가 서 있는 것만 같았다. 사람을 죽이는 대신 살리는 존재, 그것이 신이 아닐까?

「작가의 말」에서 반야심은 '신을 망각한 세상에서 사람들이 서서히 깨우쳐가고 합의하는 참다운 신을 그리고 싶었다'고 창작 의도를 밝혔다.

그때 서진이 가출했던 이유가 사이비 종교 같은 데 빠진 건 아니었을까?

알 수 없었다. 그녀를 데리러 갔던 부모님이 사망했으니까. 심지어 주생은 상대측 사망자의 유가족과도 만나지 못했다. 나타나지 않았으니까. 아마 고아가 되었던 '소년에 가까운 스무 살 청년'에게 교통사고 합의를 종용하길 포기한 배려일지도 모르리라.

마지막 장 판권란에 기재된 44판의 발행 부수는 사실이었다. 초판은 작년이었다. 서진이 큰돈을 벌었음은 확실했다.

눈앞에 한 줄기 빛이 스쳐 지나갔다. 도로 표지판이 반사시킨 햇빛이 주생의 상념을 끊었다.

'신비의 고장 섭주에 오신 것을 환영합니다.'

*

'네버힐'은 지은 지 오래된 아파트였다. 경비원은 주생이 1305호 거주자의 동생임을 밝히자마자 연락 두절과 꺼지지 않는 전등 얘기를 쏟아놓았다. 두 가지 다 사실이었다. 석도신애가 가르쳐준 서진의 번호로 걸었지만 전화기는 꺼져 있었다. 그리고 1305호 창으로는 불빛이 비치고 있었다. 경비원은 10일째라고 말했다. 주생은 직접 1305호로 올라갔다. 문 앞에 택배가 잔뜩 쌓여 있었는데, 일용품으로 보이는 상자들 말고도 '도서출판 연옥'에서 보낸 우편물도 꽤 있었다.

문을 두드려도 아무런 인기척이 없었다. 또 한 번 두드리자 맞은편 1306호 문이 열리더니 남자 하나가 얼굴을 내밀었다. 이마 중간에 커다란 점이 박혀 있어 우스꽝스러워 보이는 인상이었다. 주생은 1305호에 사는 여자를 최근에 본 적이 있냐고 물었다. 남자는 아무런 말도 없이 고개를 설레설레 젓다가 자라처럼 목을 넣고 문을 닫았다. 먼저 등을 돌린 주생은 남자가 문을 닫기 전 자신을 쏘아보는 사나운 눈길을 보지 못했다.

다시 경비실을 찾은 주생은 관리소장을 설득해 함께 관할 파출소를 찾았다. 가족 관계 확인을 위해 시간이 지체되었다. 충분한 상황 설명을 마친 뒤에야 경찰은 전문 장비를 갖춘 구급대원에게 협조를 요청했다. 경찰과 구급대원까지 한 무리의 사람들이 네버힐로 몰려들었다. 경찰이 도어록의 절단을 고려할 때 구급대원이 1305호 뒷 베란다를 손가락으로 가리켰다.

"새시 문이 조금 열려 있는데 잠그지 않았나 봐요. 문을 훼손하지 않고도 방법이 있겠어요."

구급대원들이 위층 1405호로 올라가 문을 두드렸다. 집 안에 있던 주부는 경찰에 소방대원까지 몰려오자 놀란 얼굴을 했지만 설명을 듣고 기꺼이 자기 집 베란다를 이용하게 해주었다. 우르르 뛰어놀던 남자아이 셋이 신기하다는 듯 로프를 부착하는 소방대원들을 바라보았다.

"그러고 보니 그 여자분 뵌 지가 꽤 됐네요. 어디 여행이라도 간 줄 알았거든요."

주생이 물었다.

"알고 지낸 사이신가요?"

"네. 보시다시피 저희 애들이 하도 시끄럽게 뛰어다녀서 제가 먼저 케이크를 들고 찾아갔었죠. 그런 좋은 분은 처음이었어요. 절간처럼 조용하기만 한데 뭐 하러 이런 걸 갖고 왔냐 그랬거든요."

"이 아파트에 오래 살았습니까?"

"여자분이요? 아니요. 얼마 안 됐어요. 작년까진 아래층에 남자분이 사셨는데 베란다에서 담배를 계속 피워댔거든요. 아마도 우리 애들이 많이 뛰어다니니까 보복 심리로 그랬던 것 같아요."

"동거하는 사람은 없었나요?"

"혼자 사는 분 같았어요. 가끔 손님이 오시긴 했지만."

로프 부착을 마친 소방대원이 조심스럽게 1305호로 내려갔다. 나머지 대원들이 그를 보조할 때 경찰, 관리소장, 경비원, 1405호 주부는 아래층으로 내려가는 주생을 따라갔다. 그 짧은 사이에 현관문은 이미 열려 있었다. 주생이 맨 먼저 들어가며 서진아, 하고 불렀다. 18년 만에 불러보는 이름이었다. 그러나 부름에 응답하는 목소리는 없었다. 구급대원들은 방과 욕실부터 살폈다. 경찰들도 보조를 맞춰 움직였다.

"집에는 안 계시네요."

시신과 맞닥뜨리지 않아 다행이라는 듯, 그들의 음성에서 안도감이 느껴졌다. 주생은 아파트 내부를 놀란 눈으로 둘러보았다. 놀라지 않은 사람이 없었다. 거울이 너무나도 많았기 때문이다. 거실의 동서남북을 채우고 있는 것은 소파와 장식장 같은 가구가 아닌, 커다란 전신거울이었다.

"직업이 모델이셨나요?"

경찰의 질문에 주생은 답하지 않았다. 벽지와 장판 모두 회색 톤으로 어두웠고, 창은 두꺼운 안막 커튼으로 가려져 있었다.

1405호 주부가 주위를 두리번거리며 말했다.

"원, 이렇게 어둡다니."

"지난번에 와보시지 않았나요?"

"집 안에 들어와본 건 처음이에요."

"누나는 소설가예요. 집중하기 위해 일부러 어둡게 꾸민 걸 거예요."

"세상에나. 그분이 작가라고요?"

"예."

"뭘 썼는데요?"

"『단죄의 신들』이요."

이 말에 반응한 이는 경찰이었다.

"그러니까 이 집 주인이 반야심 작가란 말이에요? 선생님이 반야심 작가 동생분이시고요?"

"예…… 아세요?"

"요새 그 소설 모르면 간첩이지요. 우와, 내가 유명한 분의 집에 와 있었네."

경찰이 식탁 위에 올려진 사진을 들어 올렸다.

"그러니까 이분들 중에 반야심 작가가 있단 말이죠?"

액자 속 사진에는 다섯 명의 여자가 있었다. 두 명이 앞에, 세 명이 뒤에 섰다. 앞에서 웃고 있는 여자는 고양이를 안고 있었는데, 고양이가 좀 신기했다. 은빛 고양이었다. 은빛에 가까운 회색이 아니라 정말 순은 같은 은빛이 도는 고양이였다. 그 옆에 딱딱한 표정으로 서 있는 여자가 서진이었다. 소녀의 앳된 티는 사라지고 중년에 가까워진 얼굴이었다. 그늘진 눈은 슬퍼 보였고 몸도 수척해져 건강해 보이지 않았다.

'예전엔 그렇지 않았는데.'

왠지 가슴 한 켠이 미어졌지만, 주생은 부모의 죽음을 떠올리며 그런 감정을 지워내려고 애썼다. 뒤의 세 여자는 왼쪽부터 오십대, 사십대, 삼십대로 보였는데 모르는 얼굴들이었다. 오십대 여자는 선글라스를 쓰고 있었고 사십대 여자는 눈화장이 너무 짙어 눈에 멍이 든 것처럼 보였다. 삼십대 여자는 카메라를 응시하지 않고 서진을 보고 있었는데, 불안한 미소가 긴장된 얼굴에 간신히 걸려 있었다. 그녀들 뒤로 '생의 전당'이란 세로글씨 현판이 보였다. 서진이 사이비 종교에 휘말려든 게 아닐까 하는 의심이 커졌다. 주생은 사진을 핸드폰 카메라로 촬영한 뒤 석도신애에게 전송했다. 이곳에 서진이 없다는 메시지도 함께 보냈다.

"이분 맞나요?"

손가락으로 서진의 얼굴을 짚자, 1405호 주부가 주생을 이상한 눈빛으로 바라보았다.

"사실은 사정이 있어 20년 가까이 만나지 못했거든요."

"그러세요? 이분 맞아요. 닮으셨네요, 누님이랑."

"사촌누나예요."

경찰은 실종자를 찾는 데 도움이 될 수 있으니 사진을 찍어도 되겠냐고 물었고, 주생은 얼떨결에 고개를 끄덕였다.

그때, 주머니에서 문자가 왔음을 알리는 진동이 일었다. 발신자는 석도신애가 아닌 김만식의 조직원인 '우럭'이었다.

쇼생크 탈출 하 담당님 ‿︵‿ 연락하라는데 왜 계속 씹고 지랄이야? 소장실 찾아갈까요 ㅠㅠ 확 그냥

주생은 문자를 무시했다. 그러자 또 문자가 왔다.

기자 만날 테니 제복 벗고 같이 죄수복 입자. 징역은 당신보다 내가 더 선배. 쾌속 연락♥♥

주생은 급한 일이 있으니 기다리라는 짤막한 문자를 우럭에게 보냈다.

경찰이 서진의 사진을 찍는 동안, 주생은 침실이 있는 작은 방에 들어갔다. 이곳에도 사방이 거울로 채워져 있었고, 침대 대신 매트리스와 이불이 개지 않은 채 놓여 있었다. 마치 누군가 집어 던진 것처럼 베개는 한쪽에 내팽개쳐져 있었다. 열려진 옷장 앞에도 옷이 몇 벌 떨어져 있었다. 무슨 일이 생겨 급히 집을 떠난 모양새였다.

'아니면 끌려갔거나?'

거실로 나와 냉장고를 열었다. 유통기한 지난 우유와 치즈, 먹다 남은 치킨이 있었는데 곰팡이가 생기려 하고 있었다. 냉장고 옆의 벽에도 큰 거울이 붙어 있었다. 냉동실을 열자 묵직한 검은 봉지가 바닥으로 떨어졌다. 쿵 소리와 동시에 봉지 안에서 핑크색 머리가 데굴데굴 굴러 나왔다. 주생이 경악했고, 주부도 비명을 질렀다. 경찰이 다가갔다.

"뭐야, 이거 돼지머리잖아?"

꽁꽁 언 돼지머리가 경찰을 향해 눈을 부릅뜨고 있었다.

"우리 파출소장하고 똑같이 생겼네. 누님이 먹방도 찍으시나요?"

경찰은 피식 웃더니 다른 곳도 열심히 둘러보았다. 주생은 그가 혹시 모를 범죄의 흔적보다는 여자 작가의 사생활을 더 궁금해한다는 인상을 받았다. 1405호 주부는 아직도 놀란 마음이 진정되지 않는지 가슴에 손을 올린 채 허연 김이 올라오고 있는 돼지머리에서 시선을 떼지 않았다.

주생은 돼지머리를 다시 봉지에 담아 냉동실에 넣고 경찰과 구급대원을 돌려보냈다. 경찰은 납치 가능성을 들먹이며 가지 않으려 했으나 주생이 가달라고 진지하게 말하자 실종 신고에 관한 절차를 가르쳐주고 1305호를 나왔다. 경비원과 관리소장도 내보낸 주생은 1405호 주부에게는 잠깐만 함께 있어달라고 부탁했다.

주생은 큰 방으로 들어갔다. 책상과 책이 가득 꽂힌 책장이 있었다. 집필을 위한 작업실이 분명해 보였다. 책상 옆에도 커다란 거울이 붙어 있어 기괴한 분위기를 풍겼다. 주생은 제일 먼저 『단죄의 신들』 마지막 편이 저장돼 있을지 모를 노트북을 찾았지만 책상 위에는 먼지만 가득했다.

'딴짓할까 봐 거울에 자기 모습을 비춰 보면서 악착같이 쓴 건가?'

석도신애가 말했던 3부작 마지막 편의 자료가 있을까 싶어 방을 뒤졌다. 책장에는 책들이 즐비했다. 악마를 다룬 서양 서적, 한국의 무속신앙 서적, 고대 사원 건축 서적, 약용 식물 안내서 등이었다. 문학 서적이나 사전 같은 종류는 없었고 『단죄의 신들』조차 없었다.

주생은 조금 열려 있는 책상 서랍에서 책 한 권을 발견했다. 책장이 아닌 서랍에 보관해놓은 특별한 이유가 있어 보였다. 논어나 맹자의 한자판 같은 책이었는데 겉에 『오성밀법강령(悟醒密法綱領)』이라고 쓰여 있었다. 판매 정보가 없는 걸 보니 정식으로 출간된 도서가 아닌 모양이었다. 누렇게 변색된 종이에 글씨가 세로로 쓰여졌다. 삽화도 들어가 있었는데 『단죄의 신들』 표지와 비슷했다. 훨씬 예스럽고 무서운 지옥 삽화였다. 주생이 책장을 넘기자 사진 한 장이 바닥으로 떨어졌다. 양복을 입은 청년과 한복을 입은 청년이 나란히 서서 찍은 낡은 사진이었다. 양복 차림의 청년은 온화한 인상이었지만 한복 차림의 청년은 웃고 있음에도 좀 무섭게 생겼다. 주생은 이 사진도 핸드폰 카메라로 찍고는 도로 책장 사이에 넣었다.

『오성밀법강령』 표지도 한 장 찍은 후 책을 다시 서랍 안에 넣었다. 아랫단 서랍을 열자 철렁거리는 소리와 함께 번쩍이는 청룡검, 방울 그리고 부적 몇 장이 나왔다. 머리부터 발끝까지 독사가 기어오르는 듯 섬뜩한 기분이 들었다. 주생은 1405호 주부가 알아챌까 봐 조심스럽게 서랍을 닫았다. 돼지머리, 방울, 청룡검 모두 점집에서나 볼 수 있을 법한 물건들이었다. 이것도 '생의 전당'과 관련이 있는 걸까?

전화가 걸려 왔다. 우럭이 아닌 석도신애였다.

"수고하셨어요. 다섯 명 중에서 맨 앞의 여자분이 반야심 작가 맞네요. 근데 거기 안 계신다고요?"

"네. 급하게 집을 나갔다가 아직 안 돌아온 거 같은 분위기예요."

"짐 같은 거 챙겨 가셨나요? 그러니까 어디 여행 간 거 같진 않던가요?"

"집이 꽤 어지럽고 여행가방도 그대로 있어요. 노트북만 안 보입니다."

"아, 노트북이 없다고요?"

석도신애의 어조가 실망을 띠었다가 다시 밝은 어조로 바뀌었다.

"어디 글 쓰러 가신 모양이네요. 집에서는 안 쓰고 바닷가 같은 데 주로 간다고 그러던데……."

"글 쓰러 간 거라면 불은 왜 켜놓고 갔을까요?"

"건망증 아닐까요? 집중하다 보면 사소한 건 깜빡하는 그런 작가분들 꽤 봤어요. 그런데 반야심 작가가 고수애 작가랑 친한 줄은 몰랐네요."

"그 사람이 누군데요?"

"사진 속에 고양이 안고 있는 여자분이요."

"이분도 공포소설 쓰는 분인가요?"

"그분은 에세이 작가세요."

"유명한가요?"

"한때 고양이 관련 에세이집으로 유명세를 탄 적이 있었는데, 무슨 이유인지 요새는 글을 안 쓰는 걸로 알고 있어요."

"연락처 아시나요?"

"아뇨. 우리 출판사하곤 일한 적이 없거든요."

"이상한 종교 단체 사람들이 아닐까 생각했어요. 서진이를 꾀어낸 건 아닌가……."

"왜 그런 생각을 하셨죠?"

"'생의 전당'이란 현판 앞에서 사진을 찍었잖아요. 표정도 좀 이상하고. 〈그것이 알고 싶다〉 자료화면 같아요."

"설마요? 저희가 고수애 작가 한번 알아볼게요. 하 교위님이 알아봐주시면 더 좋겠지만."

"저는 알아볼 방법이 없는데요."

"고수애 작가도 사람을 많이 가린다고 소문난 사람이에요. 저희가 연락해도 응답하지 않을 수도 있거든요. 반야심 작가랑 사진까지 찍을 정도의 친분이라면 반 작가 동생에겐 뭔가 알려줄지도 모르지요."

"연락처를 모른다니까요."

"그건 저희도 마찬가지예요. 작품 출간한 출판사에 문의하거나 인터넷 검색해서 알아내야죠. 하 교위님이 직접 섭주로 찾아가신 것처럼요."

"저 궁금한 게 있는데…… 소설 쓰는 기운 받으려고 일부러 방울이나 부적 같은 물건을 집에 두는 작가도 있나요?"

"글쎄요. 무속 관련 소설이라면 그럴지도 모르지만……『단죄의 신들』도 신비주의 스릴러는 맞는데 무속 관련은 아니죠."

"이종하 대표님은 무속 오컬트라고 하시던데……."

"분위기가 그렇다는 거지 무당 나오는 소설을 얘기하신 건 아니에요."

석도신애의 음성에 놀란 기운이 묻어났다.

"혹시 집 안에 그런 게 있어요?"

주생은 1405호 주부가 들을까 봐 목소리를 한껏 낮추고 그렇다고 답했다. 석도신애는 놀라운 사실이라며 책이 잘 팔린 원인이 그 때문인지도 모르겠다며, 홍보에 이용할 수도 있겠다는 소리를 했다.

전화를 끊은 주생은 거실로 나와 사진 속 고수애를 가리키며 주부에게 물었다.

"혹시 이 여자분 보신 적 있나요?"

"아뇨. 처음 보는 분이에요."

"가끔 왔다는 손님이 어떤 사람인지 아시나요?"

"아주머니였어요. 어떤 세련된 아주머닌데 자주 찾아오셨어요. 친정어머니인 줄 알았죠."

"누님 부모님은 다 돌아가셨습니다."

그녀는 사진 속 오십대로 보이는 여자를 가리키며 말했다.

"선글라스를 쓰고 있어서 확실치는 않은데 이분하고 이미지가 비슷해요. 아, 맞다."

뭔가가 떠올랐는지 주부가 눈을 반짝였다.

"누님분, 그 아주머니와 있을 때는 나한테 아는 척도 안 했어요. 평소에는 안 그랬는데."

"누나가 몸이 많이 안 좋았다던데 정말 그런 거 같았나요?"

"모르겠어요. 좀 창백해 보이긴 했지만요."

"이건 제가 잘 몰라서 묻는 건데요, 원래 여자 혼자 사는 집에 거울이 이렇게 많나요?"

"당연히 아니죠. 확실히 이 집에는 거울이 많아요. 그것도 너무 많아요."

주부는 집 안 여기저기에 붙은 거울을 꺼림칙한 시선으로 둘러보았다. 주생은 부엌으로 가 싱크대 서랍을 열어보다가 접시 사이에 놓인 디지털 키를 발견했다. 비밀번호를 몰라도 출입문을 열 수 있는 열쇠였다. 주생은 주부가 서재 쪽으로 걸어갈 때 디지털 키를 몰래 주머니에 넣었다.

"저, 있잖아요……."

주부가 불안한 목소리로 부르기에 주생은 서재로 갔다. 그녀는 서랍을 함부로 열어 그 안의 물건을 보고 만 것이다.

"죄송해요. 일부러 보려고 했던 건 아녔어요. 도와드리려 하다 보니……."

"괜찮습니다."

"생각해보니까 그 아주머니…… 아무래도 무속인 같아요."

"무속인이요?"

"예. 어렴풋이 느낀 건데 이 부적하고 방울 보니까 맞는 거 같아요."

무의식중에 잊혀진 과거의 한 기억이 되살아났다. 열두 살이었던 서진의 등을 아빠와 엄마가 손바닥으로 무자비하게 때렸다.

> "그 부모에 그 딸 아니랄까 봐! 네 부모처럼 너도 사이비 종교에 미칠 거니?"

그때 서진은 울면서 아무 대꾸도 못하고 주생만 바라보았다. 내가 맞는데 안 도와주냐는 눈길로. 하지만 주생은 도와주지 않았다. 평소와 달랐던 아빠 엄마가 너무나 무서웠기 때문이다.

주부의 말이 이어졌다.

"지난달부터 아파트에서 밤마다 이상한 소리가 들려왔어요. 방울 소리하고 징 치는 소리 같은 거요. 그 소리만 들리면 개들이 짖어대고 고양이들이 떼로 울어댔어요. 겁이 난 주민들이 엘리베이터에 '누군지 당장 그만두라'는 쪽지를 붙이기도 했어요. 어떤 주민이 경찰서에 신고를 하고, 안내 방송까지 몇 번

했는데도 그 소리는 밤마다 계속됐어요. 경비원 아저씨들이 아무리 돌아다니고 조사해도 결국 어느 집인지 찾아내지 못했는데……."

"그런데요?"

"그 소리가 멈춘 거예요. 누님분이 안 보이게 된 날부터."

*

아파트를 나온 주생은 서진의 실종 신고를 하지 않기로 결심했다. 서진의 묘연한 행적에 다른 이유가 있을지도 몰랐다. 아무것도 모르면서 들쑤시고 다니면 일을 망칠 수도 있었다. 황금 알을 손에 넣기 위해서는 신중해야 했다. 주생은 1405호 주부에게 자신의 전화번호를 알려주며 혹시라도 서진을 보거든 연락달라고 했다.

주생은 석도신애에게 전화해 반야심 작가가 정말 몸이 아팠던 것이 맞냐고 물었다. 석도신애는 그간 반 작가를 한번 만났을 뿐인데 건강해 보이진 않았다고 말했다. 출간 작업을 위해 통화할 때면 항상 반 작가의 음성에 숨이 찬 기색이 역력했고 심지어 열이 난다는 말을 입에 달고 살았다고 했다.

통화를 끝낸 주생은 몇 가지 가설을 세웠다.

첫째, 소설 고증을 위해 서진이 선글라스 여자와 함께 있음. 『단죄의 신들』은 전통 신앙이 가미된 소설이고 무속인은 이런 옛 신앙에 전문가일 수 있음.

둘째, 고증이 아니라 신내림 때문에 무속인이 왕래하는 건지도 모름. 서진이 아프다는 건 어쩌면 신병일 수도 있음. 집안에 약은 없었고 부적이 있었음. 신을 다룬 소설 스토리도 증거. 그렇다면 행방불명은 신내림을 받기 위한 여행일지도 모름. 그 무속인이 누군지 알아볼 것.

셋째, 사진 속 네 여자가 서진에게 못된 짓을 했는지도 모름. 가장 걱정되는 가설. 사이비 종교 신도들일지도 모름.

넷째, 고수애라는 작가부터 캐볼 것. 그 사람에게서 '생의 전당'에 관해 알아낼 것.

네버힐 관리소에 가서 엘리베이터 CCTV를 확인했지만 허탕이었다. 화질이 좋지 않은 데다가 후드나 모자를 쓴 여자도 많았기 때문이다. 누가 누군지 몰랐고 나이 든 여자와 동행한 마른 여자도 하나둘이 아니었다. 다홍으로 차를 몰면서 주생은 우럭에게 전화했다.

"왜 전화했어?"

"내일 야근 들어가는 날이지?"

"무슨 용건이야?"

"장보기 좀 했어. 내일 아침 10시에 심해 앞으로 와. 드랍 아니야, 직접 받아 가. 받아서 사장님한테 전해줘."

주생은 심장이 철렁했다. 김만식에게 부정물품을 넣어줄 때 그들은 늘 계좌이체를 이용했고 필요한 물건은 주생이 직접 구입했다. ‘드랍’이 마약 운반을 암시하는 은어임을 알기에 주생은 여태까지와는 다른 낯선 위협을 느꼈다.

“뭘 반입하려고 그러지?”

“넌 몰라도 돼. 이 부패 공무원 새끼야!”

“가루는 절대 안 돼.”

“너한테 선택권이 있다고 생각해?”

“교도소 안에 마약이라니. 생각 좀 해라, 생각 좀! 터지면 니들도 무사할 거 같아?”

“그 전에 능지처참되는 건 너지.”

“핸드폰에 성인용품까지 넣어줬어. 더는 안 돼.”

“한 번만 더 해. 지금까지 들킨 적 없잖아.”

“니네 형님한테 뭘 넣어주라고?”

“하하하, 이 전화 녹음하나? 그런다고 협박이 입증될까? 우리 식구들 전부 하주생 고객님 계좌번호까지 달달 외우는데.”

“위에서도 날 의심하고 있어. CCTV도 새 걸로 바꿨다고.”

“그건 니 사정이고! 설날 다음 날 입금한 3백만 원, 청와대 게시판에 올릴까? 제목은 ‘교도관이 조폭에게서 받은 재난지원금’ 어때? 그러니까 상생의 길을 걷자고.”

“귀는 장식으로 달고 다니니, 자갈 대가리 새끼야! 내가 의심받고 있다니까! 니네 두목 검방도 일주일에 세 번씩 하고 있어! 터지는 거 시간문제야. 당하고 나서 정신 차릴래? 터지면 나도 죽지만 니 두목도 최소 3년 이상 추가징역 살아!”

“하기 싫으면 당장 2억 갖고 오든지! 20억에서 18억이나 할 인해줬으면 고마워해야지, 예의는 밥 말아 처먹었나? 일단 내일 나와! 받아서 넘기든지 말든지 사장님하고 직접 쇼부봐! 안 나오면 어떻게 될지 잘 알지? 바로 대국민 기자회견 들어간다."

우럭이 전화를 끊었다. 주생은 이마를 짚었다. 우려했던 일이 현실로 벌어졌다. 최악의 상황이었다. 벌건 대낮에 직접 만나 마약을 받아 가라니. 교도관이 수용자에게 마약을 전달하라니. 그를 파멸시킬 협박이었다.

2

1857년

벌거벗은 사람들이 동굴 안에 난입한 유중활과 군사들을 바라보았다. 그들의 눈길은 공허했다. 팔다리가 잘린 사람, 피를 쏟는 사람, 뜨거운 솥에 들어간 사람, 혀가 잘린 사람 모두의 눈길이 그랬다. 군사들이 동굴 진입 당시 들었던 수많은 소리는 비명이 아니었다. 고문을 당하면서도 고통을 모르고, 죽음에 임박해서도 오히려 그것을 초월하는 자들이 내는 환희의 신음이었다. 자신의 죄를 밝히고 무화의 경지에 들어선다는 웅얼거림이 입에서 입으로 전달되었다. 피와 살점의 아비규환 가운데 육체적 만신창이를 이룬 벌거벗은 사람들은 참진리의 빛을 열망하는 눈길로 무언가를 바라보았다. 군사들은 이 모든 게 환각이 아닌가 싶어 눈을 비볐다.

지옥의 처형장에서 날뛰던 마귀들이 고문을 중단하고 몰려들었다. 신비로운 기운을 머금은 남녀 두 신장이 마귀들 뒤에 서니 한 폭의 인물화가 완성되었다. 마귀를 밟고 있는 사천왕의 형상화는 바로 이 장면에서 나온 것이라 해도 과언이 아니었다.

너무나도 충격적인 광경에 유중활은 몸을 떨 뿐 어떤 결단도 내리지 못했다. 그러자 사위 이합정이 칼을 높이 들고 소리쳤다.

"속지 마십시오! 저들은 불법을 교묘하게 흉내 낸 가짜들입니다. 겉으로는 불상에 사문(沙門)*을 두고 경전과 법열을 포교하며 항마성도(降魔成道)**까지 내세우고 있으나 속은 전혀 다른 이단입니다. 이름도 내용도 불법과 구분할 수 없게끔 꾸몄습니다. 저 남녀 두 장수는 염마천과 제석천이 아니라 일선제력과 월선제력입니다."

"일선제력, 월선제력?"

유중활이 당혹스러운 표정으로 물었다.

"그렇습니다. 불가의 일광제석, 월광제석과 비슷하게 이름을 바꾼 것입니다. 무지한 민간 백성들조차도 일선제력은 범천존자(梵天尊者), 월선제력은 삼도천녀(三途川女)란 신명(神名)으로 호칭하고 있습니다. 범천왕과 삼도천에서 글자만 조금씩 바꾼 것처럼, 불법의 수호신들을 참칭해 혹세무민하려는 것입니다. 저들은 가짜 신입니다. 아니, 신이 아닙니다."

* 수행승.

** 마귀를 물리쳐 도를 이룸.

이합정의 왼쪽 옷소매가 바람에 나부꼈다. 하나밖에 없는 손으로 이합정은 칼을 굳게 쥐었다. 이합정의 아내이자 유중활의 딸인 여협 초아가 뒤를 돌아보았다.

"아버지! 제발 의기를 회복하세요! 군사들 사기가 떨어지잖아요!"

월선제력이라고 불리운 여자 장수가 이합정에게 입을 열었다. 작지만 신비로운 음성이 동굴에 쩌렁쩌렁 울려 퍼졌다.

"삼도천의 여왕 이름을 무엄하게 언급하다니. 신토(神土)에 들어와서도 불측한 소리를 늘어놓는 너는 누구냐?"

"나는 너희 사교를 일소하러 관군을 이끌고 온 이합정이다. 그리고 이분은 너희들을 궤멸시킬 토포사 유중활 장군이시다."

"번뇌에 싸인 주제에 열반할 생각은 않고 이단이나 들먹이는 중생들아. 너희들의 죄를 대오각성하고 윤회의 진리를 터득해라."

삼도천녀 월선제력의 몸에서 신기한 기운이 뿜어져 나왔다. 화선지를 적시는 먹물처럼 기운이 파고들자 초아가 흔들렸고 이합정조차 부릅떴던 눈을 껌뻑거렸다.

2022년

복잡한 심정으로 다홍 자택으로 돌아온 주생은 침대에 피곤

한 몸을 던졌다. 우럭의 협박이 머릿속을 맴돌았다. 베개 옆에 놓인 『단죄의 신들』 표지가 그를 바라보았다. 귀 옆에만 머리카락이 있고 송곳니가 튀어나온 벌거숭이 마귀들이 사람들을 삼지창으로 꿰뚫어 죽였다. 결코 천당에 못 갈 자신이나 우럭이나 김만식이 죽은 후 지옥에서 당할 꼴이었다.

주생은 침대에서 일어나 컴퓨터를 켰다. 그리고 고수애를 검색했다. 포털 사이트에 '1979년생 에세이스트'라는 짤막한 정보가 떴다. 출간된 책이 나열되었는데 석도신애 말대로 대부분 에세이집으로 고양이에 관한 것이었다. 『마이 캣 찰리 브라운』 『삼시 야옹!』 『냥냥 정보통』 『여섯 시 내 고양이』 등.

한참 고수애에 관해 검색하다 서진의 아파트에서 본 그 사진을 발견했다. 그녀만 빼놓고 네 여자의 얼굴은 모자이크 처리가 되어 있었다. 출처는 '고양이 작가 고수애의 블로그'였다. 주생이 클릭하자 화면은 '생의 전당' 앞에서 활짝 웃는 여자들을 내세운 고수애의 블로그로 넘어갔다. 사진 아래에는 댓글이 수백 개나 붙었는데 하나같이 비밀 댓글이었다. 사이비 종교일지도 모른다는 의혹이 한층 커졌다. 주생은 꽤 긴 시간 동안 고수애의 블로그를 뒤졌다. 글이 없는 대신 온통 은빛 고양이를 찍은 사진뿐이었다. 신기한 털빛의 고양이 이름은 찰리 브라운이었다. 화면을 노려보는 사진, 점프하는 사진, 몸을 핥는 사진, 하악거리는 사진 등 활기를 강조한 사진이 대부분이었다. 신기한 털빛은 귀여움보다 무서움을 주었지만 고수애는 모르는 모양이었다. 이상한 건 '생의 전당' 단체 사진에만 수백 개의 댓글이 붙었고 다른 사진에는 댓글이 하나도 없었다. 공감도 댓글도 모조리 차단한 탓이었다.

주생은 몇백 개나 붙은 비밀 댓글에 자신의 비밀 댓글도 달았다.

안녕하세요, 고수애 작가님. 갑작스럽게 글 남겨 실례가 아닌지 모르겠네요.

저는 하서진의 동생 되는 사람인데 지금 누나가 행방불명이 되어서 찾고 있는 중입니다. 하서진은 『단죄의 신들』 반야심 작가의 본명입니다. 서진 누나 집에 갔다가 작가님과 함께 있는 사진을 발견해 이렇게 글 남기게 되었습니다. 제 연락처를 남길 테니 혹시 아시는 게 있다면 연락 주세요. 도와주신다면 감사하겠습니다.

주생은 댓글에 아파트에서 찍은 사진까지 첨부했다. 신기하게도 바로 전화가 걸려 왔다. 모르는 번호였지만 고수애라고 짐작했다. 허스키한 목소리가 질문을 던져왔다.

"블로그에 글 남기신 분인가요?"

"맞습니다. 고수애 작가님이세요?"

"정말 서진이 동생이에요?"

"예. 혹시 서진 누나 어디 있는지 아세요?"

들떠 있는 건지 긴장한 건지 모를 음성이 점점 빨라졌다.

"서진이가 반야심 맞는 거지요?"

"저도 최근에 알았습니다."

"그게 무슨 소리죠?"

"스무 살 때 헤어져 계속 연락 두절이었거든요."

정작 궁금한 것이 많은 건 자신인데, 오히려 대답만 하는 상황이 당혹스러웠다. 고수애는 한술 더 떴다.

"동생이란 걸 어떻게 믿죠?"

함께 찍은 사진만 발견했을 뿐, 둘의 사이가 어떤지는 알 수 없었다. 그리고 '생의 전당'은 어쩌면 사이비 종교 집단일지도 몰랐다. 주생은 정신을 바짝 차리고 여자의 질문을 자르고 말했다.

"안 믿어도 돼요. 어디 있는지나 알려주세요."

"왜 찾는데요?"

"제가 찾는 게 아니고 다른 사람이 찾고 있습니다."

"누가요?"

"그쪽은 안 가르쳐주는데 저만 가르쳐드릴 일이 있습니까?"

고수애가 입을 다물었다. 이상한 여자란 생각에 주생은 전화를 끊으려 했다.

"서진이 집에 그 사진이 있었다고 했나요?"

"예. '생의 전당'이란 현판 앞에서 찍은 사진이요."

주생은 '생의 전당'을 힘주어 말했다.

"난 서진이는 물론 다른 세 여자랑도 일절 연락을 끊고 살았어요."

"서진이 어딨는지 알려주세요."

"그들과는 관계를 다 끊었다고요. 내 할 일은 다 했고요."

"부탁인데 제가 좀 알아들을 수 있게……."

"사진이 잘렸어요. '생의 전당'이 아니라 '갱생의 전당'이에요. 서진이가 출소할 때 찍은 사진이죠."

"출소라뇨? 서진 누나가 교도소에 있었어요?"

직업병처럼 교도소라는 단어에 주생의 음성이 변했다.

"누나가 왜 교도소에 있었는데요? 뭘 훔쳤나요? 누굴 다치게 했나요?"

고수애는 다시 자기 말만 했다.

"서진이를 찾는 건 누군데요?"

"저도 찾고 있고 출판사에서도 찾습니다. 반야심 작가가 되어 『단죄의 신들』 시리즈를 내놓았는데 마지막 편 마감 전에 갑자기 사라졌어요."

"『단죄의 신들』, 일선제력 월선제력……."

깊은 한숨이 수화기 너머로 전해져왔다.

"난 할 만큼 했어요. 제발 지금 이대로 살게 해줘요."

"걱정 마세요. 두 번 다시 연락 안 할 테니 어디 있는지 짐작 가는 데 있으면 그거라도 제발 알려주세요."

"찰리! 찰리! 어디 있니! 찰리!"

"전화 끊지 말고 말해주세요. 누나가 많이 아파요! 어디서 죽어가는지도 몰라요!"

"찰리! 이리 와! 어디 숨었니?"

고수애의 음성이 히스테리컬했다. 움직이다가 몸을 부딪친 것처럼 물건 쏟아지는 소리도 잇따라 들려왔다. 찰리를 부르는 음성이 점점 가빠지고 멀어졌다. 주생은 여보세요, 여보세요, 하고 외쳤지만 소용없었다. 어느새 전화는 끊어졌다.

*

전화를 끊은 고수애는 안절부절못했다. 고양이 찰리 브라운이 보이지 않았다. 이름을 불러도, 사료로 유혹해도, 장난감을 흔들어도 나타나지 않았다. 울음소리도 들려오지 않았다. 고수애는 미친 듯 온 집 안을 뒤지고 다녔다.

"찰리 대답해! 제발, 찰리!"

서재로 들어가 책장을 헤집으며 고양이를 찾았다. 책장 위에는 옛날에 붙였다가 지금은 떼어낸 십자가 형태의 자국이 남아 있었다. 혼란스러운 손길에 책이 우루루 쏟아졌다. 자신이 쓴 고양이에 관한 책이 대부분이었지만 그중에는 주생이 서진의 아파트에서 보았던 『오성밀법강령』도 있었다. 책이 떨어지면서 책장이 저절로 펼쳐졌는데, 화염이 끓는 지옥에서 붉은 마귀가 한 여자를 창으로 찔러 죽이는 그림이 나왔다. 잔혹하게 배를 관통한 창끝에서 떨어지는 핏방울까지 세밀하게 묘사돼 있었다. 그림을 본 고수애는 양 손으로 입을 막고 거칠게 숨을 몰아쉬었다. 튀어나올 듯 커다래진 눈은 잔뜩 충혈되었다.

그녀는 찰리 브라운이 잘 숨는 침실로 들어갔다. 침대 옆에 설치된 캣타워에도 찰리는 보이지 않았다.

"이제 와서 니들이 날 어떻게 할 수는 없어! 안 돼! 제발 지금처럼 지내게 해줘."

눈물 흘리며 혼잣말하던 그녀는 침대에 드러누웠다.

"죄를 고하고 대오하고 각성하라. 그리고 무화로……. 싫어! 싫어! 난 지금이 좋단 말이야!"

베개에 머리가 닿자마자 날카로운 것으로 찌르는 듯한 통증에 그녀는 벌떡 몸을 일으켰다. 발톱 같은 것이 머리를 찔렀고 머리카락 일부가 여기에 걸렸다. 몸을 힘껏 일으켜 간신히 베개에서 벗어날 수 있었다. 머리카락이 해초처럼 붙어 있는 베개가 꿈틀거렸다. 일어선 그녀가 뒤로 물러날수록 꿈틀거림은 격렬해졌다. 갑자기 베개가 일자로 벌떡 서더니 벽에 붙었다. 베갯잇에 작은 얼굴 윤곽이 바짝 밀착했다. 화로 위의 가리비처럼 고수애의 눈이 크게 떠졌다. 베개 안에서 처절한 몸부림이 있었다. 베갯잇이 부욱 찢어지면서 발톱이 나오고 그다음에 세엑세엑 숨을 몰아쉬는 은빛 고양이의 얼굴이 나타났다. 주인을 보는 눈길에 증오가 가득했다. 한 걸음 물러선 고수애의 등에 스위치가 닿아 전등이 꺼졌다. 순간 고수애는 칠흑 같은 어둠 속에서 삼지창을 들고 나타난 마귀 떼를 보았다. 그녀가 고개를 흔들자 은빛 광채를 내는 털과 두 개의 눈이 악의를 충전했다. 고양이가 눈을 감고 뜨기를 반복하자 어둠 속에서 두 개의 은빛 단추가 나타나다가 사라지기를 거듭했다. 점점 고수애와의 거리가 가까워졌다.

"찰리? 너 어떻게 거기 들어간 거야?"

고양이가 위협적으로 입을 벌리며 날아올랐다. 고수애는 고양이를 받아 안았지만 발톱이 얼굴을 무자비하게 할퀴었다. 눈을 뜰 수 없는 고통이 몰려들었다. 비명과 함께 찰리의 이름을 불러도 발톱과 이빨 공격은 멈추지 않았다. 그녀는 삼지창을 들고 나타난 마귀 떼의 환각을 보았다. 민머리에 이빨이 치솟은 붉은 마귀들이 좁은 아파트에서 그녀를 둘러싼 채 웃고 있었다. 여러 개의 삼지창이 분주하게 움직여 그녀의 얼굴과 팔다리를 고정하자 심판이 시작되었다. 몸집이 큰 푸른 색깔의 마귀가 앞으로 나와 황금빛을 띤 거대한 삼지창을 꼬나잡았다. 고수애는 애원했지만 소용없었다. 저항할 수 없는 상태에서 가슴 한가운데로 날아온 최후의 창이 고수애의 목숨을 관통했다. 고수애는 입을 벌렸지만 비명은 소리로 나오지 않았다. 등으로 튀어나온 창끝에는 고수애의 심장이 걸려 있었다. 그녀의 몸 밖에서도 심장은 둥둥 소리를 내며 박동했다. 마귀들이 그 소리에 맞추어 춤을 추었다.

그녀가 비명을 지르자 갑자기 맹공이 멎고 무거운 것이 쿵 땅에 떨어졌다. 아픔도 환각도 사라지자 고수애가 눈을 떴다. 전등을 켜보니 그녀의 피로 붉은 점투성이가 된 침대가 눈에 들어왔다. 그 위에 흩날린 털과 함께 널브러져 있는 건 찰리 브라운의 죽은 몸이었다. 분노와 의지와 힘을 한꺼번에 다 써버린 고양이는 축 늘어져 몸이 굳어버렸다. 무릎 꿇고 흐느끼던 고수애는 거울을 보다가 또 한 번 비명을 질렀다. 고양이가 할

퀸 상처 자국은 그녀가 익숙히 알고 있는 어떤 표식과 똑같았다. 이 표식 앞에서 그녀는 고통스럽게 섭리를 인정했다.

*

다시 전화가 걸려 왔다. 고수애의 번호를 본 주생은 내키지 않는 심정으로 전화를 받았다.

"아깐 죄송했어요. 고양이가 밖으로 나가는 바람에……."

그녀의 목소리는 처음과 달랐다. 의지가 사라지고 자포자기한 목소리였다. 결국 이렇게 연락할 수밖에 없었다는 체념. 혹은 누군가의 압력으로 마지못해 전화했다는 난감. 미스터리한 여자였다. 주생은 왜 맘이 바뀌었냐 물으려다가 또 끊을지도 몰랐기에 참기로 했다.

"괜찮습니다. 그 고양이가 찰리 브라운인가요? 아주 멋진 고양이던데요."

"서진이가 어디 있는지는 모르겠어요. 저도 못 만난 지 꽤 됐거든요."

"마지막으로 본 게 언제였죠?"

"출소 때요."

"혹시 갈 만한 곳이나, 알 만한 사람이라도 좀 없나요?"

"도움 못 드려 죄송해요. 제가 아는 건 없어요."

그녀는 거짓말을 하고 있었다. 그런데 왜 전화했을까?

"제 누나랑 작가님은 어떻게 알게 된 사이였나요?"

"서진이는 교도소 문예과정 코스를 수강한 재소자였고 전 교화위원이었어요. 교도관이시니까 교화위원이 뭔지는 잘 알겠죠?"

"어떻게 제 직업을 아셨죠?"

"서진이가 그랬어요. 동생이 다홍 구치소에 근무한다고."

"출소 연도는 언제였죠?"

"작년이요."

주생은 어리둥절했다.

서진은 나에 관해 알았으면서도 왜 연락하지 않았을까? 다홍과 섭주는 지척인데 왜 끝내 모습을 드러내지 않은 걸까? 부모님 일이 미안해서? 전과자 신분이 내게 누가 되어서?

"무슨 죄로 교도소에 들어간 거죠?"

"사람을 죽였어요."

"누구를요?"

"자신의 정체를 아는 이라고 했어요."

"그게 누군데요?"

고수애는 답하지 않았다. 주생은 죽은 사람도 궁금했지만 서진의 정체라는 뜻밖의 말도 궁금했다. 고수애가 갑자기 흐느껴 울었다.

"작가님, 전화하기 곤란하시면 지금은 끊어도 됩니다. 언제 괜찮으실 때……."

"우리 만나요."

"예?"

"사죄드리고 싶어요. 서진이한테 용서를 구하고 싶어요. 저는 서울에 사는데…… 우리 양평에서 만날래요? 다홍에서 출발하면 비슷한 시간에 도착할 거예요. 지금 시간 되세요?"

"지금요?"

"네. 양평역 주변에 제가 집필할 때마다 들리던 괜찮은 찻집이 있어요."

주생은 창문 너머 하늘을 보았다. 아직 이른 오후였다. 내일 출근은 오후 6시였다. 양평까지라면 충분히 갔다 오겠다 싶었다. 한 사람의 긴 과거는 전화로 얘기할 상황이 아니었다.

"그러죠. 찻집 이름을 알려주세요. 내비로 찾아가겠습니다."

주생은 이제 정말로 서진의 과거가 궁금해졌다. 고수애가 뭘 사죄한다는 건지도.

*

카페 '림보'는 양평해장국 가게가 즐비한 식당가 골목의 언덕에 위치했다. LIMBO라는 간판이 여기서도 뚜렷했지만 언덕의 폭은 사람 두 명이 어깨를 맞대고 올라가야 할 만큼 좁아 차가 올라가지 못했다. 주생은 식당가의 표지석 격인 어떤 구조물 앞에 차를 멈췄다. 거대한 뚝배기 형태의 조형물인데 플라스틱과 고무를 이용해 나물도 국물의 형태도 비슷하게 살려놨고 비스듬히 꽂힌 거대한 철근 숟가락도 진짜 같았다. 그 옆에는 이렇게 쓰여 있었다. '대한민국 속풀이의 대명사! 원조 해

장국의 고향!'

이 조형물 옆에 '림보'로 올라가는 계단이 있었다. 계단은 까마득할 정도로 길었다. 돈이 궁해 이런 곳에 가게를 냈나, 커피 한잔 마시려고 이렇게 긴 계단을 힘들여 올라가야 하다니. 그런 생각을 하며 걷는 주생을 여학생 둘이 앞질렀다. 검정 마스크를 들썩이며 둘은 이야기를 나누었다.

"시내에 카페 많은데 꼭 여길 와야 돼?"

"여기 커피가 맛있고 분위기도 좋아. 예술하는 사람들도 많이 온데."

아, 그런 이유가 있었구나. 혹시 서진이도 왔었을까.

이제 림보 앞에 도착했습니다. 먼저 와 계신가요?

고수애에게 문자를 넣은 주생이 다시 계단을 올라갔다. 앞서 간 두 여학생은 가파른 계단을 잘도 올라 금세 거리가 멀어졌다. 띠링, 하고 문자 알림음이 울렸다. 발신자는 고수애가 맞았지만 내용은 뜬금없었다.

ID incattation

비번 68mp2k95*

"뭐야, 이게?"

순간 검은 구름 같은 것이 눈앞을 지났다. 그 기운은 림보라는 간판이 주는 분위기와 더불어 조금 전 주생이 보았던 『단죄의 신들』과 합쳐져 묘한 심상을 몰고 왔다. 발 디디고 선 곳이 이승이 아니라 저 너머 세상이라는 심상. 뭔가 잘못되었다는 기분이 엄습할 때 어떤 여자의 고함이 들려왔다. 주생의 고개가 고함의 발원지인 높은 곳으로 절로 움직였다.

"너의 죄를 고하라! 대오하고 각성한 후 무화를 받아들여라!"

고함을 마친 그녀가 림보의 발코니에서 힘껏 몸을 던졌다. 허공으로 날아오른 몸이 계단에 부딪친 뒤 빠른 속도로 굴러 떨어졌다. 두 여학생이 비명을 지르며 서둘러 몸을 피한 바람에 추락자는 방해물 없이 계속 구르다가 가속이 붙어 계단 끝에서 또 한 번 날았다. 피투성이가 된 그녀가 최종적으로 떨어진 곳은 해장국 조형물에 꽂힌 숟가락 모양의 철근이었다. 복부가 관통되고 나서야 그녀의 움직임은 멎었다. 가슴에서 뿜어져 나온 선지 같은 피가 거대한 해장국 그릇 안으로 떨어졌다. 행인들의 비명이 귀를 찢었다. 엉덩방아를 찧은 주생도 가쁜 숨을 몰아쉬었다. 눈을 뜨고 죽은 여자의 가슴이 움직거렸다. 코트가 들썩이더니 품속에서 뭔가가 슬며시 기어 나왔다. 이 너무나도 초현실적인 장면에 주생은 간이 떨어지는 줄 알았다. 고양이였다. 주생이 블로그에서 봤던 찰리 브라운이란 은빛 고양이. 고양이는 주생을 바라보더니 입을 크게 벌리고 하아악거린 후 쏜살같이 도망가버렸다. 그 움직임은 '살아 있다'는 느낌을 주기에 충분할 정도로 빨랐다. 하지만 주생의 시선은 기괴한 방식으로 자살한 여자에게 쏠려 있었다. 그녀는 사진으로 봤던 고수애가 틀림없었다.

*

주생은 '림보'로 올라가 10여 미터 아래로 몸을 던진 사람이 고수애임을 확인했다. 고수애와 만날 예정이었던 사람이란 이유로, 가게 주인이 넋이 나간 상태로 경찰에게 보여주는 CCTV를 함께 볼 수 있었다. 화면 속에서 고수애는 차를 시켜놓고 홀로 앉아 있었다. 무언가를 가슴에 숨긴 듯 양팔로 안고 있었는데 찰리 브라운인 것 같았다. 핸드폰을 꺼내어 보던 그녀는 일어나 어디론가 나갔다가 5분쯤 후에 돌아왔다. 화장실을 다녀온 모양이었다. 그러나 다시 앉은 지 채 1분도 안 되어 벌떡 일어선 그녀는 마스크를 벗어 던지고 오페라 가수처럼 입을 크게 벌린 채 양팔을 45도 각도로 올리고 발코니를 향해 걸어갔다. 주변 사람들이 일제히 쳐다보는 걸로 보아 그 순간 그녀가 대오각성하라고 외친 모양이었다. 발코니 아래로 몸을 날리는 장면과 경악한 손님들이 자리에서 일어나는 장면, 그 다음 가게 주인이 뛰어나가는 장면이 이어졌다. 텅 빈 가게에는 찻잔이 놓인 탁자만이 남았다.

CCTV를 다 본 주생은 돌아서다가 벽에 붙은 『단죄의 신들』 포스터에 주목했다. 포스터는 유리로 보호가 되어 있었는데 거기 자신의 얼굴이 비쳤다. 주생은 스스로에게 말했다.

"고수애는 서진이에게 갚을 빚이 있다는 의미의 말을 했지.

죄를 고하고 대오하고 각성하라. 어떤 죄책감 때문에 뛰어내린 건지도 몰라."

고수애의 핸드폰이 사라져 경찰 조사는 주생에게까지 미치지 않았다. 경찰들이 추락 지점 인근을 수색했지만 핸드폰은 발견되지 않았다. 참고인 조사도 두 분이 어떤 사이냐는 매우 간단한 것이었다. 나는 18년 전에 사라진 사촌누나를 찾고 있으며 고수애와는 누나의 행방을 물으려 연락했을 뿐 일면식도 없었단 얘기에 범죄 가능성은 제기되지 않았다. 오히려 고수애의 무수한 정신과 진료 기록이 그녀의 자살 가능성에 무게를 실어주었다. 경찰은 사망자에 관해 새로운 소식이 들어오면 연락주겠다고 한 뒤 주생을 돌려보냈다.

주생은 차를 몰고 다홍으로 내려왔다. 밤이 깊어서야 집에 도착했다. 찜찜하고 기이한 느낌이 사라지지 않았다. 주생을 바라보는 고수애의 피투성이 얼굴은 쉽게 지울 수 있는 광경이 아니었다.

그는 핸드폰을 꺼내 받은 메시지를 검색했다. 고수애가 남긴 ID와 비밀번호는 그대로 있었다. 화면을 몇 분간이나 바라보던 그는 컴퓨터 전원을 켰다.

포털 이메일 로그인 창에 문자에 적힌 내용을 쳐 넣자 화면이 넘어갔다. 예상대로 고수애의 이메일이었다. 여성 피해자의 이메일을 해킹하는 스토커가 된 기분이었다. 범죄라는 생각을 떨칠 수 없었다. 다행히 메일은 전부 광고메일이었다. 서진과의 연관성이 될 만한 메일은 물론 고수애에 관한 정보를 제공

할 메일 역시 단 하나도 존재하지 않았다. 중요한 메일은 따로 보관한 모양이었다.

주생은 메일을 포기하고 블로그로 넘어갔다. 잠금이 풀리자 보지 못했던 것을 볼 수 있었다. 똑같은 내용이었지만 비밀 댓글이 완전하게 노출된 것이다. 서진만 빼놓고 네 여자가 웃는 사진 아래의 비밀 댓글은 모두 고수애가 올린 것이었다. 하루에 한 댓글. 내용은 거의 비슷했다.

최초의 비밀 댓글 업로드 일은 2019년 5월 12일이었다. 댓글 내용은 '21일째'. 5월 13일의 비밀 댓글은 '22일째'였고 5월 14일의 댓글은 '23일째'였다. 이런 식으로 2022년 오늘까지 이어져 '1031일째'가 마지막 댓글이었다. 그녀는 2019년 4월 22일에 일어난 뭔가를 잊지 않기 위해 하루에 한 번 기록을 한 것이 틀림없었다.

주생은 찰리 브라운의 사진을 보았다. 텅 빈 침대에 비스듬히 누워 카메라를 노려보는 은빛 고양이의 사진은 무서웠다. 고양이를 품에 안고 뛰어내린 여자. 동반자살을 시도한 걸까? 고수애의 품속에서 나온 고양이는 눈이 마주치자마자 어디론가 사라졌다. 그렇게 높은 곳에서 추락하고도 전혀 다치지 않은 모습이었다.

로그아웃을 한 그는 『단죄의 신들』을 검색했다. 인터넷 도서 판매 사이트에서 『단죄의 신들』은 장기간 한국소설 1위였다. 점수는 거의 별 다섯 개 만점이고 평가는 대체로 하나로 통일되어 있었다.

이 책 읽고 나는 지은 죄를 회개하고 새로운 진리를 얻었습니다.

"이거 완전 광신도들 같은데?"

그중 유일하게 별 한 개를 준 댓글이 있었다. ID가 '민속학자'였기에 그냥 지나칠 수가 없었다.

작가님 양심적으로 쓰세요. 자기가 믿는 종교를 이런 식으로 전파하면 안 되지요. 이거 오성교의 오성밀법 경전에 공포영화 스토리 첨가해 소설로 바꾼 거잖아요.

『오성밀법강령』은 서진의 아파트에서 봤던 낡은 책이었다. 아마도 어떤 종교의 경전인 모양이었다. '생의 전당'이 '갱생의 전당'으로 밝혀진 것처럼 서진이 이상한 종교에 빠진 게 아니라 단순 참고용으로 그 책을 비치해뒀을 수도 있다. 얼핏 본 『오성밀법강령』은 정식 출간물이 아니었고 너무 오래전 작품이라 표절을 해도 법적 문제가 없을 것 같았다. 아니, 알아차릴 사람조차 없을 것 같았다. 한자 때문에 읽을 엄두도 못 낸 그 책의 내용이 『단죄의 신들』과 같을지도 모른단 생각이 들었다. 군데군데 보았던 마귀들의 삽화가 똑같았으니까.

"표절이라 치자. 그럼, 부적하고 방울은 거기 왜 있었던 거지?"

주생은 풀리지 않는 수학 문제에 직면한 학생처럼 고개를 갸웃거렸다.

"그러고 보니 서진이가 어느 교도소에 있었는지도 못 물어봤네."

그는 키보드를 두드려 현직 교도관과 교정직 응시생들이 정보를 나누는 카페로 들어갔다. 자유게시판에 '혹시 정문에 갱생의 전당이라는 나무 현판이 있는 곳이 어느 교도소인지 아십니까?'라고 써놓을 때 전화가 걸려 왔다. 석도신애 편집장이었다. 주생은 의자에 등을 기대고 전화를 받았다. 석도신애의 음성은 침착했지만 내용은 그렇지 않았다.

"뉴스 보셨어요? 고수애 작가가 죽었어요."

그래, 이제 섭주와 다흥이란 곳이 어떤지 아셨단 말이죠? 원래 서울 같은 밝은 곳보다 어두운 시골이 더 무서운 법이죠. 주생도 아무렇지 않은 목소리로 대꾸했다.

"맞습니다. 저랑 만나기로 했는데 약속 장소에 들어가기 전에 그분이 추락해서 절 맞이하더군요."

"이런 일에 농담하시면 안 돼요. 정말로 돌아가셨대요."

"표현은 고인에게 미안합니다. 하지만 만나기로 한 장소에서 정말 그분이 죽었습니다."

"거기 양평이라던데 하 교위님이 정말 그분을 만나러 갔었단 말이에요?"

"예. 림보라는 카페였어요."

석도신애는 같은 질문을 반복했다. 어조는 변함없었고 감정도 전혀 드러나지 않았다.

"그러니까…… 그 현장에 정말 하 교위님도 있었단 말인가요?"

"떨어질 때 저는 계단 아래에 있었지요."

"어떻게 고 작가를 찾아내셨어요?"

"제가 고 작가 블로그에 직접 댓글을 달았습니다. 제 누나, 하서진을 아냐고. 그러자 바로 연락이 와서 양평의 림보인지 랭보인지 람보인지 하는 곳에서 만나자 하더라고요."

"만나자고 해놓고 하 교위님을 만나기도 전에 그렇게 되었단 말이죠?"

"제가 경찰과 함께 CCTV도 확인했습니다. 혼자 앉아 있다가 갑자기 대오각성하라는 소리를 지르고 뛰어내렸어요. 손님들도 그렇게 증언했고요."

"방송에선 우울증을 앓아온 작가가 극단적 선택을 했다고 나왔어요. 그런데 『단죄의 신들』에 진리를 얻어 죽음으로 죄를 뉘우쳤다는 글이 인터넷에 올라오고 있어요. 그 고함 때문에 그런 거 같아요. 물론 그 덕에 지금 책 판매량은 평소의 몇 배 이상이지만……."

주생은 무서운 여자를 상대하고 있다고 생각했다. 그는 고생을 하고 정보를 얻지 못한 불만 때문에 고수애의 죽음을 농담조로 내뱉었지만, 이 노련한 편집장은 현재 일어난 비극을 자사의 매출과 연관시켰던 것이다. 매출이 더 올랐다니, 황금 알의 거위 서진을 반드시 찾아야만 했다. 무슨 일이 있어도. 그는 출판사를 붙잡으려는 집요한 작가 지망생처럼 어설픈 농담까지 건넸다.

"석신애나 도신애나 다 괜찮은 이름인데 굳이 그렇게 불편한 이름을 쓰시나요?"

"말씀드렸잖아요? 반야심 작가와의 마케팅 협업이었다고."

간단히 설명한 그녀는 사적인 대화를 끊고 처음의 문제로 돌아갔다.

"왜 고수애 작가가 하 교위님과 만나기로 해놓고 스스로 목숨을 끊었을까요? 이런 사고가 우리한테 생긴 건 처음인데……. 독자들 반응은 『단죄의 신들』에 대한 비난은 하나도 없고, 오히려 찬양만 하고 있거든요. 좀 신기해요."

'신기한 게 아니라 무서운 거겠죠.'

주생은 고수애가 대오각성하라는 고함을 지를 때 머릿속에 흐르던 요상한 심상을 떠올렸다.

"정신이 안 좋은 분 같았어요. 편집장님이 말씀하신 우울증 때문인지도 모르겠죠. 이건 제 생각이지만, 서진 누나한테 말 못할 비밀이 있는 것 같았어요."

"무슨 비밀이요?"

"그건 저도 몰라요. 고수애 작가가 고함친 말이 『단죄의 신들』에 나오는 대사와 토씨 하나 안 틀리고 똑같았거든요. 서진이한테 용서받을 일이 있다고도 말했어요. 둘 사이에 무슨 일이 있었고 그동안은 서로 만나지 않고 평온하게 지내고 있었는데 제가 불쑥 동생이라며 나타나니 많이 놀란 눈치였어요."

"두 사람 사이에 무슨 악연이 있었던 건지도 모르겠군요."

"서진 누나가 자기 과거 얘긴 안 하던가요?"

"사적인 얘긴 일절 없었어요. 무슨 과거 말씀이죠?"

"고수애 작가랑 찍은 사진 기억나시죠? '생의 전당'이 아니라 '갱생의 전당'이었어요. 고수애 작가 말이 자기는 교화위원인데 서진 누나를 교도소에서 만났다는 겁니다."

숨죽인 침묵이 수화기 저편으로 흘렀다. 석도신애가 받은 충격이 그대로 느껴졌다.

"그러니까 반야심 작가가 전과자라는 말인가요?"

"교도관인 저도 몰랐습니다."

"그렇구나. 저…… 이 사실은 소문나면 안 돼요. 도서 판매에 악영향을 줄지도 모르니까요. 사정은 모르겠지만 비밀로 해주세요. 아셨죠, 하 교위님?"

"당연하죠, 비밀로 하겠습니다."

옳지! 나는 당신들과 같은 편이란 인식을 심어주는 데 성공했다!

"편집장님, 혹시 오성교라는 종교를 아시나요? 경전은 『오성밀법강령』이고요."

"처음 들어요. 그게 뭔데요?"

"『단죄의 신들』 댓글 중에 『오성밀법강령』을 베낀 거라는 비난이 있던데요."

"정말요? 반 작가 사라지고 안 좋은 일이 자꾸 생기네요. 사람이 죽고 그런 댓글까지……."

"그런데 한 사람만 그렇게 올렸지 나머지 리뷰는 전부 별 다섯 개 만점입니다. 표절이란 증거도 올라오지 않았고요."

"표절 아닐 거예요. 반 작가가 직접 한 말이에요. 잠들 때마다 꾼 꿈에 플롯을 붙인 소설이라고. 베스트셀러가 표절로 판명 나면 그건 큰 문제니 알려주셔서 고마워요. 저희가 모르는 많은 걸 알아내셨네요. 우리도 반 작가 행방을 계속 알아볼게요."

"저는 교도소 쪽에 탐문해볼게요. 서진 누나 행방에 대해 알고 있는 사람이라도 없는지."

석도신애는 잠시 말이 없다가 여태와는 다른, 밝아진 음성으로 대꾸했다.

"하 교위님이 알아보실 수 있어요? 반 작가가 다른 교도소에 있었어도?"

"원래는 안 되는데 수단 방법 가리지 말고 알아내야죠. 제가 왜 적극적으로 움직이는지 다 아시잖아요?"

"반 작가가 잠수 탄 게 아니라는 정도만 공식적으로 밝혀져도 상황은 지금보다 나아질 거예요. 이 대표님께 하 교위님 노력을 적극적으로 알릴게요. 분명 보상을 받으실 거예요. 정말 감사드려요."

석도신애의 음성에는 서진이 시체라도 찾아내면 복권 당첨자는 당신이라는 암시가 담겨 있었다. 악덕에 물든 주생은 어떤 면에선 그런 결과를 바랐다. 전화를 끊고 모니터를 보니, 그 사이 인터넷 카페 게시판에 답글이 올라와 있었다.

—'갱생의 전당' 작년 초에 간판 바꾼 거 맞습니다. 저기 경북 섭주 교도소입니다.

—섭주 맞습니다. LED 전광판 바뀌기 전까지 저런 나무 현판 썼습니다.

또 섭주인가!

주생의 미간이 좁혀졌다. 섭주 교도소에서 출소한 여자가 섭주에 눌러앉다니! 부끄러워서라도 그곳을 뜰 텐데……. 문득 연옥 출판사 대표 이종하가 했던 말이 떠올랐다.

"탁월한 집필지 아닙니까? 『단죄의 신들』은 무속 오컬트 소설이거든요. 섭주는 우리나라 제일의 무속 환경을 기반으로 둔 지역이지요."

무속.

1405호 주부는 무당들이 내는 징 소리, 방울 소리를 들었다고 했다. 무당처럼 보이는 여자가 수시로 방문한 걸 직접 봤다고도 했다. 주생은 포털 검색창에 오성교, 오성밀법강령을 써넣었지만 아무것도 나오지 않았다. 무속과의 연결고리도 없었다. 출판사 측은 투고된 원고만을 받았을 뿐 서진의 신상에 관해 아무것도 모르고 있었다.

'다흥 구치소에서 섭주 교도소로 수시로 이송을 보냈는데도 서진이 있는 걸 몰랐다니…….'

주생은 서진을 대하듯 『단죄의 신들』을 세워두고 표지를 찬찬히 뜯어보았다. 밤의 기운과 더불어 마귀들의 창질이 무서웠다. 고수애의 죽음 때문에 오늘은 악몽을 꿀 것 같았다. 전등을 끄니 창밖의 가로등 빛이 들어와 『단죄의 신들』 표지를 밝혔다. 마귀들은 활기를 띠었고 그들이 지닌 징벌의 흉기는 불에 달군 것처럼 빛났다. 잠시 후 주생은 코를 골기 시작했다. 우럭의 문자가 왔지만 잠든 주생은 알지 못했다.

3

1857년

“번뇌에 싸인 주제에 열반할 생각은 않고 이단이나 들먹이는 중생들아. 너희들의 죄를 대오각성하고 윤회의 진리를 터득해라.”

삼도천녀 월선제력의 몸에서 영기(靈氣)가 뿜어져 나왔다. 시공이 혼란되는 기운에 초아가 흔들렸고 이합정조차 부릅떴던 눈을 껌뻑거렸다.

수염을 드날리는 범천존자 일선제력이 손에 쥔 창으로 땅을 쿵 찍었다. 그러자 동굴 벽이 격동하더니 막힌 천장을 뚫고 비가 내렸다. 일선제력의 발끝부터 서서히 광채를 발하며 올라오는 황금 비였다.

“가, 감로수다!”

군사 하나가 소리쳤다. 그러자 앞다투어 너도나도 감로수를 외쳐댔고 어떤 이는 황금 비에 손을 적시기 위해 무기를 거두고 나아가기까지 했다.

"네 이놈들! 눈 똑바로 뜨지 못하겠느냐!"

이합정이 당장 목을 벨 것처럼 칼을 휘두르며 군사들 앞을 막아섰다. 순간 멍하게 풀렸던 군사들의 눈이 정상으로 돌아왔다. 그러나 범천존자 일선제력은 창을 들고 이합정을 공격하는 대신 다시 한번 땅을 쿵 찍었다. 그러자 신성의 몸을 적시던 황금 비는 즉시 붉은 피로 바뀌고 방향마저 달리해 군사들의 머리 위로 쏟아졌다. 외팔이 무장 이합정의 빈 팔 소매도 피비에 젖어 축 늘어졌다. 피칠갑을 한 채로 군사들은 비명을 질러댔고 마귀들은 이들을 둘러싼 채 낄낄거렸다.

토포사 유중활은 전혀 수장다운 기백을 드러내지 못한 채 겁에 질려 몸만 떨었다. 발을 움직이지 않고도 코앞으로 다가온 삼도천녀 월선제력이 이합정의 이마 앞에서 손바닥을 펼쳤다.

"내세를 보지 못하고 현세에만 얽매인 채 무화를 피하려드는 중생들아. 신의 법력이 가짜가 아님을 보여주겠노라."

쫙 편 다섯 손가락이 이합정의 얼굴에 검은 그림자를 드리웠다.

2022년

핸드폰 벨소리에 주생은 새벽잠을 깼다. 우럭이었다.

"내 문자 씹지 마. 10시야. 심해 세차장 앞 공터. 시간 어기지 마."

주생은 기억나지 않는 꿈을 기억하려 애썼다. 꿈을 꾸긴 했는데 먹물처럼 검고 아득했다. 우럭의 전화를 받은 현실은 꿈보다 더 검었다. 심장과 뇌에 해초가 덧씌워진 느낌이다. 사표를 낸다 해도 이젠 틀렸다. 마약 운반은 부정부패보다 훨씬 심각한 범죄행위였다. 배달을 거부하면 김만식은 그의 부패 사실을 까발릴 것이다. 감옥에 갇힌 신분임에도 김만식은 빽이 있고 힘이 있는 거물이었다. 주생은 어쩔 수 없음을 깨달았다. 하루아침에 2억을 구할 수는 없었다.

주생은 딜레마에 봉착했다. 양심선언을 하고 지금까지의 잘못에 대한 처벌을 감수할 것인지, 불안한 아르바이트를 지속하든지 둘 중 하나였다.

"우럭 그 새끼도 고수애처럼 죽어버리면 좋겠네. 탕을 끓여도 괜찮겠고."

마귀들이 사람 가득한 솥을 국자로 젓는 광경을 상상하며 주생은 텔레비전을 켰다.

'국내 굴지의 살균 마스크 제조업체 [메리고라운드] 전 세계로 진출'이라는 자막이 뜨는 가운데 상자를 컨테이너에 싣는 노동자들이 화면에 등장했다. 그들의 작업복에는 [메리고라운드]라는 회사 로고가 붙어 있었다. 코로나 바이러스 덕에 순식간에 대기업이 된 마스크 제조업체였다.

"저기 사장이라면 2억은 껌값이겠지."

채널을 돌렸다. 고수애 관련 뉴스는 나오지 않았다. 대신 '『단죄의 신들』 밀리언셀러 진입' 소식이 있었다. 대형서점에 산처럼 쌓인 『단죄의 신들』을 사람들이 읽는 장면에서 대중교통을 이용하면서도 핸드폰과 태블릿 PC로 소설을 읽는 장면으로 이어지다가 어느 대학생들의 인터뷰로 넘어갔다.

"우리 모두가 죄인이라는 진실을 이 소설은 아프게 보여줍니다. 하지만 새로운 삶으로 거듭날 수 있다는 희망 역시 잘 보여줍니다."

"지금처럼 각자의 목소리가 달라 다툼이 잦은 시대에 이 소설은 모두가 하나의 경지로 나아가는 정화제가 될 것입니다."

그러는 동안 약속 시간이 임박했다. 어떻게 하면 좋을지 결론 내리지 못하던 주생은 마침내 나갈 결심을 굳혔다. 핸드폰을 보니 어제 잠들었을 때 왔던 우럭의 문자가 있었다.

나 진단 좀 해줘ㅋㅋ 목이 아픈데 코로나 걸린 거나 아닌지 몰라. 잊지 말고 투마로우 잘해보자. 오늘이니 투데이네.

주생은 모자에 선글라스 차림으로 우럭이 말한 약속 장소로 나갔다. 심해 세차장은 부지가 넓은 셀프 세차장인데 주변에 어린이집과 유치원이 많았다. 일부러 남의 눈에 띄게 해 주생을 파멸로 몰아넣으려는 김만식의 계략일 수도 있었다.

주생은 핸드폰 시계를 보면서 기다렸다. 10시가 넘어도 우럭이 나타나지 않았다. 11시가 지나고 12시가 지나도 나타나지 않았다. 전화를 계속 걸어도 신호만 갈 뿐 받지 않았다. 1시가 되도록 나타나지 않자 뭔가 잘못됐다는 느낌이 들었다. 점점 출근 시간이 되어갔다.

'놈들이 나를 떠본 건가?'

주생은 집으로 돌아와 근무복으로 갈아입고 다시 차에 올랐다. 조수석에 놓인 『단죄의 신들』의 표지 그림 속 마귀들이 그를 바라보았다. 우럭을 만나러 갔을 때도 이 책을 가져갔는지 기억이 나지 않았다. 집에 두고 나온 것 같았는데 워낙 제정신이 아니었던 터라 확신할 수 없었다.

*

주생의 담당 구역인 2동에는 열여덟 개의 독방이 있고 맨 끝방인 18실에 김만식이 있었다. 2동에는 모두 다섯 명의 문제수가 있었는데 범털 김만식만 상급의 특별관리를 받고 있었다. 1, 2, 3, 4실을 제외한 5실부터 17실까지의 독방은 비었는데 김만식과의 접촉을 우려한 조처였다. 하지만 주변에 아무도 없는 이 상황은 오히려 김만식이 부패 교도관과 유착관계를 형성하기에 유리한 환경이 되었다. 조직폭력배 출신이란 소문의 김만식은 바깥에 있는 임직원과 조직원, 그리고 관리업소를 이용해 법을 위반할 법한 공무원을 몰래 매수했고 하주생이 여기 걸려들었다. 가족을 잃고 알 수 없는 악덕으로 물들었던 주생이 서울에서 낙향하고도 옛 버릇을 고치지 못한 것이었다.

주생이 다가갔을 때 김만식은 대단히 화가 나 있었다. 오십대 후반의 그는 분노 때문에 칠십대 노인처럼 보였다. 원하던 물건을 손에 넣지 못한 그는 누가 듣건 말건 고함을 질렀다. 주생은 수용동 출입구 벽에 고정된 CCTV가 신경 쓰였다. 수용자와 커넥션이 있다고 입소문의 대상이 되어온 지 오래라 주생을 좋아하는 직원은 별로 없었다. 김만식의 18실 앞에 오랫동안 서 있는 지금 이 상황만으로도 그에게는 불리하게 작용할 것이 분명했다. 하지만 지금 걱정은 그게 아니었다. 꼭지가 돈 김만식이 같이 죽자고 발악할 경우가 훨씬 위험했다.

주생은 자신 없는 목소리로 말했다.

"내가 일부러 안 가져온 게 아니고 우럭이 안 나왔어요."

"알고 있어."

뜻밖의 대답이었다.

"어떻게 알았어요?"

"낮에 김 전무가 접견 와서 알려줬어. 우럭 그 새끼가 전화한 통 남기고 바람처럼 사라졌다는군."

"어디 갔어요?"

"내가 어떻게 알아! 네가 알지도 모르지."

"난 몰라요. 아침에 우럭한테 전화 왔었어요. 10시에 만나자고. 그런데 오후까지 기다려도 안 나왔어요."

"집에도 없고 연락도 안 돼. 어디로 떴는지 몰라. 내가 당장 널 손보지 않는 건 문제를 못 풀어서야."

"무슨 문제?"

"그 새끼가 행불된 게 너하고 물건 삥땅치려는 시나리오의 한 부분인지, 아니면 그 새끼가 혼자 겁대가리를 상실한 건지 정답을 모르겠거든."

"난 모르는 일이에요. 약속 장소에서 기다렸는데도 안 나왔다니까."

"그 새끼가 빨리 잡히기만 기도하라구. 둘이 짝짝꿍한 게 아니라 좆빼이뽈락* 대가리 하나가 짜낸 아이디어라는 게 밝혀져야 네가 무사할 테니까. 그사이 24시간 바짝 긴장하라구. 교도관이든 경찰이든 제복 입은 배는 사시미 못 뜰 줄 알지?"

"우럭이나 찾아봐요. 난 애초에 이번 일 반대했으니까."

김만식이 창살 사이로 침을 찍 뱉었다.

"니가 경찰에 신고했을 수도 있어. 날 엿먹이려고."

"당신들이 내 약점을 쥐고 있는데 경찰에 신고한다고?"

"그럴 수도 있지."

"보기보다 머리가 안 돌아가시네."

* 생선 우럭은 조피볼락으로도 불린다.

주생의 비아냥거리는 대답에도 김만식은 반응이 없었다. 그 순간 주생은 김만식이 허세를 부리는 건지도 모른다고 생각했다. 김만식에게 가장 중요한 건 하루라도 빠른 출소였다. 폭로전이 벌어질 경우 주생도 파멸을 맞을 테지만, 김만식 또한 추가형을 받아 출소가 늦어지는 건 뻔했다. 바깥에는 해결 못 한 사업 문제가 널려 있었고 두목이 없는 조직은 위기를 맞고 있었다. 빨리 나가서 재정비하지 않으면 김만식은 이빨 빠진 호랑이가 되어 모든 사업에서 밀려날 수도 있었다. 주생이 고개를 들이밀었다.

"내가 아니라 당신 수하 중 누군가가 배신한 건 아닐까?"

"어이, 하 주임. 100세 시대잖아. 장수하고 싶으면 허튼수작은 안 하는 게 좋아."

"허튼수작이 아니라 합리적 의심입니다. 난 전혀 모르는 일이니까."

주생은 문자의 내용도 말했다.

"어제 우럭이 목이 아프다면서 코로나 감염인지도 모른다는 얘길 했어요. 자가격리 중일지도 몰라요."

김만식은 대답 없이 주생의 눈만 바라보았다.

"김 전무가 접견 왔다면서요? 대체 우럭이 김 전무한테 뭐라 그랬대요?"

"이렇게 말했다고 하지. '내가 목이 돌아가서 지금 움직이질 못합니다, 전무님. 근육이 풀리면 찾아뵙겠습니다.'"

"목이 돌아가? 암호요? 경찰에 쫓긴단 말인가요?"

"내가 어떻게 알아. 니들 둘만 아는 말인지도 모르지."

"의처증은 당신 부인한테나 부려요. 이 일은 더 이상 없던 걸로 합시다. 걸리면 당신도 몇 년 더 썩어야 할 테니까."

"내가 허락하기 전까진 안 돼. 김 전무가 널 찾아갈 거야. 우럭이 없다면 김 전무한테서라도 받아 와. 하기 싫으면 어디 가서 2억을 대출받아 오든지."

정전이라도 된 것처럼 주생은 눈앞이 캄캄해졌다. 김만식이 소리쳤다.

"다음 야간 근무는 나흘 뒤지? 김 전무한테 그새 연락이 갈 거다. 넌 내가 시키는 대로 해야 해. 내 돈을 받아 처먹었으니까! 알았어? 이 옥졸 새끼야. 만약 우럭 그 새끼 잠수 탄 게 너하고 연관이 있다면 병풍 뒤에서 향냄새 맡을 준비나 하는 게 좋을 거야."

주생은 김만식을 가둬놓은 독방에 휘발유를 뿌리고 불을 붙이면 속 시원하겠다고 생각했다. 그러면 체면이고 뭐고 싹싹 빌겠지. 제발 이 문 좀 열어주십시오, 하 주임님. 잘못했습니다.

서진이를 찾아야 해. 어떻게든 빨리 여기서 벗어나 외국이든 어디든 가는 거야. 새 인생을 준비해야 해. 서진이 돈으로.

그는 김만식을 두고 담당실로 돌아갔다. 독사 대가리 같은 천장의 CCTV가 자신을 내려다보았다. 3실을 지나고 2실을 지났을 때 1실에 있던 사람이 쇠창살을 잡고 벌떡 일어섰다.

"나쁜 짓 하면 지옥 가!"

느닷없는 고함에 주생은 깜짝 놀랐다. 1실의 오태하는 전과

12범의 절도범인데, 정신질환 때문에 밤중에 소란을 피워 독방으로 옮겨 온 처지였다. 면도도 하지 않고 머리도 감지 않아 덥수룩한 오태하가 주생의 움직임을 따라 커다란 눈알을 굴렸다.

"나쁜 짓 하면 지옥 가!"

주생이 손바닥으로 쇠창살을 탕 쳤다.

"잠이나 자! 나대지 말고. 마스크 똑바로 안 써?"

"나쁜 짓 하면 지옥 가!"

"너나 가."

주생이 쇠창살을 붙든 오태하의 손가락을 때렸다. 오태하가 손을 놓고 자리에 앉았다. 저 멀리 끝 방에서 김만식의 웃음 섞인 고함이 울려 퍼졌다.

"씨팔! 코로난지 코브란지 확 번져버려라! 다 뒈지게!"

하지만 주생은 다른 생각을 하느라 그 소리를 듣지 못했다.

'목이 아프다더니 돌아갔다고? 우럭한테 무슨 일이 생긴 걸까?'

*

다음 날 아침은 비번이었다. 주생은 며칠 휴가를 냈다. 다시 야간 근무 들어오기까지 사흘과 나흘째 반나절을 쉬게 되었는데 서진이를 찾기 위해서다. 그를 향한 직원들의 시선은 어딘가 좋지 않았다. 뭔가 아는 얼굴 같기도 했고, 그렇게 생각될 뿐인 것 같기도 했다. 감시받는다고 느껴질 때는 행동을 조심해야 했다. 부패 교도관이니까.

집으로 돌아온 그는 평소처럼 잠을 자는 대신 옷을 갈아입은 후 섭주로 차를 몰았다. 목적지는 섭주 교도소였다.

비를 머금은 하늘은 죽음을 기다리는 병자의 얼굴처럼 검었다. 이종하와 석도신애로부터 서진에 관한 소식을 들은 날 이후 날씨는 한 번도 개이지 않았다. 주생의 내면도 마찬가지였다. 김만식의 손아귀에서 벗어나기 위해서는 반드시 서진이 필요했다. 서진이 비를 막아줄 우산이 되어주리라는 기대 때문이었다. 하품이 나와 주생은 창문을 열고 라디오를 켰다.

경기도와 충북, 전남과 경북의 공장에서 동시에 화재가 발생했습니다. 모두 마스크를 제조하는 중소기업의 생산 공장으로, 코로나 여파에 따른 24시간 가동 체제가 기기 과부하로 이어진 것이 화재의 원인으로 추정되고 있습니다. 한편 몇몇 회사에서는 마스크 사업을 독점하려는 대기업 [메리고라운드]가 방화를 저질렀고, 그 증거가 있다고 주장해 파장이 예상됩니다.

경북도청에서 보낸 안전안내 문자는 오늘 섭주의 코로나 확진자가 181명이라고 알려주고 있었다. 102명인 다홍시보다 섭주군이 더 많았다. 그 여파인지 섭주 교도소 민원실에 민원인은 하나도 보이지 않았다. 까다로운 방역 절차를 거치고서야 주생은 들어갈 수 있었다. 민원실 직원은 그와 계급이 같은 교위였는데 이름이 최이석이었다. 주생은 최이석에게 공무원증을 내보였다.

“전 다흥 구치지소의 교위 하주생입니다. 제 사촌누나가 몇 년 전 여기서 수감 생활을 했다는 걸 최근에 알았습니다. 그런데 그분이 지금 실종이 되어서요. 가족이 애타게 찾고 있습니다.”

그는 거짓말로 위기감을 불어넣었다.

“사고에 납치 가능성까지도 있어서 누나에 관해 좀 물어보러 왔습니다. 여사(女舍)에 있었을 테니 누날 아는 여직원하고 얘길 좀 나누고 싶습니다.”

최이석은 잠시 망설이다가 어딘가로 전화를 걸었다. 공무원증을 보며 ‘하주생 씨’라고 말했다. 전화를 끊은 그는 손을 내저었다.

“잘 아시다시피 개인정보 문제가 있어서 공식적인 기록은 열람하실 수 없습니다.”

“가족이어도요?”

“예. 절차를 밟아야만 합니다.”

절차. 청구도 접수도 기다림도 답변도 다 시간이었다. 서진은 어디서 죽었거나 죽어가고 있을지도 모르는데 여유 따윈 없었다. 최이석은 자신의 탓이 아니라는 듯 난감한 표정을 지었다. 그때 주생의 머리에 떠오른 기억 하나가 있었다.

“참! 이기철 교위 요즘도 여기서 근무하나요?”

“이 주임을 아세요?”

“입사 동기입니다. 법무연수원에서 같은 생활실을 썼어요.”

"아, 그러세요?"

"오늘 근무입니까?"

"야근이라 오후 4시나 되어야 출근할 겁니다."

젠장, 또 기다려야 하나. 사실 이기철은 동기는 맞지만 10년 동안 통화 한 번 하지 않은 데면데면한 사이였다. 자신을 기억할지 그조차 의문이었다. 7년쯤 전에 그의 결혼 사실을 동료를 통해 알았고 계좌이체로 축의금을 보내주었다. 감사 표시로 간고등어 선물이 택배로 왔다. 그 일을 기억해 협조해주면 좋겠다 싶었다.

"죄송한데 전화번호 좀 알 수 있겠습니까?"

민원실 직원은 나도 이기철 주임 전화번호를 모르니 잠깐 기다리라며 사무실 안쪽으로 들어갔다. 내부 인터넷망을 통해 주생이 정말 법무부공무원이 맞는지 확인부터 하려는 모양이었다. 잠시 후 그가 자신의 핸드폰을 건넸다. 10년이 지나도 익숙한 음성이 전해져왔다.

"야, 이게 누구야? 너 정말 주생이니?"

"목소리 그대로네요, 기철이 형. 저 기억 못 할까 봐 걱정했어요. 잘 지내시죠?"

"나야 잘 지내지. 너 영등포에서 다홍으로 왔다면서? 그 좋은 데를 놔두고 뭐 하러 시골까지 내려왔대?"

"다홍이 고향이라서요."

"그러고 보니 너 축의금 보내줄 때 경황이 없어 인사도 못 했다. 미안하다."

"아, 괜찮아요. 그보다 뭘 좀 물어보고 싶어서 형 좀 보려 했는데 실패했네요. 개인정보보호 때문에 민원실에서 아무것도 가르쳐주질 않네요."

"요새 다 그렇지. 뭐가 궁금한데?"

"저도 몰랐는데 사촌누나가 여기서 징역을 살았대요. 얼마 전에 출소를 한 모양인데 지금 행방불명이 돼서 가족이 찾고 있어요."

"그런 일이 있었어? 누님 이름이 뭔데?"

"하서진이요."

"하서진 씨?"

"아세요?"

"이름은 들어본 거 같아. 가석방으로 나갔지 아마? 나는 남사에 근무하니까 여사 쪽은 잘 몰라. 너 오늘 내려가니? 오후에 시간 돼? 차나 한잔 할까?"

"좋죠."

"그럼 2시쯤 어때? 애들 학원에서 오는 거 기다려야 해서 그때밖에 시간이 안 된다. 아까 그 직원 좀 바꿔봐."

주생이 최이석에게 전화기를 건넸다. 최이석은 이기철과 몇 마디 하다가 전화를 끊고는 조금 풀어진 얼굴로 주생을 대했다.

"죄송해요. 가족 사칭해서 정보 캐려는 사람들이 워낙 많아서……."

최이석은 여직원 휴게실에 전화를 걸어 누군가를 불렀다. 잠시 후 이파리 세 개가 붙은 견장을 어깨에 단 여자 교도관이 들어왔다. 최이석은 주생에게 신미현 씨라고 그녀를 소개했다.

"신 교사님이 제 누님 담당 교도관이셨어요?"

"3개월 동안만요. 다른 분이 정식 담당이셨죠."

"그분은 지금 어디에 계시죠?"

"육아 휴직 들어갔어요. 창원에 살아요."

젠장, 되는 일이 없군. 하지만 주생은 내색하지 않았다. 이번에는 신미현이 물었다. 눈이 호기심으로 빛났다.

"하서진 씨가 정말 『단죄의 신들』의 작가라고요?"

"예."

"우와, 인생 성공했네."

신미현은 십자가 목걸이를 매만졌다.

"저는 무서운 걸 못 봐서 안 읽어봤는데 수용자들 중에 이 책 신청해서 보는 사람이 자꾸 늘어나요."

"서진이가 그 안에서 집필 같은 걸 했나요?"

"글 쓰는 건 한 번도 본 적 없어요. 매일 자기 몸을 거울에 비춰보느라 바빴거든요."

"거울에 얼굴을요?"

호기심이 연필심처럼 뾰족하게 튀어나왔다.

"아뇨. 얼굴 말고 몸요. 뭘 찾는 것처럼 옷을 들추고 계속 몸 구석구석을 뜯어봤어요."

"그 말씀은 정신이…… 좋지 않다는 말씀인가요?"

"그건 아닌데 평범한 사람하곤 많이 달랐어요. 왜 자꾸 거울을 보냐고 물으니 몸이 가려워 아토피가 아닌가 해서 본다고 했어요. 얘길 해보면 성격도 친절하고 말도 조리가 있었어요. 뭘 물어도 답을 잘 안 하는 사람이긴 했지만요. 그 책 베스트셀러라면서요?"

"저도 누나가 글을 쓰는 줄은 출판사 관계자를 만나고 나서야 알았습니다. 그 사람들이 알려줘서 집에 가봤는데 열흘 넘게 불이 켜져 있었고 전화기 전원도 끊어졌더라고요. 무슨 나쁜 일이나 당한 게 아닌지 걱정입니다."

"가족이라면서 여기 와 있는 거 모르셨어요? 집도 다홍이시라면서……."

"저와는 연락 한번 없었어요. 제 입장을 생각해 일부러 숨겨온 것 같아요. 듣자 하니 살인죄였다던데……."

신미현이 고개를 끄덕였다. 주생이 낮은 목소리로 물었다.

"혹시 누굴 살해했는지 아세요?"

주생은 정체를 아는 이를 죽였다는 고수애의 말을 떠올렸다.

"어떤 무당을 죽였다더군요."

"무당을요?"

"잠깐만요."

신미현이 컴퓨터로 섭주 교도소 직원만 볼 수 있는 내부망을 검색했다. 최이석은 난감한 표정을 지었다. 하지만 신미현은 조금도 신경 쓰지 않았다.

"서진 씨 가족이고 우리랑은 식구인데 알려드려도 되지, 뭘 그래요?"

주생은 서진이 식구라서 찾는 게 아니었다. 돈 때문이었다.

신미현이 프린터로 종이를 출력했다. 종이에는 개괄적인 범죄 개요가 적혀 있었는데 강서 경찰서의 담당형사가 유치장에서 서울 구치소로 보낸 기록이었다. 서진은 강서구 발산동에 거주하는 광성도인이란 남자 무당을 칼로 찔러 죽였다. 그리고 시신을 산에 묻었다. 그 사람이 지속적으로 자신을 스토킹하고 괴롭힌다는 게 살해의 이유였다. 진짜 스토킹 피해자라면 동기가 참작되어 일반 살인죄보다 낮은 형량을 받겠지만, 서진은 20년이란 중형을 언도받았다. 스토킹은 자기주장이고 다른 동기가 있는 계획 살인일 확률이 컸다. 도구까지 준비해 산에 시신을 묻다니. 주생은 몸서리를 쳤다.

'그러고도 남을 애지.'

신미현은 서진이 친절하다고 했지만 주생은 그 이면에 대해서도 잘 알고 있었다.

중학교 3학년 때의 일이었다. 같은 반에 일진인 민규라는 애가 있었는데 수시로 주생을 괴롭히고 돈을 빼앗았다. 민규 일당은 홀로는 덤비지 않고 늘 집단으로 한 사람을 괴롭히는 하이에나 같은 무리였다. 주생은 날짜까지 기억했다. 4월 4일. 그날 학교 뒷산에서 주생은 지선이란 여자애와 함께 일당에게 얻어터지고 있었다. 민규는 지선의 머리칼을 잡은 채 주생이 맞는 걸 똑똑히 보라고 했다. 정확히 '그때의 그윽한 시선'으로 보라고 머리채를 마구 흔들었다. 민규가 폭력을 주동한 이유는 자신의 여자친구 지선이 요즘 들어 주생을 관심 있는 눈길로 바라본다는 의심 때문이었다. 지선도 주생도 아니라 해도 민규는 믿지 않았다.

그때 서진이 나타났다. 누가 알려줬는지, 어떻게 등장했는지는 중요치 않았다. 상황을 보자마자 가방을 집어 던진 그녀는 주생에게도, 일당에게도 신경 쓰지 않고 오직 민규에게로 걸어갔다. 민규가 쌍욕을 퍼부으며 지선을 밀치고 일어섰다. 그 순간 서진의 오른손이 민규의 쌍방울을 꽉 움켜쥐었다. 민규가 허리를 구부리며 비명을 질렀는데 그 소리가 산을 흔들 정도로 커서 하이에나 무리 같은 일당의 발이 얼어붙는 지경에 이르렀다. 그 상황에서 서진이 주먹으로 민규의 얼굴을 때렸다. 코피가 터지고 고개가 이리저리 돌아가 민규는 두목의 체통을 상실했다. 민규도 서진의 머리채를 잡고 주먹질을 했지만 서진은 결코 쌍방울을 놓지 않았다. 박살나는 호두알, 터지는 계란, 민규는 공포를 연상했다. 서진은 미친 사람처럼 욕설을 내뱉었는데 무당의 공수 같은 거칠고 빠른 입놀림에 일진들은 잔뜩 겁을 먹었다. 놔, 이 미친년아, 하는 엄포는 제발 놔줘, 하는 하소연으로 추락했으나 서진은 들어주지 않았다. 이마가 찢어져 피를 흘리면서도 서진은 '산불 조심'이 쓰여진 울타리까지 민규를 질질 끌고 가 부러진 나무의 뾰족한 밑동이 지뢰처럼 놓인 산 아래로 던져버렸다. 사람이 죽을 수도 있을 상황이었으나 서진은 자비를 베풀지 않았다. 아랫도리에 양손을 모은 채 산비탈을 구른 민규는 천만다행으로 육체적으로는 경상이었지만 정신은 치명상을 입었다. 내 동생 건드리면 죽인다 따위의 상투적인 대사는 없었다. 학교로 찾아온 하이에나 일당의 부모들 역시 법적 조치를 하지 않았다. 그날 이후 조직은 와해되었고 보복은 없었다. 민규는 거세된 소처럼 폭력성을 상실했다. 얼마 후 주생과 지선이 팔짱을 끼고 다녀도 민규는 못 본 척했다. 언제 그런 일이 있었냐는 듯 서진은 평소처럼 행동했고 남매에게 시비 거는 아이들은 더 이상 없었다.

'그때 그 새끼들 서진이한테 '저건 사람도 아니다'라고 말했지.'

가출한 서진은 어린 나이에 무서운 세상의 함정에 빠져 최악의 나락으로 떨어졌을 수도 있다. 악과 성과 타락으로 가득한 구덩이로. 광성도인이란 사람은 바로 이 과거를 알고 어떤 협박을 했을 수도 있다. 아니, 이 광성도인이 바로 악행의 당사자일 수도 있다. 어떤 빌미로 서진을 협박하고 나쁜 짓을 행하다가 칼을 맞은 것이다. 그루밍이나 가스라이팅을 하다가 구속된 가짜 무속인도 뉴스에 나오지 않았나.

서진의 과거와 현재에 자꾸만 끼어드는 무당의 존재가 불길했다. 서진의 윗집 1405호 주부도 무당 같은 아주머니를 봤다고 했다. 남자 도사를 살해한 서진이 여자 무당과 가까이 지낸다. 이건 무슨 의미인 걸까?

'그때 서진인 대체 왜 가출을 한 걸까?'

신미현의 말에 주생은 상념에서 깨어났다.

"좀 친해졌을 때 하서진 씨가 내게 살짝 말했어요. 좀 이상한 말이었어요. 자기 안의 존재가 눈을 떴고 그 무당이 눈치를 챘다고. 그래서 죽일 수밖에 없었다고요. 죽여서 비밀을 묻어버리는 것만이 유일한 해결책이랬어요. 여기 와서 하서진 씨는 자살 시도를 했는데 세 번째로 구조될 때 혼수상태에서 나한테만 그런 말을 한 거예요."

"스스로 목숨을 끊으려 했다고요?"

"예. 몰래 끈을 만들어서 세 번이나 목을 매달았죠. 두 번은 내 전임 근무자한테 발견되어서 살았고 세 번째는 제가 직접 발견하고 막았죠."

"고맙습니다. 그런데 자기 안의 존재라는 말은 무슨 뜻이죠?"

"그건 저도 모르겠어요. 끝내 답하지 않았거든요."

"자살 시도 이유는요?"

"그냥 사는 게 사는 것 같지가 않다는 말뿐이었어요."

광성도인이란 자는 답을 알지도 모르지만 그는 죽었다.

"혹시 광성도인이란 사람의 본명을 아세요?"

"아뇨."

신미현이 작은 음성으로 말했다.

"하서진 씨가 신기한 능력을 보인 건 모르시죠?"

"신기한 능력이라뇨?"

"미래를 내다봤어요."

"네?"

"하서진 씨랑 같은 방을 쓴 사람 중에 작가였던 분이 있었어요. 교통사고 특례법으로 들어온 서울 사람인데 섭주에서 사람을 치어 죽여 섭주 교도소에 들어왔죠. 고양이 마니아 중의 마니아예요. 쓴 작품도 몽땅 고양이들에 대한 수필 같은 거였고요. 구속되면서 기르던 고양이 네 마리가 어찌 될까 하는 걱정으로 매일 울던 사람이었어요."

"그분 이름이 고수애 아닙니까?"

"아뇨. 고선숙이에요."

본명 고선숙, 필명 고수애.

교화위원 좋아하네. 같은 전과자면서!

신미현은 얘기 들어주는 사람을 만나 기뻐하는 아이처럼 계속 이야기를 늘어놓았다.

"구속되고 기르던 고양이하고 떨어지게 되자 그 사람 우울증에 걸렸어요. 약도 숱하게 먹었죠. 섭주 교도소 안에도 길고양이는 많은데 그 사람은 거들떠보지도 않았어요. 어떤 고양이도 고선숙 씨 맘에 들 순 없었거든요. 밥을 계속 굶어 죽는 건 아닐까 소장님까지 걱정하고 그랬어요. 그런데 은빛 고양이가 나타나고부턴 달라졌어요."

"이름이 찰리 브라운 아닙니까?"

"어! 어떻게 아세요?"

"〈동물농장〉에도 출연했던 고양이입니다."

주생은 거짓말을 했다.

"돌연변이예요. 그냥 은빛 고양이가 아니라 거울 같은 빛이 번쩍거리는 희귀 고양이였죠. 그게 어떻게 철통같은 교도소 틈새로 들어왔는지 모르겠어요. 어쨌든 여사 뒤편에 나타난 그 신비한 고양이를 보자마자 고선숙 씨는 활기를 띠기 시작했어요. 죽어가던 사람이 삶의 의미를 되찾은 거죠. 누구라도 그 고양이의 매력에 빠지지 않을 사람은 없을 거예요. 백만 분의 일 확률일 걸요, 그런 털빛은. 밤에 보면 눈하고 털이 반짝반짝 빛나는데 좀 무섭기도 하지만 매력이 끝내줘요.

고선숙 씨는 정해진 시간마다 줄에 매단 밥그릇을 길목에 놓아 은빛 고양이의 관심을 끄는 데 성공했어요. 친구들이 접견올 때는 찰리 브라운이란 친구가 생겼다며 고양이 사료를 넣어달라고 부탁하기도 했어요. 〈동물농장〉을 언급한 사람은 없었지만, 고선숙 씨 우울 증세가 사라지자 앞다투어 사료를 접견물로 넣어줬어요. 고양이 다루는 데 대단한 실력을 갖춘 분이라 은빛 고양이는 쉽게 고선숙 씨만의 고양이가 되었어요. 언제부턴가는 훌쩍 점프해 그 사람의 방 안까지도 들어갔죠. 우린 고양이를 안고 자는 고선숙 씨를 눈감아줬어요. 극단적 선택을 할 수도 있는 사람을 그 고양이가 막아줬으니까요. 사고방지란 관점에서 찰리 브라운에게 표창장까지 주고 싶었죠."

"그런데 서진이가 미래를 본다는 말은 대체 뭡니까?"

"어느 날부터 찰리 브라운이 나타나지 않은 거예요. 예고도 없이 사라지더니 일주일이나 안 나타났어요. 고선숙 씨는 패닉 상태가 되었고 고양이가 교도소 바깥으로 나간 것 같다는 우리 말을 믿으려 하지 않았어요. 무슨 사고라도 칠까 봐 수용동 뒤편 운동장을 수색하기도 했죠. 제발 찰리 브라운의 시체가 나타나는 그런 일은 생기지 말라고 빌면서 말이죠. 교도소 안에는 길고양이들이 바글거려요. 영역 다툼으로 서로를 죽이는 일도 비일비재하고요. 다행히 운동장에 고양이 시체는 없었어요. 그런데 보일러 공사 때문에 들어온 외부 작업자가 지하실에서 찰리 브라운의 시체를 발견한 거예요. 지하실을 자기 영역으로 삼고 있던 검은 고양이한테 당했다나 봐요.

이 사실을 알게 된 고선숙 씨는 소란 같은 건 피우지 않았어요. 그저 소리 없이 울기만 하더군요. 우린 그분 심경을 고려해서 시선이 닿는 곳에 무덤까지 만들어 찰리 브라운을 묻어줬어요. 하지만 불안은 가시지 않았어요. 매일 창살 너머로 무덤을 보며 고선숙 씨는 울었어요. 직원들 순찰이 뜸한 새벽 시간에 어떤 짓을 벌일 것만 같았어요. 난 이해해요. 그 정도로 희귀한 고양이가 자기 것이 되었다면 정말 모든 것을 바칠 만하거든요. 그렇게 신비한 고양이는 정말 처음이었어요. 햇빛만 닿으면 빛이 반사되는 고양이었어요. 그 고양이가 한번 쳐다보기만 해도 고양이를 싫어하는 사람도 녹아내려요. 고선숙 씨가 없었다면 나라도 다가갔을 거예요."

신미현의 눈이 이상한 정열로 이글거렸다. 주생이 강조했다.

"제발 서진이가 미래를 본다는 그 얘기 좀 해주세요."

기도를 마친 구도자처럼 신미현이 다시 정상으로 돌아오는 데는 시간이 걸렸다.

"매일 무덤을 향해 우는 고선숙 씨 때문에 긴장을 놓지 못하고 지내고 있는데, 어느 날 운동 시간에 하서진 씨가 나타났어요. 우리가 듣는 가운데 이렇게 말했지요. '무덤을 파보세요. 찰리 브라운은 안 죽었어요.' 난 불난 집에 부채질하는 소리에 잔뜩 긴장했지만 이상하게도 고선숙 씨는 하서진 씨를 믿는 것 같았어요. 기도하듯 두 손을 모은 고선숙 씨는 운동장 끝까지 달려가 무덤을 팠어요. 어쩔 수 없이 우리도 함께 달려갔죠. 한 손 두 손 흙을 퍼내는데 야옹 소리와 함께 찰리 브라운이 불쑥 나타났어요. 심장이 멎는 줄 알았죠. 등이나 팔부터 나오는 게 아니라 얼굴부터 나왔거든요. 흙이 들어간 눈을 부릅뜬 채로요. 찰리 브라운은 우리가 오기만을 기다리고 있었다는 식으로 살아 있는 얼굴을 내밀었어요. 죽음에서 돌아온 게 자기도 믿기지 않는다는 모습이었죠. 하서진 씨는 죽은 줄 알았던 고양이가 살아 있다는 미래를 본 거예요."

"혹시 그 날짜를 기억하세요?"

"당연하죠. 2019년 4월 22일이에요."

"고선숙 씨 출소일은요?"

"그다음 달이었어요. 정확한 일자는 기억 못하지만."

고수애가 작성한 비밀 댓글의 미스터리가 풀렸다. 고양이가 살아난 이후의 날을 하루하루 기록한 것이었다. 오늘은 부활 며칠째 내일은 부활 며칠 째……. 기적을 목도한 이가 출소 후 신성하게 기록한 일지(日誌)였다.

"찰리 브라운은 며칠 묻혀 있었을 것 아닙니까?"

"맞아요."

"그런데 다시 살아나는 게 실제로 가능하다고 보세요?"

"어렵지요. 근데 저도 직접 본 걸요?"

"이 사진 좀 봐주세요. 고선숙 씨 말고 다른 분들 아세요?"

주생이 핸드폰으로 찍은 사진을 꺼내 서진을 둘러싼 4인방에 관해 물어보려는 찰나였다. 거친 문소리와 함께 신미현보다 스무 살 정도 나이가 많은 여자 교도관이 들어왔다.

"신 교사! 지금 뭐 하는 거야!"

앙칼진 고함에 신미현이 굳은 얼굴로 자리에서 일어났다.

"미쳤어? 수용자 개인정보를 민원인에게 다 흘리다니!"

"계장님, 이분은 하서진 씨 동생되는 분인데 지금 하서진 씨가 실종……."

계장이라 불리는 여자는 주생에게 몸을 돌려 호통을 쳤다.

"내가 여기 책임자예요. 다홍 구치지소 직원이라면서요? 알 만한 분이 이게 무슨 짓이에요? 법이 바뀌어 다른 교도소 수용자 검색하는 거 위법인 줄 몰라요?"

"잘 알고 있습니다. 하지만 찾는 사람이 제 가족이고 상황이 좀 급해서 그렇습니다."

"절차 밟아서 하세요! 내용증명을 보내든지 정보공개를 청구하든지 하란 말이에요. 이렇게 막무가내로 들어와서 정보 빼가는 게 어딨어요? 누굴 징계 먹이려고 그래요?"

계장은 최이석한테도 야단을 쳤다.

"가족인지 아닌지 확인은 했어?"

"검색해보니 직원인 게 맞아서……."

"듣기 싫어! 가족인지 아닌지 확인했냐고 물었지 내가 그 딴 걸 물었어?"

계장의 노여움이 너무 커 주생은 더 이상 자리를 지키는 게 어렵겠다 싶었다. 주생은 감사하다 인사를 하며 계장의 명찰에 적힌 '정미정'이란 이름을 확인한 후 밖으로 나왔다. 민원실 앞은 가로수가 잘 정돈되어 있었다. 은행나무 뒤에 서 있던 검은 실루엣이 슬그머니 사라졌다. 예감이 좋지 않았다. 김만식의 수하이거나, 내부감찰직원일 것이었다. 아직 김 전무에게 연락은 오지 않았고 직장에서도 연락이 오지 않았다. 미행자가 누군지 쫓아가기를 포기한 주생은 담배를 한 대 피워 문 후 '갱생의 전당' 앞에서 찍은 다섯 여자의 사진을 보았다.

"그래, 찔리는 게 있으니까 그렇게 큰소리친다 이거지?"

짙은 눈화장이 사라졌으나 금세 알아볼 수 있었다. 삼인방 중에서 가운데 서 있던 사십대 여자와 정미정의 얼굴은 일치했다.

*

2시까지 어떻게든 시간을 보내야 했기에 주생은 극장에서 영화를 보기로 했다. 볼만한 영화를 검색하는데 전화가 걸려왔다. 젓가락처럼 가늘지만 쇠처럼 강렬한 음성이 전해져왔다. 사람을 압도하는 살기를 지닌 음성이었다.

"김 전무입니다."

"아…… 예."

"전임자가 잠수를 타서 제가 후임자 역할을 맡고 있습니다."

"우럭은 어딨는데요?"

야비한 웃음기가 전기처럼 핸드폰을 타고 흐르는 듯했다.

"행불이 아니라 잠수 탔다고 분명히 말했습니다."

"난 정말 몰라요. 약속 장소에 그 사람이 안 나왔어요."

"나한테 그런 말은 할 필요가 없습니다."

주생은 김만식의 유흥업소에서 김 전무를 한번 만난 적이 있었다. 웃음 가운데 약점을 잡고, 거래 이전에 보험을 확실히 하고, 물건을 살 때 절대 손해를 안 보는 그는 무서운 인간이었다. 언젠가 우럭은 그랬다. 아이돌 가수처럼 곱상하게 생겼지만 김 전무가 트렁크에 실었다가 땅에 파묻어버린 인간들을 합치면 야구단을 만들어도 될 거라고.

"징역 사는 사람은 한 달에 전화를 네 번밖에 못 하죠. 그것도 제한 시간 3분 내로 말이지요. 사장님께서 귀한 전화를 저한테 또 주셨습니다. 하 주임님 협조를 구할 배달 일은 잠시 늦추기로 했습니다. 하지만 사장님께 다시 연락이 오면 그땐 제 지시를 받아야 합니다."

"그거 알려주려고 전화하신 건가요?"

"예."

"언제부터 내 뒤를 밟았지요?"

주생은 또다시 핸드폰을 타고 흐르는 차가운 웃음을 느꼈다. 안경 너머 번쩍거리는 김 전무의 눈이 떠올랐다.

"저흰 언제 어디서나 하 주임님을 지켜보고 있습니다. 이만 끊습니다."

주생은 주위를 둘러보며 조금 전의 미행자를 찾았다. 하지만 검은 실루엣은 보이지 않았다. 김 전무의 수하가 주변을 맴돈다는 생각이 멎질 않았다.

주생은 좁은 섭주 번화가에서 쉽게 극장을 찾아냈다. 마침 상영 시작에 임박한 영화가 있었다. 〈그녀의 눈은 올빼미, 네 심장을 쪼기 위해 부릅뜨고 있다〉라는 긴 제목의 공포영화였다. 정보 검색을 해보니 별 다섯 개 만점에 두 개였고 댓글은 100개 정도였는데 대부분 이런 내용이었다.

이따위 삼류 공포영화 말고 『단죄의 신들』을 당장 만들어라.

『단죄의 신들』은 여기저기서 신드롬을 일으키고 있었다. 거기엔 일반적인 문화 현상과는 다른 집단 광기 같은 섬뜩함이 있었다. 서진이 이런 기이한 문화 현상을 이끌고 있다니 주생은 웃어야 할지 울어야 할지 감을 잡지 못했다. 대중들은 사람을 마구 죽여대는 스토리 안에서 어떤 진리를 얻고 있었다. 그 진리라는 것도 대체로 통일되었다. 이견으로 넘쳐나는 현대의 사이버상에서 『단죄의 신들』만큼은 이견이 없었다. 모두가 죄의 깨달음에 통감했고 회오와 반성의 각오에 일치단결했다. 속죄에 따르는 죽음과 살인에 그들은 사회적 책임을 토로하지 않았다. 책이 던진 진리는 마술이자 최면이었고 맹신이자 중독이었다. 대체 어떻게 이런 일이 가능한 걸까? 이 책은 동양 철학서가 아니었고 종교 서적도 아니었다. 그저 공포심을 조장하는 상업소설일 뿐이었다. 이런 책을 저술한 서진의 목표는 대체 뭘까? 돈일까? 진리일까? 그녀의 정체란 무슨 뜻일까? 어떤 신이라도 들린 걸까? 전생에 소설가였던 혼백?

주생이 기억하는 어릴 때의 서진은 책과 거리가 멀었다. 그녀는 여행가 기질이 있어 홀로 쏘다니기를 좋아했다. 그것도 들판이나 광야 같은 탁 트인 장소를. 석양이 하늘을 붉게 물들이고 대지에는 이삭들이 춤을 추는 그런 장소를. 인공이 배제된 자연 그대로의 미학을 좋아한 그녀는 그러나 풍경을 글로 묘사하지 않았고 물아일체의 기분으로 받아들였다. 그녀는 자연 속에 있을 때면 매번 어떤 감정에 도취되어 허공을 향해 말을 걸었고 땅에 입을 맞추기도 했다.

'무녀처럼?'

문득 주생은 과거의 흐릿한 기억 하나에 사로잡혔다. 서진과 그가 어느 폭설이 내린 겨울 아파트 단지에 서 있던 기억이었다. 그러나 거기까지일 뿐 더 이상은 기억나지 않았다.

주생은 눈에도 들어오지 않는 영화 대신 서진을 생각하다가 어제의 야간 근무 여파로 꾸벅꾸벅 졸았다. 그 짧은 사이에 꿈을 꾸었다. 붉은 마귀들이 삼지창으로 고수애를 난도질하는 꿈이었다. 자신은 그 앞에 서서 구경만 하고 있었다. 팔다리가 떨어져 나가고 내장이 갈기갈기 찢겨도 고수애는 죽지 않고 대오각성한다는 소리만 질렀다. 그러다가 그녀가 입을 다물었다. 피를 머금은 입이 점점 불룩해졌다. 마귀들이 창으로 그녀의 입을 벌렸다. 입술 사이로 사람의 팔이 튀어나왔다. 여자의 팔이었다. 그 팔이 주생의 허벅지를 꽉 쥐자 고수애가 충혈된 눈으로 주생을 노려보았다. 주생이 아무리 힘을 써도 팔은 떨어지지 않았다. 날카로운 손톱이 파고들어 주생의 허벅지에서 피가 뿜어져 나왔지만 아픔 대신 간지러움이 몰려들었다. 그때 주생은 눈을 떴다. 주머니에 넣어둔 핸드폰이 진동으로 허벅지를 간질여댔다. 받아보니 광고전화였다. 문득 스크린으로 눈길을 돌린 주생은 올빼미 눈을 가진 여자가 화면을 똑바로 노려보는 바람에 소스라치게 놀랐다. 자신을 노려보는 줄만 알았다. 꿈이나 영화나 실제가 아닌 허상에 불과했지만 어둠 속의 선잠이 허상을 현실로 착각케 했다. 화면을 장악한 올빼미 눈은 아직도 색색 숨을 내뿜으며 객석을 정면으로 쏘아보았다. 영화가 안 끝났지만 주생은 일어나 극장을 나섰다.

흐린 하늘이라도 바깥으로 나오니 한결 나았다. 주머니에 손을 넣다가 USB 같은 게 만져져 꺼내보니 디지털 키였다. 서진의 집 싱크대에서 슬쩍했다가 잊고 있던 물건이었다. 아직 이기철을 만나기까지는 시간이 있었다.

'네버힐'로 가보니 1305호는 여전히 잠겨 있었다. 주위에 아무도 없었다. 혹시나 하고 디지털 키를 갖다 대니 문이 열렸다. 주생은 안으로 들어갔다. 지난번에는 느끼지 못한 요상한 악취가 풍겼다. 아무도 없었고 인기척도 없었다. 하지만 누가 다녀갔을 수도 있었다. 바깥에서 안으로 옮긴 택배상자는 그대로 쌓여 있었고 누가 손댄 흔적도 없었다. 맨 위에 놓인 '도서출판 연옥'에서 보낸 상자에도 먼지 자국이 또렷했다. 주생은 서재로 가 서랍을 열다가 숨을 삼켰다. 『오성밀법강령』이 사라지고 없었다. 부적도, 방울과 청룡검도 사라졌다.

'서진이 왔다 간 걸까?'

거실로 나가자마자 갑자기 냉동실 문이 열리며 검은 봉지가 쿵, 소리를 내며 떨어졌다. 주생이 기겁했다. 거대한 돼지머리가 데굴데굴 구르다 주생과 눈이 마주쳤다. 역겨운 기분을 참고 냉동실에 다시 돼지머리를 넣으려 했지만 이미 다른 음식물들로 꽉 차 있었다. 봉지를 억지로 욱여넣은 뒤 돼지머리를 넣는데 이기철의 문자가 왔다.

문화의 거리에 왔다. 어디 있냐?

시계를 보니 1시 45분이었다. 주생은 바로 가겠다고 답을 한 뒤 잠시 폰을 확인했다. 우럭으로부터 연락은 없었고 김 전무 역시 마찬가지였다. 문득 뒷덜미가 오싹한 느낌이 있어 뒤돌아보았으나 아무도 없었다. 거울에 비친 자신밖에 없었다. 베란다를 보던 주생은 이상한 기운이 집 안에 흐르는 것을 느꼈다. 즐비한 거울이 여러 방향에서 그의 모습을 비추었다. 왜 이렇게 거울을 많이 갖다놨는지 아무리 생각해도 미스터리였다. 무심코 창밖을 내려다보던 주생의 눈이 가늘어졌다. 지상에서 어떤 남자가 이쪽을 올려다보고 있었다. 13층 높이의 거리가 까마득하고 마스크마저 썼기에 누군지 알아보기가 힘들었다. 눈이 마주치자 남자는 지하 주차장으로 유유히 걸어가 자취를 감추었다. 감찰반이든 김 전무든 서진의 집을 노출시킨 건 실

수였다. 밖으로 나오는데 1306호 도어록을 누르던 남자가 놀란 눈으로 주생을 돌아보았다. 이마에 박힌 굵은 점으로 그 때 그 남자임을 알 수 있었다. 도둑으로 몰릴 게 두려워 주생은 얼른 말했다.

"아, 저는 여기 사시는 여자분 가족입니다."

남자는 눈동자를 요리조리 굴리며 이상한 눈길로 주생을 바라보았다.

"지난번에 보셨을 테지만 경찰하고 같이 왔었죠. 전 도둑이 아닙니다. 혹시 여기 집주인 최근에 보신 적 있나요?"

"남매요?"

"예? 예. 맞습니다. 제가 동생이에요."

남자는 진자운동을 하듯 눈동자를 좌우로 굴리며 주생을 바라보았다. 바둑알 같은 점까지 더해져 남자의 눈빛은 더욱 수상해 보였다. 손에 쥔 비닐봉지 안에서 비린내가 풍겨왔다. 자세히 보니 핏방울까지 뚝뚝 떨어지고 있었다. 남자가 1305호를 손가락으로 겨누며 말했다.

"불이 계속 꺼져 있었어요."

"맞아요. 제가 껐습니다."

"근데 무슨 소리가 들린 것 같았어요. 저 집에서."

"언제요?"

"어제."

"여자 목소리였나요?"

"몰라요. 그냥 어떤 소리가 들린 것 같았어요."

남자가 등 돌려 자기 집으로 들어갔다. 주생은 바닥에 점점이 찍힌 핏방울을 보았다. 연쇄살인마는 아닐까 하는 황당하고도 무서운 생각이 들었다. 주생은 1405호 주부를 찾아가 혹시 간밤에 아래층에서 무슨 소리를 듣지 못했냐고 물었다. 주부는 아무 소리도 못 들었는데 담배 연기는 올라온 것 같다고 했다. 누님이 계실 땐 담배 연기가 올라온 적이 없었다고 했다. 주생은 10층, 11층에서도 여기까지 담배 연기가 올라올 수 있다고 답했다. 주부는 그럴 수도 있겠다고 고개를 끄덕였지만 다시 입장을 바꾸었다.

"옛날에 그 집에 살던 아저씨가 피던 담배 냄새 같아요."

*

"그래그래. 이게 정말 얼마만이냐?"

입사 당시 주생은 21세, 이기철은 29세였다. 17년 만에 재회한 이기철은 머리가 하얗고 배가 꽤 튀어나온 아저씨가 되어 있었다. 반갑게 주먹인사를 한 두 사람은 카페로 들어갔다. 사회적 거리두기로 마스크 쓴 사람들이 띄엄띄엄 앉아 있었다. 미행자가 있다 해도 함부로 이 안에는 들어오지 못할 터였다.

"아까 형이 통화하니까 민원실 직원 태도가 달라졌어요."

"다 가르쳐줬어?"

"아뇨. 정미정이란 계장이 개인정보 함부로 알려주지 말라고 인상을 썼어요. 그래서 그냥 나올 수밖에 없었죠."

"그 정 계장이 바로 여사 관할 감독이야."

"민원실 감독이 아니란 말이죠?"

"민원실은 총무과 소속이고 여사는 보안과 소속이잖아. 지가 거긴 왜 나타난 거야?"

역시 그랬군. 고수애처럼 숨기는 게 있으니까 그런 거겠지.

"여자 출소자를 캐고 다니니까 끼어든 거겠죠."

"하서진 씨에 대해서라면 그 사람이 제일 많이 알겠지. 니가 만난 신미현은 3개월 정도밖에 안 되지만 정 계장은 거의 3년 정도 하서진 씨를 데리고 있었으니까."

"형은 뭐 아는 게 없어요?"

"여사 안에 남직원이 함부로 못 들어가니 아는 게 있어야지. 그런데 그 하서진 씨가 야간에 한번 응급실에 실려 간 사실은 알아."

"응급실에요? 왜요?"

주생의 표정이 바뀌었다.

"나도 기억은 안 나. 기록을 봐야 알 거 같아. 2년쯤 전인가, 내가 입출소 서무 일을 하던 날이었어. 새벽에 병원에 실려 갔는데 하루인가 이틀 입원하고 바로 돌아왔어."

"안 그래도 몸이 많이 안 좋다고 들었는데 뭔가 병이 있었나요?"

"그것까진 잘 모르겠어. 원한다면 오늘 야근 때 몰래 의료과에 가서 의료기록부 좀 뒤져볼 수도 있다."

주생은 우려와 달리 이기철이 쾌히 협조하자 한결 기분이 나아졌다. 여자 다섯과 남자 둘이 있는 두 장의 사진을 핸드폰으로 보여주었다.

"혹시 이 사진 속 사람들 아세요?"

"아니, 모르는 사람들인데. 어, 이 사람은 정미정 계장이네?"

눈화장이 짙은 여자는 역시 정미정이었다.

"나머지는 몰라. 이 남자들은 누구야? 되게 옛날 사진인데?"

"저도 몰라요. 서진이 집에 있길래 찍어 왔어요."

그들 옆으로 고양이 한 마리가 꼬리를 세우고 걸어 다녔다. 카페 주인의 말을 듣는 걸 보니 반려묘인 것 같았다. 주생은 고수애 생각을 했다.

"형이 서진 누나를 기억하고 있는 이유도 그것 때문인가요?"

"그거라니?"

"교도소 안에서 신기한 일을 벌였다던데요?"

이기철이 픽 웃었다.

"무당처럼 점괘 내린 거 말하는 거지? 땅 파보라고? 내가 직접 보진 못했지만 맞아, 우리가 하서진 씨를 기억하는 건 그것 때문이야. 죽은 흰귀 고양이를 묻었는데 안 죽었으니 파보라고 했지. 파보니까 정말 고양이가 살아 있었대."

"그런 일이 실제로 가능할까요?"

"우리가 동물 전문가도 아닌데 어떻게 알겠어? 난 기절한 고양이가 깨어난 거라고 생각해. 하서진 씨는 땅속에서 들려오는 고양이 울음을 들은 걸 테고."

맞아요, 나도 그런 이성적인 결과만을 바란답니다, 주생은 고수애의 블로그를 떠올렸다. 철근에 꿰뚫려 죽은 그녀의 품속에서 나온 은빛 고양이는 사진으로 본 찰리 브라운이었다.

"형 아까 의료기록부 뒤져봐주신 댔죠? 왜 응급실에 갔는지, 의료과에 서진 누나 관련 기록이 남아 있다면 뭐든 좋으니 좀 가르쳐주실래요? 신분 기록과 수용 정보도 좋아요. 누나를 빨리 찾아야 하는데 선이 닿는 사람이 전혀 없어요. 출판사 사람이 누나한테 심각한 병이 있다 그랬는데 걱정돼요. 좀 부탁드려요."

주생은 알지도 못하는 서진의 지병을 과장했다.

"허, 나중에 문제 되면 안 돼. 누님이 유명한 작가가 되었다면서?"

이기철이 주생을 바라보았다. 그와 시선을 마주하자 돈을 따라가는 진심을 들킨 것 같았다.

"왜 그래? 아닌 거야?"

"아, 아니요, 맞아요. 그래서 빨리 찾아야 해요. 출판사하고 엮인 일도 있거든요."

"이따 근무 들어가서 알아보고 바로 전화줄게. 그러잖아도 내 섹터가 의료과 바로 옆인 병동이다."

"고마워요, 형."

출근 시간이 다 되어서 헤어질 수밖에 없었다. 이기철을 보낸 주생은 카페 주차장으로 걸어가다가 개의 시체를 발견하고 인상을 구겼다.

“까아악! 까아악! 까아악!”

커다란 까마귀들이 사람의 등장에도 아랑곳없이 개를 뜯어 먹고 있었다.

그때 전화가 걸려 왔는데 모르는 번호였다. 까마귀들의 요란한 울음소리가 전화를 받지 말라는 경고처럼 여겨졌다. 벨소리가 멈추지 않았다. 마침내 주생이 받자 수화기 너머에서 쇠를 긁는 것 같은 신음 소리가 들려왔다.

“크으으…… 으…… 으어…….”

“여보세요?”

“어…… 으으…… 이…… 나…… 좀…….”

“말을 하세요.”

“나…… 좀…… 살려…… 줘.”

“우럭?”

“…….”

“왜 그래?”

“완전…… 히…… 돌아…… 가…… 았…… 어.”

“뭐야? 너 왜 그래? 어디 아파?”

“목이…… 완전…… 히…… 돌아…… 가았어…… 나…… 죽어…….”

장난질이라 해도 소름 끼치는 소리였다.

“그 약 니가 했지? 네 두목 난리 났는데 알고는 있어? 거기 어디야?”

“모옥…… 이…… 크…… 으…… 마귀…….”

"뭐? 정신 차려! 똑바로 말 좀 해봐!"

김만식에게 해명해야 하기에 주생은 다급해졌다.

"말 좀 해봐, 우럭! 목이 왜 돌아가? 누가 그랬는데?"

그러자 우럭은 생의 모든 힘을 일순간에 짜낸 음성으로 답했다.

"너!"

"헉!"

주생이 움찔거리자 모여 있던 까마귀들이 한꺼번에 날아올랐다. 검은 불꽃놀이나 다름없었다. 살점을 뜯어 먹힌 개의 표정은 웃는 것 같았다. 크으으으으윽 소리가 멀어지더니 전화가 끊어졌다.

"까아악! 까아악! 까아악!"

까마귀 소리가 비웃음처럼 들렸다. 심장이 북을 치는 것처럼 뛰었다. 주생은 『단죄의 신들』 표지에 그려진 마귀들이 우럭을 붙잡고 모가지를 비트는 상상을 했다. 이전까지의 악행으로 보자면 속이 시원할 광경이겠으나 지금은 전혀 그렇지 않았다. 두려울 뿐이었다.

그의 인생에 서진이 다시 끼어들기 시작하면서 어둡고 기이한 풍경이 펼쳐지고 있었다. 그건 휘황찬란한 현대 문명과 너무나도 동떨어진, 믿지 못할 것의 공포였다. 보이지 않는 가운데 그것은 형체를 갖추어 주변을 활보하고 있다. 우럭은 분명히 마귀라고 했다.

대체 누구일까, 겁 없는 양아치를 살려달라고 질리게 만든 건. 왜 '너'라고 그랬지? 이마를 훔치니 땀이 흥건히 묻어났다. 주생은 간신히 차에 올라 다시 전화를 걸었다. 그러나 아무리 걸어도 우럭은 전화를 받지 않았다.

4

1857년

사특한 교법의 준동지(蠢動地)로 조정의 표적이 된 고초굴은 토포사가 찾아낸 것이 아니었다. 유중활은 대토벌 작전에 명분상 내건 이름 석 자일 뿐이었다. 진정한 공로는 사위 이합정과 딸 초아에게 있었다. 이 훌륭한 부부는 신혼의 단꿈을 즐기는 대신 나라를 혼돈에 빠뜨린 가짜 천지신명을 집요히 쫓아 괄목할 만한 성과를 보였다. 1년 전 전주의 한 야산 동굴에서 일군의 무리가 주문을 외우고 북을 친다는 첩보가 입수될 때 이합정은 친히 한양에서 정예병을 이끌고 득달같이 달려갔다. 전주 감영의 군사와 호응한 그는 야음을 틈타 땅굴을 급습했다. 당시 땅굴 속에는 마귀로 분장한 신도들이 범천존자 일선제력, 삼도천녀 월선제력의 모습을 본뜬 거대한 목각인형에게 제를 올리고 있었다. 사교 신도들과 조정 관군들 간에 일전이 벌어졌다. 관군은 저항하는 25명을 베어 죽이고 139명을 굴복시켜 오랏줄로 묶었으나 그들 역시 19명이 전사하고 98명이 중경상을 입었다. 특히 진두지휘를 맡은 이합정은 이 싸움에서 왼쪽 팔을 잃었다. 대토벌 작전은 성공했지만 이합정은 불구가 된 몸 때문에 절망에 빠졌다. 그런 그의 곁을 변함없이 지킨 것은 아내뿐이었다. 초아는 변치 않는 사랑과 헌신적인 간호를 남편에게 쏟으며, 다음에는 반드시 수뇌급의 교주들을 찾아내 사교의 근원을 조선에서 박멸시키자고 무가(武家)의 장녀다운 의기를 다졌다.

치마저고리를 벗고 무명바지에 장검을 찬 초아는 언제 어디서나 남편의 왼팔 역할을 했다. 그녀는 남편이 가는 곳 어디나 동행하며 가끔 군사들을 직접 지휘했고 뛰어난 무예로 수색에도 일익을 담당했다. 부인의 일편단심 지극정성으로 절망을 극복한 이합정은 한층 무서운 기세로 사교 토벌의 기치를 휘날렸다. 정보망을 촘촘히 짜고 팔도에 첩자를 심은 그는 마침내 사교 세력 오성교가 가장 큰 지옥 집회를 개최한 고초굴을 찾아냈다. 경상도 섭주 땅에서 찾아낸 고초굴은 일선제력과 월선제력이 실제로 강림했다고 신도들이 입을 모으는 오성교의 성지였지만, 이합정 부부에게 그곳은 불교의 고행굴을 명칭상 흉내 낸 사악한 사교의 소굴일 뿐이었다.

이합정은 겁먹은 장인 유중활 앞에서 군사들의 사기를 독려했지만 자신 역시도 당황스럽긴 마찬가지였다. 울진과 전주에서 본 마귀로 분장한 신도들과 달리 이 고초굴 속 마귀들의 외양은 분장으로 보이지 않았다. 신적 존재가 지하를 격동시키자 쏟아지는 황금 비를 그 역시도 보았고 그 황금 비가 순식간에 핏빛 소나기로 외형을 달리하는 것도 똑똑히 보았다. 곁으로 다가온 아내가 떨고 있는 것도 분명한 현실이었다.

초아가 속삭였다.

"서방님 눈에도 저 마귀가 진짜처럼 보이지요?"

이합정이 텅 빈 소매를 적신 피를 바라보며 말했다.

"황금 비도, 핏빛 비도 진짜였소. 당신 눈에는 그렇게 보이지 않소?"

"보였어요. 하지만 답을 알겠어요. 저 솥에서 나오는 안개 같은 김이에요. 거기에 어떤 약물이 들어 있어 우리에게 최면 효과를 일으키나 봐요. 마귀들도 사람들도 모두 저 거대한 솥 주변에 모여 있잖아요? 우리를 적신 이 붉은 물도 피가 아닐 거예요. 비린내가 전혀 안 나요."

그 말에 이합정은 새로운 힘을 얻었다.

"과연 그럴듯하오! 초아, 당신의 지혜가 우리 모두의 머리를 훨씬 앞서고 있소."

이합정이 한 손에 쥔 칼에 힘을 주며 한 걸음 나섰다. 그러자 초월적인 공간 이동으로 부지불식간에 코앞까지 다가온 삼도천녀 월선제력이 손바닥을 좍 펼쳤다.

"내세를 보지 못하고 현세에만 얽매인 채 무화를 피하려드는 중생들아. 신의 법력이 가짜가 아님을 보여주겠노라."

이합정도 초아도 눈으로 직접 보고도 믿을 수 없는 월선제력의 움직임에 당황했다. 그때 탄탄한 체격의 군사 하나가 무리를 헤치고 앞으로 나섰다. 그는 토포사 앞에서 공을 세워 출세하고픈 욕망밖에 없는 명설이란 이름의 장교였다. 주먹으로 소도 때려잡는 용력을 가진 그에겐 지금이야말로 천재일우의 기회였다.

"삼도천녀! 그 손 당장 치우지 못하겠느냐!"

2022년

주생은 섭주 교도소 직원 주차장이 한눈에 내려다보이는 위치에서 이기철의 전화를 기다렸다. 이기철은 한 시간 반쯤 전에 근무지에 들어간 상태였다. 시계를 보니 6시가 다 되어가고 있었다.

주생은 핸드폰을 꺼내 도서 판매 사이트에 접속했다. 『단죄의 신들』을 검색하자 베스트셀러라는 빨간 문구와 함께 벌거벗은 사람들에게 얼음송곳처럼 날카로운 비를 뿌리는 마귀들의 삽화가 등장했다. 사람들은 피투성이가 되었으면서도 득도한 표정을 지었다.

주생은 이 섬뜩한 그림에서 어떤 깨달음을 얻었다. 모두가 공평하게 고난을 견딘다면 이 세상의 혼돈은 조금 줄어들지도 모른다. 고난이 공평해질 때 선한 양보와 거룩한 소통이 생기는 법이다. 평범한 일상은 이기주의가 판을 쳐도, 피 흘리는 위기의 현장에선 이런 광경을 가끔 포착할 수 있다.

사람은 고난을 스스로 짊어지기 싫어하면서 남에게 전가시키고 싶어 한다. 없는 사람은 가진 사람에 비해 고난의 짐이 더 무겁다고 느낀다. 그래서 살인도 일어나고 폭력도 일어난다. 홀로 당하는 고난은 소외를 부추기지만, 모두가 당하는 고난은 동질감을 생성시킨다. 아침에 일어난 모든 사람들이 심장에 삼지창을 겨누는 마귀를 발견한다면 이기주의도 욕심도 사라질 것이다. 공통의 고통 앞에선 오직 해결을 위한 단결만이, 극복을 위한 협력만이 남을 것이기에.

"서진이 책이 인기를 끄는 건 그런 암시가 코로나 시대와 맞아떨어지기 때문은 아닐까?"

하지만 주생은 곧 고개를 저었다. 참 죄인을 찾아내 징벌하고 각성하라는 스토리는 고난 극복보다는 숙청이나 정화와 어울렸다. 단평을 읽어보니 소설을 찬양하는 게 아니라 신을 찬양한다고 착각할 정도였다.

—『단죄의 신들』은 요즘 세상에 반드시 필요한 교리 서적입니다.

—『단죄의 신들』은 반드시 읽어야 합니다. 인류의 죄를 박멸시키기 위해서라도.

어떤 파워블로거가 올린 글도 있었다. 요약하면 '모르는 남자와 모르는 여자가 만나 누군가를 죽인다. 남녀는 죽은 자가 사실은 범죄자였다는 일방적 주장으로 지옥형벌 이론을 끌어들인다. 이 형벌을 집행하기 위한 폭력을 남녀 갈등의 해소와 화합 방법으로 보는데 별로 와닿지는 않는다'라는 글이었다. 이에 대한 댓글은 '신에 대한 아무런 믿음도 없는 주제에 사이버상에서 자신을 돋보이게 하는 데만 급급한 것도 가짜 신의 우상화를 흉내 낸 죄악이다. 이런 행위야말로 원류에서 떨어진 이단이다'였는데, 그 글을 쓴 사람이 파워블로거의 가장 가까운 이웃이라는 것이 나중에 밝혀졌다. '혓바닥을 뽑아낼 배신자' '눈알을 파내 참진리를 대하게 할 위선자' 등 험한 말들이 오갔다. 파워블로거가 거느린 이웃들이 다른 책에는 맹신적인 칭찬을 퍼부었던 전력에 비해, 『단죄의 신들』만큼은 등을 돌려 작성자를 준엄하게 꾸짖는 데 열을 올리고 있었다. 편향된 맹신처럼 『단죄의 신들』이 퍼뜨리고 있는 기류는 어딘가 정상적이지 않은 현상이었다.

주생은 『단죄의 신들』이 『오성밀법강령』을 베낀 것이라 언급한 민속학자의 평을 찾았다. 그사이 댓글이 천 개 넘게 달렸다. 보는 것만으로도 머리가 지끈거리는 악성 댓글이었다. 비난과 비아냥거림, 신상털이를 하겠다는 협박까지 다양했다. 그들은 자신들의 교리가 공격당하면 일제히 들고 일어나는 광신도 무리와 비슷했다.

그러나 그 누구도 민속학자가 언급한 오성교의 경전이 무어냐고 묻지 않았다. 절대적인 책 앞에서 아무런 의문도 제기하지 않은 것이다. 주생은 로그인 한 뒤 비공개 질문을 올렸다.

악플러들 때문에 고생 많으십니다. 『오성밀법강령』에 관해 제게 알려주실 수 있는지요? 가까운 사람이 이 책을 갖고 있는 걸 봤는데 온통 한자로 쓰여 있어 내용을 모릅니다. 안 믿으실지도 몰라 해당 책의 표지 사진을 첨부합니다.

사진 업로드를 마치자 이기철한테서 전화가 걸려 왔다. 창밖은 어느새 어둑어둑했다.

“좀 알아봤다. 하서진 씨 살인죄로 2004년 5월에 구속돼서 2021년 5월에 출소했다.”

“20년 형이라던데 17년 살았네요?”

“가석방 받고 나갔어. 모범적으로 생활했나 봐. 오전에 봤던 정미정 계장 기억나지? 그 성질 못된 여자가 의외였어. 분류심사실에 하서진 씨 관련 추천서를 상당히 많이 써줬더라고. 가석방에 도움이 됐을 거야.”

“골치 아픈 문제수를 데리고 있기 싫어서 그랬을 수도 있죠. 서진이가 자살 기도를 세 번이나 했다고 하니까.”

“그것도 틀린 말은 아니지.”

주생은 수첩에 적힌 스토킹 살인에 X 자를 그은 뒤 그 옆에 정미정이라고 써넣었다.

“무슨 지병이 있어서 형집행정지 얻어낸 건 아니겠죠?”

“택도 없는 소리. 지병이 있긴 했지만 불치병은 아니야. 중증 고혈압 환자였더군. 약을 계속 먹었는데도 평균 혈압이 190/120이었어."

"병동에 있었겠네요."

"그게 좀 이상하긴 해. 병동이 아니라 일반 혼거(混居) 거실에서 생활했거든."

"그럼 응급으로 외부 병원에 나갔다는 건 고혈압 관련으로?"

"아냐, 이물질 취식이야. 손톱깎이를 삼켰대. 자살 시도를 제외하면 딱 한 번 일으킨 사고였는데, 스캔 받아둔 자필 반성문이 남아 있어. 두 번 다시 물의를 일으키지 않겠다고 썼고, 교도관들도 호의적으로 증언을 해줬나 봐. 그래서 수용심사점수 깎이는 것도 피할 수 있었고 징벌실 가는 것도 면했지. 이때도 정미정 계장이 앞장서서 방패막이 역할을 해준 것 같아."

"여사 관할 계장이라서?"

"그렇긴 해도 다른 수용자들에 비해 유독 잘해준 티가 나."

"왜 삼킨 거죠? 언제 그랬죠?"

"자술서 보니까 오랫동안 옥살이하다 보니까 심적으로 미칠 것 같았다고 쓰여 있었어. 사건 발생일은 2020년 4월 4일이었어. 섭주 의료원 응급실, 담당의사 채보서."

주생은 수첩에 4월 4일이라고 볼펜으로 적은 뒤 그 위에 동그라미를 쳤다. 채보서란 이름도 놓치지 않고 적었다.

이기철이 말했다.

"대단한 건 정 계장이 응급실까지 동행했다는 거야. 밤에 외부로 이동할 때는 주로 남직원들이 가잖아."

"교정교화에 투철한 분이네요."

"근접 계호까지 직접 했어. 여자 속살이 그렇게도 보고 싶냐며 수술실에 남직원들 못 들어오게 하고 자기 혼자 들어간 거야. 자칫 배 가르고 손톱깎이 꺼내는 거 봐야 할 판인데 남직원들이야 좋아라 했겠지. 정 계장 이걸로 '이달의 교정인' 상까지 받았네."

주생은 볼펜으로 정미정의 이름 옆에 물음표를 그려 넣었다.

"그래서 서진이 배를 진짜 갈랐어요? 아니면 내시경으로 꺼냈어요?"

"수술 전에 스스로 토해냈단다. 증거물로 사진까지 올려놨네."

그래, 한바탕 쇼를 벌인 거였구나! 서진아, 너 무슨 짓을 한 거니?

"2004년에 구속되었으니 16년 만에 사고 친 거네요."

"니 말이 맞다. 서울 구치소, 안양 교도소, 원주 교도소, 순천 교도소 등 일고여덟 기관을 돌아다니다 섭주에 왔는데 사고는 섭주에서만 났으니까."

"서진이가 왜 그랬다죠?"

"넌 누나한테 서진이 서진이 그러냐?"

"동갑이에요. 누나긴 한데 4개월 빨리 태어났어요."

주생은 자꾸만 겹치는 4 자가 의미심장했다.

"하서진 씨, 직업훈련 코스란 코스는 다 밟았나 봐. 직업훈련 교도소 위주로 이송 다녔어. 2018년 12월 19일에 의정부 교도소에서 섭주 교도소로 이송 와서 2021년 5월 5일 자로 가석방

형기 종료."

"경북 쪽 다른 교도소로 이송된 기록은 없나요? 섭주 말고 안동이나 청송, 경주 이런 데."

"없어. 서울 경기와 충청 전라 쪽밖에 없어. 경남은 있는데 경북은 섭주가 처음이야."

섭주나 다홍은 일부러 피했던 거야. 이유는 몰라도.

"섭주 의료원은 여기서 먼가요?"

"아냐, 20분 거리야. 의료원 얘기 나와서 말인데 좀 이상하네."

"뭐가요?"

"섭주 의료원 소아과가 진료 잘한다고 유명하거든. 네 누나 진료한 채보서란 의사는 소아과 의사야. 그런데 왜 그날 야간에 응급실 당직을 섰는지 미스터리야. 그리고 또 있다."

"뭐가요?"

주생은 채보서 옆에 소아과 의사라고 적어 넣었다.

"김순심이란 여잔데 하서진 씨랑 의정부 교도소에서 섭주 교도소로 함께 이송 왔어. 근데 의정부에서도 같은 방을 썼고 섭주에 와서도 같은 방을 썼어."

"그런 배방*은 흔한데 뭐가 이상해요?"

"의정부 전에는 장흥 교도소에 있었는데 거기서도 같은 방을 썼다 이거지. 두 번은 우연이어도 세 번은 우연이 아닐 수도 있지."

주생은 김순심 이름을 추가로 적으면서 다섯 여자가 찍힌

* 감방 배정.

사진을 떠올렸다.

"김순심 씨는 출소했나요?"

"응. 하서진 씨보다 5개월쯤 빨리 나갔어."

"그 사람은 나이가 많나요?"

"66년생이니까 지금 57살이네."

"무슨 죄로 들어왔는지 알아요?"

잠시 동안 키보드로 검색하는 소리가 들려왔다. 이기철이 약간 놀란 음성으로 말했다.

"야, 이 아줌마 무속인이다. 점괘 보러 온 아가씨한테 살풀이 하라며 성매매를 시켰대."

"그래요? 무속인이란 말이죠. 오십대 후반의?"

사진 속 나이 든 여자. 입은 웃고 있었으나 선글라스로 가린 눈은 웃는지 노려보는지 알 수 없었다. 그 앞에 선 서진이는 그루밍이나 가스라이팅 피해자처럼 보였지. 덩치 큰 양아치 민규를 산 아래로 집어 던졌던 그 서진이가. 문득 또 그 겨울의 풍경이 흐릿하게 떠올랐다. 중학교 겨울방학 때의 기억. 좀처럼 웃지 않는 서진이가 활짝 웃었는데……. 그때 우리에게 무슨 일이 있었더라? 정수리가 가려워 주생은 머리를 북북 긁었다.

*

퇴근 시간이 되자 직원들이 하나둘 주차장으로 나왔다. 정미정도 여직원들과 함께 나와 주차장에서 헤어졌다. 그녀의 그랜저를 따라가는 차가 있었다. 그랜저는 미행을 눈치채지 못하고 유유히 한 신축 아파트 앞까지 이동했다. 지하 주차장에 차가 멈춰 섰을 때 주생이 나타났다. 정미정은 어둠 속에서 앞을 가로막은 주생을 보고 흠칫 놀랐다.

"계장님, 잠깐 얘기 좀 하시죠."

"내 뒤를 밟은 거예요?"

"제 누나 어디 있는지 아세요?"

"당신 누나가 누군데요?"

"아시잖아요? 하서진이라고."

"난 몰라요."

"2019년부터 여사 관할 감독교감이셨잖아요? 계장님은 모든 걸 얘기하지 않았습니다."

"마스크 쓰고 얘기해요!"

정미정이 앙칼지게 외쳤다. 주생은 교사에게 야단맞는 학생처럼 주머니에서 마스크를 꺼내 썼다.

"미안해요. 집에 아픈 사람이 있어서."

정미정도 마스크를 고쳐 썼다.

"난 내가 관리한 모든 수용자를 알지 못해요."

주생이 핸드폰에 저장된 사진을 보여주었다.

"여기 제 누나랑 사진까지 찍었으면서요? 이 은빛 고양이를 안고 있는 여자도 모른다고 하실래요?"

정미정은 망연자실한 표정을 지었다.

"고선숙이네요. 고수애 작가."

"죽었습니다."

이 말에 정미정이 격한 반응을 보였다.

"수애가 왜 죽어요?"

"제가 실종된 누나에 관해 물으러 갔는데 약속 장소인 카페 건물에서 투신했습니다."

정미정의 표정이 콱 굳어졌다가 어색하게 펴졌다. 주생은 그 변화를 놓치지 않고 그 밑에 뭐가 있을지도 모른 채 미끼를 던졌다.

"너의 죄를 고하라. 대오하고 각성한 후 무화를 받아들여라."

"당신 지금 무슨 헛소리를 하는 거야!"

정미정의 눈빛이 이글거렸다. 주생은 분노 뒤편의 당혹스러움을 보았다. 내친김에 엄포를 놓았다.

"고수애가 죽기 전에 한 말이죠! 계장님도 왠지 그 말을 아는 것 같은 눈친데요? 『단죄의 신들』이란 소설 속에도 그 말이 숱하게 나오죠. 그걸 쓴 사람이 서진이에요! 서진인 땅속에 묻힌 고양이가 살아났다고 고수애에게 알려줬어요. 당신들도 아는 사실이잖아요? 이 사진에 있는 당신들은 내 누나에 관해 뭔가 알고 있어요. 아니, 어떤 죄악을 저질렀을지도 모르지! 그래서 서진인 단죄에 관한 책을 쓰는 거죠. 당신들도 연관이 있다고 이미 얼굴에 답이 쓰여져 있어요. 그게 아니라면 모두가 오리발 내밀 이유가 없거든. 안 그래요?"

"서진이가 죽은 고양이를 살린 건 사실이에요."

살렸다? 엄포가 먹혀들어가자 당황한 건 주생이었다.

"죽은 고양이를 어떻게 살렸단 말이죠?"

"주문과 안수 그리고 윤회로."

정미정의 눈빛이 빛났다.

"사람들은 그 고양이가 가사 상태에 있다가 스스로 빠져나왔다고 믿고 있어요. 하지만 난 봤어요. 서진이가 아무도 모르게 흙을 파서 주문을 외우고 죽은 고양이에게 손을 갖다 댔어요. 그리고 다시 묻었어요. 다음 날 서진이 지시한 대로 수애가 땅을 파니까 찰리 브라운이 살아났어요. 되살아난 게 믿기지 않는지 얼굴부터 두리번거리며 나왔지요. 당신도 그 광경을 봤더라면……."

"그래서 고수애가 출소 때도 그 고양이를 갖고 나간 겁니까?"

"그래요."

"서진이가 흙을 판 건 운동 시간이었습니까?"

"……."

"운동 시간이라면 여사 수용자 전원이 운동장에 나왔을 텐데 어떻게 아무도 모르게 흙을 파고 그런 행위를 할 수 있었죠?"

정미정은 정곡을 찔린 표정을 지었다.

"운동 시간이 아니라 밤에 몰래 나온 거 아니에요?"

"말도 안 돼요! 수용자가 어떻게 밤에 바깥으로 나와요?"

"누가 문을 따준다면 가능하죠. 정 계장님 같은 교도관이."

"CCTV가 사방에 널렸는데 그런 짓을 한단 말이에요?"

"그날 야간 근무를 맡은 중앙통제실 직원이 계장님 사람이라면 가능한 얘기죠. CCTV를 보고도 못 본 척할 수도 있으니까. 어쩌면 계장님과 함께 서진이를 데리고 응급실로 출동한 남직원과 동일 인물일 수도 있겠죠."

주생은 핸드폰을 터치해 정미정 옆의 선글라스 쓴 여자를 확대했다.

"이 사람은 누구죠?"

정미정은 자포자기한 어조로 말했다.

"김순심 씨예요."

"왜 함께 사진을 찍었죠?"

"모두 그 고양이의 팬이었어요. 나도 그렇고."

"나한텐 그런 거짓말 안 통해요."

"김순심은 하서진과 수용 기간 내내 같은 방을 쓰던 사람이었어요."

"같은 방을 썼다고 사진까지 찍어요?"

"친했으니까 사진을 찍었겠죠."

"눈이 있으면 서진이 표정을 봐요. 친한 게 아니라 당신들 네 명한테 포획된 얼굴이잖아요! 이 김순심이란 여자 무당이죠?"

"몰라요."

"이 여자가 서진이한테 집착해서 이상한 걸 가르쳤어. 그게 아니고서야 교도소를 따라다니진 않을 테니까!"

"당신이……!"

"당신이 뭐요? 말해보세요, 비밀 많은 계장님!"

정미정은 마치 꿈을 꾸는 듯한 어조로 말했다.

"당신 얼굴을 보니까 서진이가 가까이 있는 것 같아요. 당신 몸에서 똑같은 기운이 풍겨 나와요."

예상외의 말에 주생은 전율을 느꼈다.

"친누나가 아니라 사촌누납니다. 말 돌리지 말고 진실을 얘기해주세요. 김순심 지금 어디 있습니까? 한시가 급해요. 서진이가 어디서 어떤 일을 당하고 있는지도……."

음악이 울려 퍼져 주생은 말을 멈췄다. 정미정이 주머니에서 핸드폰을 꺼내 받았다. 몇 마디 하지도 않아 그녀의 얼굴은 새파랗게 질렸다.

"뭐라고?"

정미정은 두려운 눈빛으로 주생을 보다가 뒷걸음질 쳤다.

"가봐야겠어요."

"대답부터 해주세요. 계장님!"

"놔요! 아들이 쓰러졌어요. 119 불렀대요! 진짜예요!"

당황한 주생이 비켜서자 때마침 내려온 엘리베이터 안으로 그녀가 사라졌다. 문이 닫히기 전 정미정이 소리쳤다.

"당신 전화번호가 어떻게 돼요?"

주생이 번호를 불러주었다. 정미정의 모습이 사라지고 잠시 후 119 구급차가 지하 주차장으로 들어왔다. 구급대원들도 엘리베이터를 타고 올라갔고, 얼마 후 젊은 청년 하나가 들것에 실려 내려왔다. 잘생기고 키가 큰 청년이 꽈배기처럼 온몸이 꼬인 채 경련을 일으키고 있었다. 사지를 한계 이상으로 비트는 모습이 끔찍했다. 자줏빛 얼굴은 시체가 되기 일보 직전이었다. 주생은 목이 돌아갔다던 우럭의 말이 떠올라 자신의 목을 손으로 움켜쥐었다. 정미정이 청년을 끌어안고 울부짖으며 구급차에 올랐다. 가족으로 보이는 젊은 아가씨 둘도 동승했다. 주생에게 신경 쓰는 이는 아무도 없었다.

*

주생이 다홍으로 차를 몰고 가는데 정미정의 전화가 왔다.

"아들이 또 아파요. 내가 천벌을 받나 봐요."

고수애도 서진이한테 용서를 구하고 싶다고 했다. 사진 속 여자들 전부 서진에게 '죄'를 지었다는 의심이 점점 굳어졌다.

"계장님도 『단죄의 신들』을 읽었습니까?"

"하지만 이제 안정을 되찾았어요. 의사 선생님이 괜찮다고 그랬어요. 만나요, 우리. 궁금한 걸 알려줄게요."

소통과 불통이 섞인 언어로 그녀는 자기 말만 했다. 주생은 다시 섭주 쪽으로 차를 돌렸다. 약속 장소는 '림보'가 아닌 '안다레 베니레'라는 카페였다. 그녀의 어투도, 만나자는 약속도, 만날 장소도 고수애의 경우와 비슷했다. 아무 생각 없이 검색해보니 '림보'는 혼이 머무는 곳이라는 라틴어였고, '안다레 베니레'는 '가고 오다'라는 뜻의 이탈리아어였다. 고수애의 최후를 주생은 선명히 기억했다. 뭔가 불길한 상황이 반복해서 펼쳐지고 있는 것 같았다.

'하지만 정미정은 자살할 사람처럼 보이진 않았어.'

주생의 차는 어둠이 내리는 섭주 번화가로 들어섰다. 마귀들이 사람들을 전부 데려간 것처럼 시내가 텅 비었다. 눈에 보이지 않는 코로나 바이러스가 창궐한 이후 사람들은 무리 짓지 않고 서둘러 귀가했다. 창을 든 마귀들이 사람들을 유린하는 삽화가 생각났다. 두 신적 존재를 묘사한 삽화도 덩달아 떠올랐다. 그들은 2부 말미에 등장하는 일선제력과 월선제력의 진짜 모습이었다. 마귀들을 밟은 사천왕은 움직이지 않는 동상에 불과했지만 마귀들을 지휘하는 두 신장은 소설 속에서 유유히 살아 움직였다.

카페 '안다레 베니레'에 도착한 주생은 눈으로 정미정을 찾았다. 창가 자리에 앉아 있는 그녀의 얼굴은 해골처럼 창백했다.

"아들이 루게릭병을 앓고 있어요. 상태가 나빠져서 병원에 실려 갔어요."

"많이 심란하실 텐데 일부러 시간 내지 않으셔도 됩니다."

"아니에요. 앉으세요."

문가에 서 있던 주생은 정미정의 손짓에 자리로 가 앉았다.

"김순심은 용한 점쟁이였어요. 어느 날 내가 집에서 다이아 반지를 잃어버린 적이 있었어요. 결혼반지였죠. 그 당시 김순심은 6동 12실에, 서진이는 6동 3실에 있었어요. 어느 날 아침 점검 시간에 불쑥 나를 붙잡고 말하더라고요. 세 살배기 조카가 뽀로로 안에 반지를 넣었다고요. 며칠 전에 동생 부부가 집에 다녀간 적이 있었죠. 그런 걸 어떻게 아느냐 물으니까 신령님이 가르쳐줬다는 거예요. 조카는 뽀로로 장난감을 갖고 있었고요. 난 별 기대 없이 동생한테 전화를 걸어 뽀로로 인형을 한번 열어봐달라고 했어요. 동생은 무슨 말도 안 되는 소리냐 그러다가 뽀로로를 만져보고 상하로 분리되는 인형인 걸 알고 깜짝 놀랐어요. 더 놀란 건 그 안에서 다이아반지가 나온 거고요."

"용한 무당이로군요. 하지만 뭔가 목적이 있어 계장님께 다가간 걸로 생각되는데요."

"맞아요. 다이아반지를 찾았으니 하서진과 같은 방을 쓰게 해달라고 요구했어요."

"왜죠?"

"출소 후 서진이를 신딸로 삼고 싶다고 했어요. 서진이는 신기가 강해 옆에 두면 자신의 무력(巫力)이 상승한다고 그랬거든요."

"그 여자가 제 누나를 데려갔나요?"

"그럴 거예요. 먼저 출소한 김순심이 서진이를 수시로 면회 왔어요. 마치 서진이가 안전하게 있는지 확인을 하려는 거 같았죠. 출소 때도 차를 갖고 와서 서진일 데려갔어요. 기념사진도 그 여자가 찍자고 해서 모여서 찍은 거예요. 서진이 표정은 별로 좋아 보이지 않았지만요. 서진이는 그 여자를 따라갔는데 어디로 갔는지는 몰라요."

"그 사진은 누가 찍었습니까?"

"김순심 씨 남편이요."

"그분도 무속인인가요?"

"맞아요."

"광성도인이랑 관련이 있는 사람인가요?"

"광성도인이 누구죠?"

"서진이가 과거에 살인한 사람이죠."

"그런 사람은 몰라요."

"고수애도 출소한 서진이를 보러 서울에서 내려왔고요?"

"맞아요."

"고양이 때문에 은혜를 입었다고 생각하나 보군요."

정미정은 대답하지 않았다.

"고수애 씨의 고양이를 향한 애정은 정말 대단하군요."

"특별한 고양이였으니까요. 물론 지옥에서 온 고양이라고 말하는 사람도 있었지만 그렇게 매력적인 고양이는 찰리 브라운밖에 없을 거예요. 수애는 그게 너무 고마워서 아버지가 위독한데도 출소일에 섭주로 내려온 거예요."

"계장님은 법과 규칙을 많이도 어겼네요."

"그렇다고 난 부패 교도관은 아니에요."

정미정과 주생의 시선이 부딪쳤다. 뭔가 알고 이런 소릴 하는 건가? 하지만 먼저 시선을 내리깐 건 주생이었다. 주생을 똑바로 바라보는 정미정의 눈에는 이유 모를 증오가 담겨 있었다.

"아까 병원에 실려 간 청년 봤죠? 그 아일 낳았을 때 천지신명은 내게 희망과 고통을 다 줬어요. 아들은 고문헌과 한학 분야에선 우리나라 최고의 수재예요. 늘 천재 소리를 들었고 지금도 그래요. 하지만 어릴 때 루게릭병을 앓았지요. 다른 아이들처럼 마음껏 뛰어놀지 못했어요. 그 병은 운동신경세포만 선택적으로 파괴되는 치명적인 병이에요. 수년 내에 걷지도 먹지도 숨 쉬지도 못하게 되어 사망하죠. 그렇지만 병이 나았고 지금까지도 살아 있어요. 멀쩡히 살아 있다구요! 그런데 오늘, 당신이 오고 나서 아이의 병이 재발했어요. 알아듣겠어요? 내겐 그 아이가 전부예요."

"서진이가 손톱깎이는 왜 삼킨 겁니까?"

정미정은 열기를 뿜는 눈길로 주생을 노려보았다. 하지만 그녀는 흔들리고 있었다. 아니, 떨고 있었다. 주생은 느낄 수 있었다. 그녀는 죽음을 두려워하고 있었다. 고수애처럼.

"스트레스 때문에요."

"무슨 스트레스요?"

"징역 스트레스지 뭐긴 뭐겠어요? 살인죄로 오랫동안 옥살이를 했으니."

"이송을 그렇게나 많이 다녔는데 왜 섭주에서만 유독 적응을 못 했을까요?"

"누가 그런 걸 가르쳐줬죠?"

"고수애 씨요."

주생은 이기철의 이름을 팔 수 없어 사라진 사람의 이름을 댔다. 죽은 자는 말이 없는 법이니까.

"고향과 지척인 곳에 오니 심란했겠죠."

"그럴 수도 있겠죠. 그런데 하나 묻겠습니다. 혹시 서진이가 신이 들린 걸 보신 적 있으세요?"

"없어요."

"거울을 지나칠 정도로 자주 봤다고 했는데 왜 그랬는지 아세요?"

"아토피가 피부를 괴롭힌다고 그랬어요."

"별로 믿기지 않는데요."

"거울 속에서 귀신이라도 나왔다는 답을 기대했어요?"

"계장님은 응급실에 왜 따라가신 겁니까?"

"서진이는 내가 아끼던 애였어요. 여사에서 수용자가 응급으로 실려 가는데 담당 직원이 따라가는 게 잘못인가요?"

"잘못은 아니죠. 하지만 밖으로 나간 한 명보다 안에 남아 있는 수십 명이 더 중요하지 않습니까? 한 관할 구역의 감독이라면."

"그 수십 명은 손톱깎이 따위 삼키지 않죠."

정미정이 떨리는 손으로 커피잔을 내려놓았다.

"여기까지예요. 더 아는 게 없어요. 이제 가봐야 해요. 병실을 비우고 왔으니까요."

그녀는 숨기는 게 있었다. 그녀가 말한 것은 진실의 일부에 불과했다. 아니, 거짓의 일부일 수도 있었다. 더 묻고 싶었지만 다음 기회를 노릴 수밖에 없었다. 기회를 줄지는 모르겠지만.

차값을 계산하려는데 카페 주인이 다홍 구치소 1실의 오태하로 보였다. "나쁜 짓 하면 지옥 가!" 하던 소리가 다시 들려왔다. 정신을 차리고 보니 전혀 모르는 사람이었다.

주생이 관자놀이를 누르며 밖으로 나왔을 때 정미정은 하늘 향해 입을 오물거리고 있었다. 누구한테 속삭이는 것 같기도, 혹은 주문을 외우는 것 같기도 했다. 카페 주인이 밖으로 나와 정미정을 다급히 불렀다.

"마스크 두고 가셨어요!"

정미정이 손으로 입을 막고 카페 안으로 들어갔다. 이상한 예감에 주생이 급히 앞을 막아섰다.

"잠깐만요! 들어가면 안 돼요!"

늦었다. 이미 정미정은 주생을 지나쳐 카페 안으로 들어간 후 앉은 자리에 놓여 있던 마스크를 귀에 걸고 있었다. 바로 그때 대형 드릴을 돌리는 것처럼 맹렬한 타이어 마찰음이 들려왔다. SUV 차량 한 대가 신호를 무시하고 달려왔다. 바퀴에서 연기가 솟아올랐고 고무 타는 냄새가 진동했다. 극히 짧은 순간, 주생은 총알처럼 지나가는 차 운전자의 얼굴을 보았다. 최면술에라도 걸린 표정이었다. 차가 카페 '안다레 베니레'로 돌진했고 돌아보는 정미정의 얼굴이 크게 확대되었다.

주생이 안 돼! 하고 소리쳤을 때 세상은 정전된 것처럼 어둠에 싸였다. 주생은 환영을 보았다. 까마득한 암흑 속에서 마귀들이 가마를 끌고 달려왔다. 누런색과 초록색의 마귀들. 반대편 끝에는 정미정이 쓰러져 있었는데 그녀의 팔과 다리에는 굵은 줄이 하나씩 묶여 있었다. 네 개의 동앗줄은 거대한 사천왕상의 손과 제각기 연결된 상태였다. 켈켈켈켈 웃는 마귀들이 점점 가까워졌다. 다시 보니 그들이 나르는 건 가마가 아니라 무쇠로 만든 커다란 관이었다. 지국천왕과 증장천왕이 밧줄을 당기자 정미정의 팔이 활짝 펴졌고 광목천왕과 다문천왕이 밧줄을 당기자 쓰러진 정미정이 난폭하게 일으켜 세워져 대(大) 자로 꼿꼿이 섰다. 마귀들이 이빨을 드러내며 웃었다. 정미정은 절망적으로 고개를 흔들었지만 사천왕상의 손은 자비를 베풀지 않았다. 주생은 그만두라고 소리치고 싶었지만 입이 움직이지 않았다. 그 순간 달려오던 마귀들이 손을 놓았다. 관이 어두운 허공 속을 날았는데, 그건 사람을 싣기 위한 관이 아니었다. 사람을 가루로 만들어버리려는 관이었다. 정미정은 체념한 듯 최후의 한마디를 남겼다.

"너의 죄를 고하라. 대오하고 각성한 후 무화를 받아들여라."

무거운 기세로 날아간 관이 저항이 불가능한 정미정을 덮쳤다. 살이 터지는 둔탁한 소리와 함께 관은 폭주기관차처럼 지나갔다. 몸이 사라지고 그 자리에 남은 것은 여전히 동아줄에 매달린 채 피를 쏟으며 대롱거리는 정미정의 팔과 다리였다.

주생이 정신을 차린 순간 엄청난 폭발음이 들려왔다. 차가 돌진하며 유리 조각들이 눈처럼 쏟아져 내렸고 정미정의 모습은 파묻혀 사라졌다. 사람들이 차 주위로 몰려들 때까지도 엔진은 거세게 돌아갔다. 아비규환이 지나고 나서야 누군가 강제로 문을 열고 시동을 껐다. 여든이 넘어 보이는 노령의 운전자는 꿈에서 깨어난 표정으로 사람들을 쳐다보았다. 사고의 충격으로 바닥에 쓰러졌던 주생은 차량에 깔린 정미정의 다리를 보았다. 누군가는 119에 신고를 하고, 누군가는 노인에게 달려들어 욕을 퍼부었다.

"그 나이에 왜 운전을 하고 지랄이야?"

"면허증 반납 안 하더니 결국 일을 저지르네!"

차에서 내린 노인은 벌벌 떨면서 소리쳤다.

"내가 안 그랬어! 저절로 그랬어! 차가 저절로 그랬어!"

차에 깔린 정미정의 다리는 미약하게 경련하다가 어느 순간 완전히 굳어버렸다.

*

현장은 구급대원과 경찰관들로 인산인해를 이루었다. 현장을 조사하고 사람들의 접근을 막느라 분주했다. 하지만 주생은 경찰로부터 어떤 조사도 받지 않았다. 대신 마스크를 가져가라고 손짓했던 카페 주인이 조사를 받았을 뿐이다. 그는 가벼운 찰과상만 입었다.

"마스크를 두고 가셨어요. 제가 가져가라고 했고 그분이 들어왔는데 건너편에서 차량이 들이닥쳤어요. 저 때문에 그분이 변을 당하신 거 같아요."

주인은 눈물을 흘렸다.

주생은 어두운 곳에서 이쪽을 쳐다보는 실루엣을 느꼈다. 보이지 않는 곳에 숨어 그를 지켜보는 자가 분명 존재했다. 김전무의 수하나 감찰반 직원 둘 중 하나였다. 그 실루엣은 인파 속에 섞여 몰래 주생을 바라보고 있었다. 주생이 움직이자 그자도 움직였고 가까이 다가갔을 땐 이미 사라지고 없었다.

나랑 상관없어! 나랑 상관없다구!

주생은 서둘러 현장을 벗어났다. 죄책감에서 벗어나기 위해 주생은 합리적으로 생각하기로 했다. 정미정은 핸드폰을 찾으러 갔다가 백만 분의 일에 해당하는 변을 당한 것이다. 이런 일은 누구에게나 벌어질 수 있다. 하지만 주생은 사고 직전 『단죄의 신들』 표지에 나온 마귀들의 환영을 보았다. 서진이 창조한 마귀들. 이틀에 걸쳐 자신 앞에서 두 명이나 죽었다. 그녀들은 서진과 더불어 사진을 찍은 과거가 있다. 이런데도 백만 분의 일인 우연이 맞을까?

밤이 깊어가고 있었다. 주생은 다홍으로 차를 달렸다. 어둠에 싸인 국도의 노란 선이 마귀의 창처럼 심장을 찔러 왔다. 전화가 걸려 왔다. 도서출판 연옥의 편집장 석도신애였다. 떠들썩한 소리, 호통치는 소리가 먼저 들렸다. 불안한 마음으로 주생이 물었다.

"무슨 일 있습니까?"

"아, 시끄럽지요? 밤인데도 제본 문제로 왁자지껄해요. 증쇄를 또 찍었거든요. 기록 경신이에요."

잠깐 기쁨의 감정을 드러낸 석도신애는 본래의 음성으로 돌아왔다.

"오성교에 대해 좀 알아봤어요."

"『단죄의 신들』과 일치합니까?"

"맞아요. 나도 원본은 보지 못했지만 반야심 작가가 그 종교 서적에서 내용을 많이 따온 거 같아요."

"표절이란 말이에요?"

"여자 신적 존재와 남자 신적 존재가 사람들을 심판한다는 설정만 같아요. 하지만 『단죄의 신들』은 현대물이에요. 표절이라 말할 순 없어요. 민속학자라는 사람은 시선을 끌어보려고 그런 댓글을 쓴 거 같아요."

"오성교란 이름은 처음 들어봐요. 대체 어떤 종교죠?"

"세상의 인간들이 마음속에 숨겨놓은 죄를 털어놓고 죽음으로 속죄하는 그런 종교인가 봐요. 믿음에 빠진 자는 경건함 속에서 죄를 인정하며 새로운 무화에 대한 의지로 충만해요. 그래서 심판도 거부하지 않죠. 범천존자 일선제력, 삼도천녀 월선제력이란 두 남녀가 교단을 이끌었다고 하더군요. 『단죄의 신들』에 나오는 이름이죠."

"무화가 뭔데요?"

"저도 잘은 모르지만 무한(無限)의 개념과 흡사한가 봐요."

"마귀들이 실제로 있을까요? 일선제력, 월선제력이 존재할까요?"

"무슨 말씀이세요? 사이비 믿음이지 세상에 그런 게 어디 있어요? 부석사 사천왕상이 움직여 사람 죽이는 거 봤어요?"

"그럼 소설이 어째서 이렇게 히트 치는 거죠?"

"불안한 시대에는 원래 공포소설이 히트 치죠. 겁에 질린 사람들을 양 떼처럼 따르게 하려면 공포를 조장하는 게 좋은 방법이에요. 『단죄의 신들』도 공포소설이고."

"고수애 씨 말고 사진 속에 있던 다른 여자분을 또 만났습니다. 서진이를 데리고 있던 교도관이요. 참, 고수애 씨도 서진이와 같은 방을 썼던 전과자였어요. 그 교도관이 그러는데 서진이가 죽은 고양이를 살렸다나 봐요. 고수애 씨가 교도소에서 기르던 희귀한 고양이요."

"그래서 고 작가가 블로그에 고양이 사진을 올린 거로군요. 세상에나 죽은 고양이를 살렸다고요? 어떻게요?"

"주문과 안수라고 했어요. 구체적으로 물어봐야 했는데 그러질 못했어요."

"왜요?"

"죽었거든요. 제가 보는 앞에서 차에 치여 사망했습니다."

무거운 침묵이 오갔다. 석도신애는 아무 말도 하지 않았다.

"서진이가 교도소에 간 건 어떤 무당을 죽였기 때문인데, 그 무당이 자신의 정체를 알기 때문에 죽였다고 합니다. 월선제력이 혹시 서진이로 윤회한 건 아닐까요?"

"네에?"

주생은 서진의 과거 일부와 정미정의 죽음에 관해 간략하게 들려주었다. 긴 이야기를 들은 석도신애가 차분한 음성으로 말했다.

"사실은 어제 이종하 대표님이 다치셨어요."

"어디를요?"

"출근하시다가 갑자기 생긴 씽크홀에 빠지셨어요. 세 사람이 떨어졌어요. 두 사람은 경상인데 대표님은 다리가 부러졌어요."

이 순간 주생과 석도신애의 거리는 다시 멀어졌다. 석도신애의 음성에 깔린 경계심이 검은 그물처럼 주생을 옥죄었다. 서진의 돈이 필요한데 어디선가 서진은 자신을 비웃고 있었다. 어쩌면 그의 어깨 위에 올라타 내려다보고 있는지도 모른다. 주생은 간신히 말했다.

"편집장님도 조심하십시오."

다행히 석도신애는 아무 말 없이 끊진 않았다. 형식적이지만 주생에게 힘이 될 한마디를 남겼다.

"반야심 작가를 꼭 찾아주세요."

편집장님도 빨리 3부작 완성하고 인연 끊고 싶죠? 나도 그래요. 편집장님처럼 나도 서진이가 무서워지기 시작했거든요.

5

1857년

"삼도천녀! 그 손 치우지 못하겠느냐!"

젊은 혈기의 명설은 고초굴 안에서 홀로 사기가 충천했다. 귀신을 믿지 않는 이 청년은 철저히 현실만을 믿었다. 출세의 기회가 눈앞이었다. 두 신성은 가짜고 마귀들은 분장이고 고문당하는 사람도 눈속임이라는 게 명설의 생각이었다. 월선제력은 아무 표정 변화 없이 멧돼지처럼 돌진하는 청년을 빤히 바라볼 뿐이었다. 마귀들 역시 여왕에게 무례하게 달려드는 난봉꾼을 보고도 끼어들지 않았다.

외마디 기합과 함께 명설의 장검이 날아왔다. 그러나 월선제력이 손바닥의 위치를 달리해 명설의 얼굴에 다섯 손가락 그림자를 드리우자 장검은 힘을 잃고 땅에 떨어졌다. 입을 움직이지 않음에도 삼도천녀 월선제력의 내면에서 경문 같은 읊조림이 흘러나왔다. 읊조림이 빨라질수록 서서히 명설의 얼굴이 왼쪽으로 돌아가기 시작했다. 마귀들이 창을 들어 올리며 경문을 따라 했다. 꽉 다문 이빨, 공포에 질린 눈알은 스스로 원해서 머리를 돌리는 게 아님을 입증하고 있었다. 군사들은 공포에 질렸고 마귀들은 함성을 질렀다. 목에서 뚜두둑 소리가 나며 사람이 견딜 수 있는 한계를 넘어섰다. 월선제력의 인자한 미소는 변하지 않았다. 마침내 목이 완전히 돌아가 명설은 등 위에 눈코입이 붙은 괴이한 형상을 갖추게 되었다. 이어서 오장육부마저 꼬이자 얼굴은 새빨개지고 까뒤집힌 눈, 침 흘리는 입에서 경련이 일어났다. 삼지창을 휘두르는 마귀들의 함성이 격렬해졌다. 고문받던 인간들이 '무화! 무화!' 하고 소리치며 땅에 머리를 조아렸다. 몸통이 잘린 사람도 예외 없었고 머리만 남은 사람도 입으로 경건한 탄성을 내질렀다. 모두가 요상한 경문을 외웠다. 사바하 후렴을 연상시키는 울림이었지만 다른 세상의 외양을 갖춘 그들 입에서 아미타불이나 나무관세음보살 같은 자비로운 진언은 결코 나오지 않았다.

"우아아아아악!"

천하장사 명설의 육중한 신체가 고초굴 바닥에 쿵 쓰러졌다.

"손을 대지도 않았는데 죽었어요."

초아가 이합정을 바라보았다.

"나도 알고 있소. 도저히 믿을 수 없소."

마귀들이 낄낄거렸다. 삼도천녀 월선제력의 눈이 이합정을 향했다. 파도가 이는 눈길에 이합정은 칼을 떨어뜨릴 뻔했다. 월선제력의 입이 더없이 인자한 미소를 그렸다.

"팔을 다친 아이야, 왜 나를 의심하느냐? 다가오는 폭풍을 보지 못하고 왜 눈앞의 믿음이란 배에 무거운 의심의 짐만 더 하고 있느냐? 침몰을 바라는 건 차오르는 너의 번뇌 때문이 아니더냐?"

2022년

주생은 밤늦게 귀가했다. 마구 던져놓았던 교도관 제복이 주인의 손길을 기다리고 있었다. 주생은 입고 있던 옷을 그 위에 새로이 던졌다. 시시각각 피폐함을 느끼며 주생은 침대에 누웠다. 마귀들의 환각이 아직도 기억났다. 민속학자에게 올렸던 질문에 댓글은 붙지 않았다. 죽은 두 여자가 눈앞에 아른거렸다. 창이나 다름없는 철근에 몸을 관통당하고, 육중한 차량에 신체가 깔려버린 광경은『단죄의 신들』을 알기 전엔 보지 못한 참극이었다.『단죄의 신들』 뒤에는 서진이 있고 서진의 뒤에는 오성교가 있다. 한자가 가득한『오성밀법강령』, 누군가 그 책을 가져간 것이 증거였다.

출판사 대표가 다리를 다쳤다는 소식은 불길한 상상을 몇 배나 부채질했다. 주생은 그 부모에 그 딸 아니랄까 봐 너마저 사이비 종교에 미칠 거냐며 부모님께 맞던 서진을 떠올렸다.

서진이가 그때부터 오성교를 알고 있었던 건 아닐까?

잘 기억나지 않는 과거를 헤집다가 주생은 잠이 들었다. 마귀들이 화려한 법의를 걸친 한 여자를 가운데 두고 빙빙 도는 제무의 꿈을 꾸었다. 여자의 얼굴은 흐릿해 드러나지 않았다.

눈을 뜨니 아침이었다. 아직 이틀의 휴가가 남았다. 전화가 걸려 왔는데 김 전무의 싸늘한 음성이 그를 기다리고 있었다.

"우럭한테서 연락이 왔습니다."

"연락이 왔다고요?"

"예. 하 주임 얘길 하더군요."

"어떤 얘길요?"

"말을 너무 천천히 해서 간신히 알아들었습니다. 무서운 사람이니 가까이 가지 말라고 하대요."

"김만식 사장은 그 무서운 사람한테 CCTV 앞에서도 고래고래 소리를 지르대요. 발각 나면 더 큰 손해 볼 쪽은 김 사장일 텐데 지금은 자중해야 한다고 꼭 좀 전해주세요."

"난 지금 우럭 얘길 하고 있습니다. 하 주임이 마지막으로 만났던 우럭."

"어제 통화했죠."

"그래요? 무슨 소릴 하던가요?"

"목이 돌아갔다고 도와달라던데요."

"내게도 그 소릴 했습니다. 그런데 머리를 돌린 건 당신 같다고 하더군요. 그 말에 많이 불쾌했습니다. 김만식과의 커넥션에서 벗어나기 위해 우리 위대한 하 주임께서 머리를 굴려

홍신소에 연락해 우럭 머리를 돌린 게 아니기만을 빕니다. 그렇게 되면 내 머리도 돌아버립니다. 지금 우리 애들이 진상 파악에 나섰습니다. 우럭이 발견되고 설계가 드러나면 하 주임은 손목부터 잘리실 텐데 지금처럼 전화라도 받을 수 있겠습니까?"

"난 아무 짓도 안 했어요. 괜히 의심 마세요. 홍신소 애들이 바봅니까? 우럭 같은 애를 건드리게?"

"요새는 인정이 사라진 시대라 돈만 주면 염라대왕이라도 갖다 바치는 세상이지요."

"왜 우럭이 그런 소릴 했는지 모르겠네요. 그 사람 어딨는지도 몰라요. 전화도 대포폰을 쓴 것 같았어요."

"그 전화번호 알려주실 수 있습니까?"

"이 전화 끊으면 문자로 보낼게요."

"우럭을 찾으면 그놈 지느러미 안에서 가루가 온전히 발견되기만을 바라세요."

"지금 날 떠보는 겁니까?"

"가루는 어쨌지요?"

"몰라요! 본 적도 없으니까! 제발 우럭인지 트럭인지 잡아서 진상 캐보세요. 사람 괴롭히지 말고."

조곤조곤하던 김 전무의 목소리가 악마의 음성으로 변했다.

"'트' 자가 와닿는 모양이네? 트렁크 안에 눕혀 휘발유 샤워 좀 하고 낭떠러지로 파이어 다이빙하면 다 불겠지. 넌 쓰레기야, 하주생! 니 손목 자를 일 생길 땐 애들 안 시키고 내가 직접 할 거야. 난 사람 손목 수집하는 게 취미거든. 요새 사는 게 심심하기도 하고. 쫄지 말고 문자 바로 보내."

김 전무가 웃다가 전화를 끊었다. 주생이 핸드폰을 던지려는데 또 전화가 왔다. 이기철이었다. 화를 진정시키지 못한 채로 전화를 받았다.

"야, 주생아. 너 어제 봤던 정 계장 알지? 그 사람이 죽었다. 팔십대 영감이 브레이크 대신 엑셀을 밟아 가게로 밀고 들어갔대."

맞습니다. 나하고 있었으면 그런 일 없었을 것을 마스크 가지러 들어갔다가 변을 당했습니다. 그렇게 마스크 강조하던 분이 왜 테이블에 두고 나왔을까요? 나는 그걸 왜 발견 못 했을까요? 우럭은 왜 내게 무서운 소릴 했을까요?

"저도 알고 있습니다. 정말 놀랍더군요."

"그건 그렇고 내가 더 알아낸 게 있어 알려주려고 걸었다."

"그래요? 뭐죠?"

"하서진 씨 접견 기록을 좀 뒤져봤거든. 수용 기간 동안 딱 두 사람이 면회 왔어. 하나는 김순심. 이 사람이 먼저 출소하고 수시로 하서진 씨를 보러 왔어."

"주소도 알 수 있나요?"

"네 누나가 연루됐다니까 가르쳐주는 거야. 사는 데가 이곳 섭주야. 네버힐이란 아파트인데 104동 1305호다."

그랬구나! 그 집은 서진이 집이 아니라 무녀의 집이었어! 출소한 서진이를 그리로 데려간 거야. 그래서 방울도 있고 부적도 돼지머리도 있었어. 아무것도 모르는 석도신애는 무서운 사람들이 무서운 장소에서 써서 보낸 원고를 받고 히트 쳤다고 좋아한 것이었군.

"저도 그 아파트 알아요. 다른 한 사람은요?"

"장영미라는 여자야. 접견일 2019년 1월 6일. 하서진 씨가 섭주로 이송 오자마자 딱 한 번 왔네."

"장영미? 서진이 고등학교 친구 같은데…… 혹시 주소가 서울 아니에요?"

"그러네."

"그럼 그 영미가 맞을 거예요. 연락처 좀 알려주실 수 있어요? 나도 아는 사람이라 연락해도 별 탈 없을 겁니다."

뒤탈 없이 처리해달라며 이기철은 장영미의 연락처를 알려줬다. 김순심의 연락처도 받았지만 소용없었다. 받지 않는 서진의 핸드폰 번호가 바로 김순심의 핸드폰 번호와 일치했다. 서진이 네버힐에 억류되어 강제로 글을 썼다는 의심이 점점 커졌다. 김순심이 그랬을 것이다. 목적이 무엇이건 간에.

"난 좀 전에 퇴근했다. 넌 오늘 근무 아니냐?"

"휴가 냈어요. 서진일 빨리 찾아야 해서요. 피곤할 텐데 이렇게 알려주셔서 정말 고마워요, 형. 얼른 쉬세요."

"쉬긴? 정 계장 상갓집에 가봐야지."

"빈소가 어딘데요?"

"네 사촌누나가 응급실 실려 갔던 섭주 의료원, 거기 장례식장이야."

끔찍했던 사고가 떠오르자 주생은 정미정의 죽음에 일말의 책임을 느꼈다.

"형, 좀 기다려주실래요? 섭주로 바로 갈 테니까 나도 같이 가요."

"니가 뭐 하러 와? 아는 사이도 아니잖아?"

"어제 만나기도 했고…… 그래도 사촌누나를 데리고 있었던 분이잖아요."

"별일로 문상 다 가네. 그래, 알았다. 그럼 난 차에서 한잠 자고 있을 테니 여기 도착하면 전화해."

주생은 알겠다 답하고 전화를 끊었다. 머리가 아파 손가락으로 관자놀이를 눌렀다.

장영미. 그녀는 서진의 중고등학교 시절 친구였는데 다흥에서 서울로 이사를 갔다. 주생과도 잘 아는 사이였다. 서진이 교도소에 들어간 사실을 영미는 알고 있었다. 면회까지 갔다고 하니까. 그런데 내게 알리지 않았다. 나를 찾지 못한 것일까? 아니면 서진이 그렇게 시킨 것일까? 후자가 유력하다. 주생은 목이 타 냉장고에서 생수를 꺼내 마셨다.

스무 살 때 가출한 서진은 한동안 연락을 끊고 지내다가 어느 날 갑자기 집에 전화했다. 서울에 있으니 데려가 달라고. 부모님은 서진을 데리러 갔다가 교통사고로 참변을 당했다. 그때도 서울로 이사 갔던 영미가 서진을 데리고 있었던 건지도 모른다. 정보를 얻기 위해선 만나봐야만 했다.

또다시 옛 겨울의 기억이 희미하게 몰아닥쳤다. 중2 땐가 중3

땐가 눈이 왔던 풍경. 그때 주생은 서진과 함께 있었다. 그런데 그날 그곳에 영미도 함께 있던 것 같았다.

연옥 출판사의 대표가 다쳤다는 소식이 계속해서 마음에 먹구름을 드리웠다. 서진이 이룬 자산을 손에 넣기 전까진 그들이 무사해야 했다. 사건사고를 빙자한 어떤 변괴가 그들에게도 마수를 뻗칠지 몰랐다. 주생 자신의 신변 역시 걱정이었다. 조급증을 못 참은 김만식이 김 전무를 시켜 어떤 보복을 시도할지도 모르고, 우럭처럼 목이 돌아가는 괴이한 사고를 당할지도 모를 일이었다.

주생은 정미정의 장례식에 가기 위해 양복을 꺼내 입었다. 그리고 섭주로 출발했다.

*

섭주 의료원 앞에서 주생은 이기철과 만났다.

"정미정 치어 죽인 운전자 영감이 이상한 소리를 하더라네?"

"뭐라 그랬는데요?"

"자긴 30년 무사고 운전자였대. 잘 가고 있는데 갑자기 눈앞이 캄캄해지더니 시뻘겋게 벗은 도깨비들이 나타나 삼지창으로 막 찌르더라나. 팔다리 할 것 없이 찔리니까 정신이 하나도 없는데 와장창 소리에 깨어보니 카페 유리창은 깨져 있고 여자가 죽어 있더래."

"도깨비들을 봤다고요?"

"졸음 운전이지 뭐야? 늙은 것들은 다 면허증 뺏어야 해."

주생은 마음속으로 관세음보살을 읊조렸다. 두 사람은 조의금을 봉투에 넣고 빈소로 향했다. 애 끓는 곡소리가 병원 복도에서부터 울려 퍼졌다.

낡은 지방 병원의 장례식장 복도는 조명이 어두웠다. 죽음과 어울리는 분위기였다. 이상한 기시감에 주생은 뒤를 돌아보았다. 뒤편 꺾어지는 복도에서 검은 옷자락이 사라졌다. 황급히 뛰어갔지만 아무도 없었다. 정미정을 처음 만났을 때도 미행자가 있었고 그녀가 죽고 난 현장에도 누군가 있었다. 뭔가가 계속 그를 따라다니며 조금씩 피를 말리고 있다. 김만식이나 감찰반 쪽일 수도 있지만 아닐 수도 있다. 훨씬 더 사악한 그 무엇일지도 모른다.

"왜 그래?"

"아무것도 아니에요."

"자, 어서 들어가자."

이기철이 먼저 걸었고 주생이 한 걸음 뒤에서 따랐다. 곡소리가 더 커졌다. 입구에서 신발을 벗던 주생은 빈소에서 막 나오는 상주와 마주쳤다. 키가 몹시 큰 미남형의 청년이었는데 상복을 입혀놓아도 어제 들것에 실려 갔던 그 청년임을 알아볼 수 있었다. 그새 퇴원했는지 지금은 멀쩡했다. 하지만 그것도 잠시였다. 청년이 주생을 보자마자 온몸을 부르르 떨어댔다. 두 눈이 돌출하면서 얼굴이 벌겋게 달아올랐다. 팔과 다리가 X 자로 꼬이고 혀도 튀어나왔다. 신체 각 부위가 각자의 의지로 주인에게서 이탈하려는 것 같았다. 이이! 이이! 날카로운 신음마저 토해내자 사람들이 웅성거렸다. 청년은 문상객용 식탁 위로 쓰러져 격렬한 발작을 일으켰다. 주생도 이기철도 뜻밖의 사태에 어쩔 줄 모를 때 빈소에서 여자 하나가 달려 나왔다.

"지원이가 또 그래! 여기 응급실은 별관 장례식장하고 멀어. 일단 내 차에 태워!"

주생은 무섭도록 발작하는 청년의 모습에도 놀랐지만 지원이란 청년을 안아서 달래는 여자의 모습에도 놀랐다. 그녀는 바로 사진 속에서 서진을 불안한 눈빛으로 지켜보던, 정미정 곁의 여자였다. 사람의 눈으로 확인할 수 없는 기괴한 기운이 장례식장에 흘렀다. 보이지 않는 뭔가가 주생의 주위를 에워싸는 느낌이었다. 눈을 한껏 옆으로 치뜨고 혀를 내민 채 아스팔트 위의 지렁이처럼 고통스럽게 몸을 꼬던 청년의 얼굴이 자줏빛으로 변했다. 남자들 몇이 청년을 번쩍 안아 주차장으로 데려갔다. 주생도 따라갔다. 이미 그 여자는 차 문을 열어놓고 있었다. 남자들이 청년을 차에 태웠고 동승한 한 명이 청년을 진정시키며 차는 출발했다. 주생은 이기철에게 조의금 봉투를 맡긴 후 먼저 가야겠다고 말했다. 이기철이 왜 그러냐고 물었지만 듣지 않았다. 주생은 차로 지원이란 청년을 실은 차를 따라갔다.

주생의 호흡이 가빠졌다. 루게릭병이 있다가 나았다던 청년은 주생이 나타난 어제 병이 재발했고 어머니의 죽음으로 정상으로 돌아왔다가 주생이 빈소에 나타나자 다시 병이 발현한 것이다. 주생은 룸미러를 보다가 냉동실의 돼지머리가 비쳐 헉 숨을 삼켰다. 그러나 미러에 비친 건 굵은 땀으로 범벅이 된 자신의 얼굴일 뿐이었다.

"너 이 차 안에 있는 거야? 서진아, 네가 그런 건 아니지?"

우럭의 말이 귓전을 맴돌았다.

너!

*

응급실에 의료진이 달려들었다. 의료용 커튼이 네 방향에서 화라락 쳐졌다. 주생은 그들이 다급히 나누는 의료 용어를 들었다. 전달은 빨랐지만 손발이 안 맞아 실행이 느렸다. 청년의 발작이 극심해 의료진은 제대로 대처하지 못했다. 청년은 등을 활처럼 굽히고 손등을 바깥으로 뻗은 채 고통스럽게 몸부림쳤다. 의료진은 주생이 커튼을 젖히며 다가와도 알아채지 못했다. 모두가 죽어가는 사람 앞에서 정신이 없었다. 주생은 영어 일색인 의료진의 대화에서 몇 번이나 튀어나온 '채 선생님' 혹은 '닥터 채'란 호칭에 주목했다. 청년을 태우고 오느라 아직 의사용 가운조차 입지 못한 그 여자가 틀림없었다.

'서진아, 어떻게 해야 해? 얘도 너 때문에 죽는 거야?'

주생이 마음속으로 물었다. 그러자 갑자기 의료용 커튼이 사방으로 펄럭이며 산소포화도 측정기가 와장창 넘어졌다. 그 청년, 지원의 눈알이 주생에게로 굴렀다. 발작이 멎지 않는 가운데 지원은 주생에게 오그라든 팔을 고통스럽게 내밀었다. 두 사람의 눈이 마주쳤고 사람들이 둘을 바라보았다. 주생이 왜 그래야 하는지도 모른 채 손을 내밀었다. 손과 손이 서로를 잡자 주변에 가득하던 기이한 압력이 일순 가라앉았다. 지원의 숨소리가 안정을 찾으면서 제멋대로이던 근육 경련도 잦아들었다. 모두의 눈이 주생을 향했다.

"당신 누구예요?"

그 여자가 물었다.

"채보서 씨?"

"그런데요?"

"이 청년 이름이 지원인가요? 정미정 계장님의 아들 지원이."

채보서에게 질문했지만 주생은 지원을 보고 있었다. 지원이 진실을 알려주고 있었다. 그는 환희에 찬 눈을 부릅뜬 채 주생의 손을 놓지 않았다. 채보서의 표정에 갈등의 흔적이 생겨났다. 주생은 지원의 머리칼을 쓸어 넘기며 말했다.

"지원이는 어릴 적부터 루게릭병을 앓았어. 고칠 수 없는 불치병이었지. 이 공부 잘하고 머리 좋은 청년은 내내 고통스럽게 살아왔어. 그걸 지켜보는 엄마도 고통받았지. 그런데 어느 날 갑자기 지원이가 멀쩡해졌어."

"당신 무슨 소릴 하는 거야?"

채보서가 주생과 지원의 손을 분리시키려 했다. 그러나 지원은 눈물을 흘리며 주생의 손을 놓지 않았다. 주생이 지원에게 물었다.

"말해줘! 누가 당신을 낫게 한 거지? 은빛 고양이는 본보기였어!"

주생이 무섭게 눈을 치켜뜨자 지원이 깜짝 놀라 채보서의 품으로 몸을 던졌다.

"당신 누구예요? 왜 애를 괴롭혀! 여기서 나가요!"

채보서가 소리쳤다. 지원은 채보서의 어깨에 얼굴을 묻은 채 몸을 떨었다. 발작은 재발되지 않았다. 의료진의 만류에도 주생이 소리쳤다.

"지원 씨 말해줘! 당신을 낫게 해준 여자는 누구야? 그 여자는 일부러 낮 시간을 피해 왔어. 감옥 안에서 손톱깎이를 삼켜 새벽 시간에 사람 없는 응급실로 들어오는 데 성공한 거야. 당신 엄마는 수술실에 남자 교도관들을 못 들어오게 했어. 하지만 그 수술실에는 당신과 저 의사가 기다리고 있었어. 맞죠? 당신 엄마가 치밀하게 각본을 만든 거야. 당신을 치료하려고! 당신 엄마는 그 여자의 능력을 알고 있었던 거예요. 기억하고 있지? 말해줘요! 난 그 여자를 찾아야 해! 그 여자가 어떻게 당신을 치료했지?"

"당장 나가요! 경찰을 부르겠어요!"

채보서가 악을 썼다. 주생이 채보서를 바라보았다.

"그렇군. 당신도 공범이니 당신한테 물으면 되겠군. 당신들, 서진이를 어떻게 한 거야? 아니, 개를 이용했다고 해도 상관없어. 지금 어디 있는지나 알려줘. 서진이를 이상하게 만든 김순심이 어디 있는지도!"

"끌어내! 경비 불러!"

채보서가 소리쳤다. 그때 지원이 고개 돌려 주생에게 말했다.

"나치 누나……."

"뭐라고?"

"나치 누나가 나를 낫게 해줬어요. 기브 앤 테이크……."

"그만해!"

채보서가 멱살을 쥐고 흔들자 지원이 입을 다물었다. 채보서가 겁에 질린 소리를 내질렀다.

"당신이었군! 서진이가 말한 사람이 당신이었어!"

"걔가 뭐라 그랬는데?"

채보서의 얼굴에 절망의 기운이 흘렀다. 주생은 그 얼굴이 고수애, 정미정과 같음을 깨달았다.

"말해줘요! 서진이가 나에 대해 뭐라 그랬는데?"

무전기를 쥔 경비들이 들이닥쳤다. 주생은 끌려가면서 지원이 더 이상 발작을 일으키지 않는 걸 보았다. 또 누가 죽는 상황은 다행히 벌어지지 않았다. 채보서가 울면서 오열했다.

"두 번 다시 오지 마! 조카애한테 접근하지도 마! 가까이만 와도 체포되게 할 거야!"

주생은 들어가게 해달라고 사정했고 얘기만 하겠다고 부탁했다. 그러나 문을 지킨 경비들은 진입을 막았다. 누가 신고했는지 경찰 사이렌까지 들려오자 자리를 뜰 수밖에 없었다.

병원 밖에 망연히 서 있을 때 전화가 걸려 왔다. 모르는 번호였다. 김 전무일 것이라 생각하고 받지 않았지만 벨소리가 끊어지질 않았다. 전화를 받자 평범한 시골 아저씨 같은 음성이 들렸다.

"하주생 씨 되십니까?"

"그런데요?"

"여기는 다홍의 명중사라는 절입니다. 저는 그곳 스님인데요."

"절에서 저를 왜 찾지요?"

"우리한테 일이 생겼는데…… 하 이거 참…… 여기 꼭 좀 와 보셔야 될 것 같습니다."

"무슨 일이죠?"

"죽어가는 사람이 우리 절을 찾아왔는데 하주생 씨를 찾고 있습니다."

"그분 이름이 하서진 씨입니까?"

"아뇨. 공창현 씨라는 사람입니다."

"그런 사람은 모르는데요?"

"일단 와보십시오. 목이 돌아갔는데도 계속 말을 합니다. 하주생 씨를 만나야만 한다고……."

"목이 돌아갔다고요!"

"네. 이런 무서운 일은 처음입니다. 머리가 완전히 거꾸로 돌아갔습니다. 그 상태로 저희 절을 찾아왔어요. 곧 눈을 감으실 것 같은데도 잘못했다며 하주생 씨를 계속 찾습니다. 가족이라면 어떻게 조치를 취해주셔야 할 거 같은데……."

"가족 아닙니다!"

전화를 끊고 거칠게 배터리를 빼는 주생의 손가락이 떨렸다.

*

주생이 핸드폰을 다시 켠 것은 약 한 시간 후였다. 동영상이 첨부된 문자 하나가 와 있었다. 문자 내용은 없었고 전화번호도 승려가 아니었다. 주생은 고민 끝에 동영상을 재생했다.

컴컴한 골방에 알몸으로 누워 있는 우력이 등장했다. 어떤 특이한 조명을 썼는지 그의 신체만이 형형히 빛났고 나머지는 온통 암흑이었다. 살찐 엉덩이를 드러낸 채 엎드려 있는 우력의 얼굴은 천장을 향한 채였다. 엎드려 있는 몸체에다 하늘 향한 머리를 붙인 마네킹 같았지만 조작이 아닌 현실이었다. 몸에는 한자가 가득했는데 문신이 아닌, 누가 쓴 붓글씨의 흔적이었다.

조금씩 등이 들썩여 숨이 붙어 있음을 알려주었지만 우력의 얼굴엔 미세한 변화도 없었다. 웃고 있는 것 같은 입가에 가득 묻어있는 건 허연 가루였다. 그 순간 검은 그림자가 나타나 화면을 가렸다. 암흑에 휩싸인 수 초 동안 아무 일도 일어나지 않았다. 하지만 누군가 속삭이듯 읊조리는 대오각성, 단죄, 무화라는 단어가 들려왔다. 그림자가 지나가자 다시 우력이 등장했다. 그사이 우력은 일어나 있었다. 허리를 굽힌 그가 팔을 뻗은 채 불안한 걸음마를 옮기기 시작했다. 하지만 목이 돌아갔기에 나갈 곳을 찾지 못하고 벽에 부딪칠 수밖에 없었다. 쿵, 쿵 하고 부딪침이 반복될수록 카메라를 향한 우럭의 표정이 일그러졌다. 아기가 우는 것처럼 우럭이 울기 시작했다. 찡그리는 눈코입 아래로 살찐 등과 엉덩이가 있었다. 조명이 흐려져 그의 몸에 쓰인 한자를 알아보기 힘들었다. 웃음 소리가 들려왔다. 검은 그림자가 다시 화면을 가리면서 동영상은 끝났다.

주생은 그 번호로 전화를 걸었다. 그러나 상대방은 전화를 받지 않았다. 이어서 문자를 남겼다.

누구야, 너.

반응이 없었다. 주생은 다시 한번 동영상을 재생하다가 차문을 열고 헛구역질을 했다. 우럭의 목이 돌아가도 기쁘지 않았다. 공포와 불안만이 밀려왔다. 이상하게도 서진의 표정이 떠올랐다. 사람을 약간 노려보는 듯 혹은 비웃는 듯하던 특유의 표정. 자기 동생 건드렸다고 말없이 민규를 초주검으로 만들어놓았던 사촌누나 서진.

6

1857년

삼도천녀 월선제력이 한 걸음 앞으로 나섰다. 사람이 잘리고 터지고 분해되어 죽는 지옥의 한복판에서 악취가 물러가고 향긋한 꽃내음이 몰려왔다. 마귀들이 우루루 달려와 머리가 돌아간 채 죽은 명설의 시체를 한 곳으로 치웠다.

이합정은 정신을 잃지 않으려 애썼다. 삼도천녀 월선제력이 그를 바라보았다. 파도가 이는 눈길에 이합정은 칼을 떨어뜨릴 뻔했다. 월선제력의 입은 더없이 인자한 미소를 그렸다.

"팔을 다친 아이야, 왜 나를 의심하느냐? 다가오는 폭풍을 보지 못하고 왜 눈앞의 믿음이란 배에 무거운 의심의 짐만 더하고 있느냐? 침몰을 바라는 건 차오르는 너의 번뇌 때문이 아니더냐?"

"너 이 사악한 거짓 신명(神明)아! 요망한 입놀림으로 사람을 기만하지 마라."

이합정이 하나밖에 남지 않은 손으로 출진하려 했다. 그때 초아가 이합정의 팔을 잡았다. 지금 칼을 휘두른다면 당할 사람은 남편이었다. 명설의 최후로 알 수 있었다. 범천존자 일선제력이 수염을 휘날리며 다가왔다. 월선제력이 한 손으로 뿌린 꽃잎이 일선제력의 몸을 맴돌았다. 일선제력이 팔을 내뻗자 이합정의 이마 앞에서 다섯 손가락이 개화하는 꽃처럼 펼쳐졌다.

"전생을 보지 못하고 윤회를 믿지 않는 아이들아. 신의 법력에 바쳐야 할 것은 변치 않는 믿음에의 흔들림이지 너희들의 하찮은 의문이 아니니라."

손바닥에서 눈부신 빛이 파생되었다. 이합정은 칼로 눈을 막았으나 반사된 빛은 순식간에 사라지고 어느새 일선제력의 황금 손은 그의 왼쪽 소매에 가 닿았다.

"금강법력이 임하는 곳마다 창궐하던 질병이 사라지고 죽은 목숨도 살과 피를 얻어 깨어난다."

이합정은 몸이 마비되어 움직일 수가 없었다. 칼이 떨어졌다. 왼쪽 어깨에서 통증이 느껴졌다. 군사들 사이에서 경외심 가득한 목소리가 터져 나왔다.

"오오! 팔이 생겨나고 있다."

"이 장군의 왼팔이 다시 생겨나고 있어!"

이합정이 놀란 눈으로 자신의 왼쪽 어깨를 바라보았다. 마귀로 분장한 오성교의 신도에게 잃었던 왼팔이 다시 돌아와 있었다.

“믿을 수 없어. 이건 현실이 아니야.”

초아가 칼을 내던졌다.

“현실이에요 서방님! 우리가 길을 잘못 들었어요. 극락정토 가는 길을 알아보지 못했고 황폐한 땅을 헤맸어요. 사교의 사이비 지옥이 아니었어요. 이곳이야말로 우리에게 던져진 시련의 성지가 틀림없어요.”

초아의 눈은 종교적 기적을 접한 감정의 고양으로 가득 차 있었다.

범천존자 일선제력과 삼도천녀 월선제력, 음양을 대표하는 두 신은 온화한 미소로 부부를 바라보았다. 군사를 이끌고 온 토포사 유중활은 처음부터 그랬듯 뭘 어떻게 해야 좋을지 몰랐다. 믿었던 사위, 의지했던 딸마저 이제 그들에게 넘어갔다. 수많은 조선의 백성들이 넘어간 것처럼. 그 실체를 토벌하고자 조정의 명으로 이곳까지 온 것이 아니었나.

그러나 유중활 역시 두 눈이 붙어 있어 분명히 볼 수밖에 없었다. 사위의 팔에 조금 전까진 없었던 왼팔을. 처음부터 거기 있던 것처럼 그 팔은 자유자재로 움직였다.

삼도천녀 월선제력이 말했다.

“얻는 것은 주는 것이며 주는 것이 곧 얻는 것이다. 아픔이 있으면 나음도 있는 것처럼 기쁨이 있으면 슬픔 또한 따른다. 이것이 제력의 말씀인 대척(對蹠)이다.”

2022년

눈을 뜬 주생은 어제 일어났던 일이 꿈이 아님을 깨닫고 한숨을 내쉬었다. 핸드폰 동영상은 환상이 아니었다. 그사이 연락해온 이는 아무도 없었다. 절에서도 연락이 없었고 우럭의 사진이 추가로 날아오는 일도 없었다. 김 전무에게서 연락이 없는 점은 불안했다.

며칠 사이 세 사람이나 죽었다. 죽음을 재촉하는 어떤 기운을 주생은 느꼈다. 그 기운이 출몰한 것은 18년 동안 보지 못했던 사촌누나를 인식하고 나서부터였다.

"나는 유물론자야."

리모컨을 잡은 주생이 전원 스위치를 눌렀다. 텔레비전 뉴스에 종교연구가가 특별 출연해 논평을 늘어놓고 있었다.

"모두가 돈밖에 모릅니다. [메리고라운드]라는 대기업이 마스크 사업 독점하는 것 보십시오. 사람 생명과 연관된 전염병을 그들은 돈벌이 수단으로 생각합니다. 그 사람들이 바이러스를 퍼뜨린 건 아닌가 하는 생각마저 든다니까요. 코로나는 단순한 질병이 아니라 신의 벌입니다. 자기가 아닌 돈을 신으로 삼은 인류에게 진짜 신이 격노한 겁니다. 그런데도 정신 못 차리니 큰일입니다. 더 크고 무서운 벼락이 떨어질 겁니다. 두고 보십시오. 또 다른 전염병이 생겨날걸요? 예를 들어 눈코입이 아닌 머리카락으로 전염되는 병이요. 그럼 보호 헬멧 같은 게 또 벤처기업에서 개발되겠죠. 대기업은 아나콘다와도 같습니다. 저게 성공하나 실패하나 똬리 틀고 노려만 보다가 성공하면 확 삼켜버리겠죠. 언젠가 빅뱅의 대폭발이 다시 한번 일어나게 될 겁니다. 원시시대가 다시 도래하고 공룡이 부활해 걸어 다니겠죠. 새로운 시작이 일어나는 겁니다. 어쩌면 이는 지구의 윤회가 아니겠습니까?"

돈! 돈! 자기를 보고 말하는 것 같아서 주생은 채널을 돌려버렸다. 또 다른 뉴스는 살인사건을 다루고 있었다.

"소설 『단죄의 신들』로 인해 시비가 붙은 살인사건이 또 발생했습니다. 이달 들어 세 번째입니다. 어젯밤 종로의 한 옷가게에서 손님 A씨는 마스크를 착용하지 않았다는 이유로 옷을 고르고 있던 B씨를 흉기로 찔렀습니다. 현장에서 체포된 A씨는 B씨가 이기주의라는 죄악을 퍼뜨려서 단죄할 수밖에 없었다고 범행 이유를 밝혔습니다. 아울러 B씨의 정체가 어린이집에서 학대를 자행한 원장이라고도 주장했습니다. 하지만 조사 결과 B씨는 어린이집과 관련없는 직업을 가진 것으로 밝혀졌습니다. 세 건의 살인사건이 황당한 사유로 인해 발생했음이 드러났음에도 오히려 소설의 판매량은 더 늘고 있습니다. 책의 인기가 높아질수록 사회적 혼란도 따를 것이라는 우려의 목소리가 커지지만, 일각에선 이 소설이야말로 인류가 처한 혼돈의 치료제라고 주장하는 목소리도 나오고 있습니다."

주생은 텔레비전을 껐다. 대충 외출 준비를 마치자마자 서울로 차를 몰았다.

*

서울에 도착했을 때, 주생은 죽음을 부르는 그 무엇을 인파 속에서 발견했다.

도심 한복판에『단죄의 신들』표지를 커다랗게 내건 빌딩이 간간이 보였다. 주생은 틈틈이 핸드폰으로『단죄의 신들』을 검색했다. 민속학자의 댓글이 올라와 있었지만 뒤차가 빵빵거려 읽을 수 없었다. 나중에 보기로 하고 영미가 산다는 중곡동으로 이동했다. 내비게이션 기능이 오류가 나 한참만에야 '다흥 피아노 학원'을 찾을 수 있었다. 원장인 영미는 주생의 등장에 많이 놀란 눈치였다. 머리를 포도주 빛깔로 염색하고 검정 마스크를 쓰고 있어도 주생은 영미를 쉽게 알아볼 수 있었다. 서진의 베프였던 영미.

영등포에서 근무할 때 그녀에게 연락했더라면 서진에 관해 진작에 알 수도 있지 않았을까 생각했다. 그러나 그건 '선택적 생각'일 뿐이었다. 그땐 서진이 황금 알 낳는 거위가 아니라 부모의 원수에 불과했으니까.

영미는 음악을 했었다며, 아이들 교육 때문에 국립교향악단을 그만뒀다고 얘기했다. 간단한 인사가 오간 후 주생은 본론으로 들어갔다.

"서진이가 사라져서 찾는 중이야."

"찾고 있다고? 걔는 나가서도 너 안 본다 그랬는데."

"너한테 그런 말을 했어? 너 계속 서진이랑 연락하니?"

"아냐, 서진이랑 만났을 때 그랬어."

"교도소 접견 때 말이지?"

"……."

"알고 있으니 안 숨겨도 된다. 너 서진이 교도소 들어간 거 알고 있었지?"

"어, 네가 교도관인 거도 알고 있었어. 접견 갔을 때 서진이가 얘기해줬어."

"근데 왜 연락 안 했니?"

"서진이가 하지 말랬거든."

"왜?"

"자기는 위험한 사람이라서 혼자 있어야 된다고……."

"서진이가 왜 교도소에 갔는지 넌 알지? 나중에 알았는데 걔가 잡힌 곳은 서울이던데? 니가 살고 있는 곳과 그리 멀지도 않고."

"나도 면회 때 딱 한 번 봤을 뿐이라 자세한 건 몰라."

"서진이는 20년 형을 받고 전국 각지 교도소를 이송 다녔어. 10년이 넘도록 홀로 침묵을 지키다가 섭주로 온 2019년이 되어서야 널 만났다는 게 이상해. 니가 스스로 면회 간 게 아니라 서진이가 부른 거잖아, 맞지?"

"나도 연락받고 놀랐어. 이전에는 내가 면회 신청해도 항상 걔가 거부했거든."

"왜 마음이 바뀐 거지?"

"그보다 서진이가 섭주로 온 게 이상하지 않아? 일부러 그쪽은 피해 다니다가?"

"맞아. 경북 쪽 교정시설엔 단 한 번도 살지 않았어."

"서진이가 날 부른 이유는 부탁이 있어서였어. 섭주는 자기가 있어서는 안 될 곳이라고 했어. 법무부 쪽에 자기를 섭주로 강제 이송 보낸 고위공무원이 있다는 거야. 자기 의사와는 상관없이 섭주 교도소로 이송 왔다는 사실을 탄원서로 써서 넣고, 기자한테도 보내고, 청와대 게시판에도 올리라고 했어. 사람을 구해서 많이 넣으라고 했어. 그 말을 할 때 서진인 뭔가를 무서워하는 것 같았어. 이유는 끝내 밝히지 않았지만 서진이는 섭주에 단 하루도 있어서는 안 될 것처럼 얘기했어. 어떻게 해서든 그곳을 벗어나려고 날 찾은 거지. 난 시키는 대로 했어. 근데 아무 효과도 없었어. 교도소에는 서진이의 '섭주 교도소 직업훈련 바리스타 과정 신청서'가 있었거든. 위조서류라는 서진이 주장은 통하지 않았어. 강제로 찍었는지 어떤지 몰라도 서진이 지장도 있었으니까. 탄원도 안 통하고, 기자들도 관심 안 가지고, 청와대 게시판은 조회수가 100도 되지 않았어."

"고위공무원이 왜 그런 짓을 했을까?"

"서진이 말로는 청탁한 사람이 있다고 했어. 그 청탁자의 스승은 과거에 풍수 점괘를 내려 그 고위공무원을 토지 재벌로 만들어준 사람이고, 그가 바로 광성도인이야. 서진이가 죽였던 사람."

"그 청탁자가 혹시 여자 아냐? 김순심이라고?"

"아냐, 남자야. 범천도인이라고 그랬던 거 같아."

주생은 광성도인과 범천도인을 '사제지간'으로 묶어 머릿속에 저장했다.

"그자가 왜 높은 사람을 움직여 서진일 섭주로 보냈을까?"

"애초에 서진이가 가출한 이유도 섭주나 다홍 같은데 자기가 있어선 안되기 때문이랬어."

영미가 가늘게 뜬 눈으로 지나간 과거를 더듬었다.

"2004년에 서진이가 가출했을 때 나한테 온 건 맞는데 우리 집에 있진 않았어. 우리 부모님이 알면 큰일 날 판이었거든. 내가 다니는 교회에 묵게 해줬어. 목사님한테는 학교에서 자매결연한 보육원 학생이라 속였고. 그때 서진이가 그랬어. 두 번 다시 다홍이나 섭주로 돌아가지 않겠다고. 거긴 저주받은 땅이라고."

영미는 조금 시간을 들였다가 결심한 듯 말했다.

"서진이가 나한테 그러더라. 큰아버지 정체를 안 후로 도저히 같이 있을 수 없어서 집을 나왔다고."

"뭐? 아빠가? 정체라니?"

주생의 언성이 커지자 영미가 주위를 살폈다.

"나도 모르겠어. 어쨌든 나한테 그런 소릴 했어. 너도 알다시피 내가 전학 가고 서진인 다홍에 혼자 남았잖아. 고3 겨울방학 때 서진이가 학교를 마치고 오다가 '동전유리'라는 거울 가게 앞을 지날 때 경기를 일으켜 기절한 적이 있었대."

"그 가겐 나도 알아. 우리 집 오는 길에 있지."

"그때 동전유리 사장 아줌마가 서진이 핸드폰으로 너희 부모님한테 전화했대. 네 아버지가 와서 데려갔는데 몇 달 후에 가출한 서진이가 날 찾아와 네 아버지의 정체를 알았다고 했어."

"그게 대체 무슨 소리야!"

"그냥 서진이가 한 말을 그대로 옮긴 거니까 진정하고 들어줘. 서진이는 자기가 이상한 거 믿는다고 큰아버지가 그렇게 야단치고 때리곤 했는데 큰아버지야말로 사실 사이비 종교의 교주쯤 되는 사람이라고 했어. 그걸 알아낸 후로 집에 돌아갈 수가 없었다는 거야."

주생의 호흡이 가빠졌다. 아빠와 엄마가 서진을 때릴 때가 기억났다.

> "그 부모에 그 딸 아니랄까 봐, 네 부모처럼 너도 사이비 종교에 미칠 거니?"

주생은 거꾸로 영미와 서진이야말로 어떤 이상한 종교에 빠진 게 틀림없다고 생각했다. 그릇된 믿음을 가진 사람은 다른 모든 믿음을 사이비로 보는 법이다.

"우리 학교 다닐 때 서진인 영미 너랑 항상 같이 다녔지?"

"맞아."

"그때 너랑 서진이랑 어떤 종교를 믿은 건 아니었니?"

"맞아. 서진이를 처음으로 교회에 데려간 건 나야. 걔네 친부모님도 교회에 다녔다던데? 그러다가 갑자기 행방불명이 돼서 니네 집에서 자란 거라며. 그때 나랑 계속 교회 다녔어. 넌 몰랐니?"

"몰랐어. 서진이는 말수가 거의 없는 애였잖아."

"무슨 소리야? 서진이가 말이 얼마나 많은 앤데? 성격도 활달하고."

충격이 몰려왔다. 아버지가 서진에게 말한 사이비 종교가 바로 기독교였단 말인가! 대체 아버지가 왜 그런 소릴 했을까?

주생은 돌아가신 부모님을 떠올렸다. 둘 다 불교 신자였지만 기독교를 가리켜 사이비라고 말할 정도로 양식 없는 사람들은 아니었다.

서진이가 말이 많은 아이라고? 나랑은 거의 말을 안 했잖아. 집에서도 말이 없었지. 말을 걸어도 별로 대꾸도 안 하고. 그게 남의 집에 얹혀 눈칫밥 먹는 아이의 소심함인 줄만 알았는데. 집을 떠나기 전 며칠 동안은 더 했지. 한마디 말도 없이 내 얼굴을 빤히 쳐다보기만 했잖아. 뭘 관찰하듯 말이야.

영미가 말했다.

"서진이가 그러는데 네 부모님은 불교 신자라고 하지만 절에 가는 걸 한 번도 본 적이 없었대. 부처님 오신 날에도."

"그건…… 맞는 말이야. 나도 본 적 없어. 그럼 아빠가 교주쯤 된다는 그 종교가 어떤 건지도 서진이가 말했어?"

영미가 오성교라고 말하지 않기만을 기원했다.

"나도 몰라. 그것까진 말하지 않았어."

"서진이는 왜 광성도인이란 무당을 죽였니? 목사님한테 가 있었다면서?"

"서진이가 거기서도 경기를 일으켰어. 서진인 교회에서 숙식하는 대신 청소하고 봉사하는 일을 했는데, 어느 날 걔가 갑자기 쓰러져 입이 돌아가고 팔다리가 막 꼬였다고 했어. 그 당시 나는 학교에 있어서 몰랐고 나중에 교회 애들한테 들은 말이야. 목사님이 병원에 데려가려고 서진이를 안아 들고 가다가 갑자기 옷을 벗기려 들었대. 그러자 서진이 입이 저절로 돌아오면서 소리를 지르더래."

"어떤 소리를?"

"내 몸에 손대지 마, 씨팔 새끼야."

"목사가 서진일 추행했단 말이야? 경기 일으킨 틈에?"

"그 목사님 절대 그럴 분이 아닌데 목격자가 있었으니까. 어쨌든 그 교회에서 200미터도 못 되는 곳에 산이 하나 있어. 서울경기 쪽 무속인들이 치성을 올리고 정기를 받는 산이래. 거기서 어떤 남자 무당이 내려와 조금 전에 이 교회에서 무슨 일이 있었냐 묻더래. 있었다고 하면서 서진이가 그 무속인과 따로 이야기를 나누더라나? 그 사람이 바로 광성도인이야. 무속인이긴 하지만 목사님이랑 중고등학교 동문인 데다가 좋은 대학 나오고 비교종교학까지 제대로 공부한 사람이어서 목사님도 교회 출입을 막지 않았어. 서진이가 그 사람과 몇 마디 나누고 나서 제 발로 따라간 모양이야. 나중에 내가 목사님한테 왜 애를 함부로 보냈냐고 따졌고 같이 광성도인한테 전화도 했지만 소용없었어. 서진이가 나한테 전화해 두 번 다시 자길 찾지 말고 어디 가서 얘기하지도 말라 그랬거든. 그러다가 뉴스에 그 살인사건이 나온 거야. 왜 죽였는지는 나도 몰라."

주생이 핸드폰으로 남자 둘이 나란히 찍은 오래된 사진을 보여주었다.

"혹시 이 두 사람 아니니?"

"어, 맞아. 최 목사님과 광성도인이야. 이 사진을 어떻게 네가 갖고 있어?"

"서진이 집에 있었어."

주생은 손가락으로 최 목사란 사람을 손가락으로 짚었다.

"그러니까 광성도인은 죽고, 이 최 목사란 사람은 아직 살아있는 거지? 그리고 그때 너보다도 가까이서 서진이를 본 사람도 이 사람이고?"

"맞아. 나보다 목사님이 서진이를 더 잘 알 거야."

"이분 지금 어디 계신지 알아?"

*

핸드폰을 뒤적거린 영미는 최 목사가 있는 교회가 어딘지 알려주었다. 영미와 헤어지고 주생은 바로 교회로 가려고 했다. 그때 석도신애의 전화가 걸려 왔다. 음성이 밝았다.

"하 교위님! 『단죄의 신들』 3부 원고가 도착했어요."

"아! 서진이랑 연락이 된 모양이죠? 다행이네요."

다행이 아니라 기분이 묘했다. 유서가 품속에 든 시신이 발견되어 목돈을 쥐는 결과를 기대했기 때문일까. 내 모든 재산을 하나밖에 없는 동생에게 물려준다는 유서. 주생은 잠긴 음성으로 물었다.

"지금 어디 있는데요?"

"그건 저도 모르겠어요. 원고 파일은 이메일로 왔어요. 어디 조용한 데 혼자 있고 싶어서 연락을 안 받았다고 하셨어요."

"제가 찾고 있다는 얘기를 하셨습니까? 제게도 이메일 주소 좀 알려주세요."

석도신애의 음성은 성질 급한 아이를 달래는 어린이집 교사처럼 친절했다.

"오해는 마세요. 워낙 기질이 별난 분이고 성공한 작가분이셔서 그분 의견을 먼저 존중하는 게 맞는 것 같아요. 가르쳐드려도 되는지 제가 작가님께 먼저 여쭤본 후 답변 드릴게요. 그러니 조금만 기다려주세요."

"물으시는 김에 어디서 사고라도 당한 줄 알고 제가 애타게 찾고 있다고 전해주십시오. 서울까지 와서 찾고 있다고요."

"지금 서울에 계세요?"

"예. 서울 사는 서진이 친구가 있어서 와봤습니다."

"진작 말씀하시지! 어디신데요? 시간 되시면 저희 출판사에 들러 차나 한잔 하고 가세요."

서진은 살아 있었다. 더 이상 바삐 찾을 이유가 없었다. 나타날 때까지 기다렸다가 아양을 떨면 그만이었다. 그때까지 좀 아슬아슬하긴 해도 김만식만 잘 데리고 있으면 되었다. 그러나 영미를 통해 알게 된 서진의 과거가 궁금해졌다. 뭣보다 아버지를 왜 이상한 사람으로 몰아갔는지 그 이유가 궁금했다. 그녀를 찾는 과정에서 사람들이 죽어나갔고 그들이 간직한 비밀은 끝내 비밀로 남았다. 목사를 만나 과거 서진과 광성도인에게 어떤 일이 있었는지 물어볼 필요가 있었다. 하지만 서진이 정말 살아있는지 확인하는 것이 먼저였다.

"알겠습니다. 인사라도 드리러 가죠."

주생은 답하고 출판사로 향했다.

'도서출판 연옥'은 논현동의 어느 빌딩 7층에 있었다. 번쩍번쩍 빛이 나는 새 빌딩은 부의 상징과도 같았고 문명의 첨단을 그대로 보여주고 있었다. 사천왕 신장, 마귀 도깨비가 우글거리는 서진의 책과 전혀 조화롭지 않은 호사스러움이었다. 석도신애가 직접 나와 문을 열어주었다. 머리를 묶고 귀에 연필을 꽂은 채 등장한 모습이 처음보다 사람답게 보였다.

사무실 안에 사원증을 목걸이처럼 걸친 직원들이 가득했다. 생각보다 규모가 큰 출판사였다. 직원들은 모니터만 쳐다보느라 주생이 들어온 줄도 모르게 바빴는데 하나같이 『단죄의 신들』과 관련한 작업이었다. 석도신애가 주생의 소매를 잡고 "여기 정신없죠? 이리로 오세요" 하며 사무실 끝의 닫힌 문으로 이끌었다. '대표실'이라고 쓰인 방이었다. 손잡이에 손도 대기 전에 문이 열리더니 여자 두 명이 나왔다. 주생의 입이 떡 벌어졌다. 마스크를 써도 알아볼 수 있었다. 선글라스 쓴 여자는 바로 〈그녀의 눈은 올빼미, 네 심장을 쪼기 위해 부릅뜨고 있다〉의 감독 노해조였고 그 옆 미모의 젊은 여자는 배우 박환경이었던 것이다. 멜로영화의 주인공을 도맡다가 마약 스캔들로 인해 주말연속극 조연으로까지 인기가 떨어졌지만 여전히 유명한 배우였다. 노 감독은 그냥 지나쳐 갔지만 박환경은 살짝 눈인사를 하며 주생을 지나쳐 갔다. 주생도 뭐라고 인사하고 싶었지만 마땅한 말이 떠오르지 않았다.

"하 교위님! 서울에 왔군요. 어서 들어오세요."

익숙한 음성이 날아왔다. 마스크를 쓴 이종하가 소파에 앉은 채 환한 미소를 보내왔다. 주생은 대표실 안으로 들어갔다. 빌딩의 겉모습과는 다른 이색적인 공간이 펼쳐졌다. 토속적이며 동양적이었다. 호랑이와 사자의 머리 박제품이 벽에 붙어 있었고 그 아래에 방패와 철퇴, 옛 시대의 장총과 활이 배치되어 있었다. 난초 화분이 사무실 네 방향에 놓였고 표주박이라 부르는 호리병들이 그 사이로 무수히 진열되어 있었다. 책상 위에는 무심코 던져놓은 것 같은 자동차 열쇠가 있었다. 어울리지 않는 십자가와 목탁의 액세서리를 보고 그가 벤츠를 몰고 다녔음을 기억해냈다. 벽 여기저기 표창장, 방송 출연 화면, 정치인과 함께 서 있는 사진, 골프채를 휘두르는 사진 따위가 붙어 있었는데, 선반 위에는 어떤 물건을 떼어낸 사각형의 흔적이 그대로 남아 있었다. 그게 이 독특한 공간의 유일한 흠이었다.

"이상하죠? 도둑이 들어 저기 있던 텔레비전을 훔쳐 갔어요."

"텔레비전이요?"

"아날로그 텔레비전이죠. 비디오비전이라고 예전에 유행했던 게 있어요. 비디오와 텔레비전이 하나로 합쳐진 거요."

주생도 비디오비전이 뭔지 알았다. 만약 텔레비전이 원래의 자리에 있었더라면 백남준의 비디오아트 같은 느낌이 더해져 독특한 공간의 초현실적인 분위기가 배가되었을 것이다.

이종하는 호리병 하나를 땅바닥에 놓고 그 위에 맨발을 굴리고 있었다. 발이 퉁퉁 부어 있었고 그 위로는 깁스를 했다. 주생이 바라보자 앉은 채로 인사를 건넸다.

"다리를 다쳐 못 일어납니다. 미안합니다."

"아닙니다. 앉아 계십시오."

"발이 너무 아파 지압을 하던 중이에요."

이종하의 이미지와 어울리지 않는 모습에 주생은 웃음을 터뜨릴 뻔했다. 액땜을 했으니 불길한 저주도 이 양반만큼은 피해 가겠다는 생각이 들었다. 그러나 이어지는 말은 순식간에 웃음을 잃게 했다.

"큰돈 주고 설치한 CCTV인데 훔쳐 간 도둑은 희미하게 찍혔어요. 모든 CCTV가 다 그래요. 전체적으로 시커먼 남자 같은데 지나간 CCTV마다 화면이 흐려지니 좀 신기해요. 귀신도 아니고. 골동품이라서 경찰에 신고를 해놨는데 잡히지 않고 있어요."

주생은 본능적으로 그를 미행하던 검은 실루엣을 떠올렸다.

그건 김 전무나 법무부 감찰실에서 보낸 사람의 그림자가 아닌 것 같았다. 이종하는 주생의 신변을 둘러싼 어두운 힘도 모른 채 신이 나 이야기했다.

"노해조 씨는 〈단죄의 신들〉을 감독할 유력한 후보예요. 박환경 씨는 주연배우 확정이고. 〈우상숭배〉란 SF 영화에서 청아 역할을 했던 박환경 씨는 잘 알죠?"

"〈우상숭배〉는 못 봤고 주말 연속극 〈당신이 지겨워질 때〉는 봤습니다. 노 감독의 최근작도 봤고요. 평이 별로 안 좋던데요?"

"〈단죄의 신들〉을 어서 만들라고 성화를 부리는 독자들이 별점 테러를 한 거지, 그 감독 실력이 떨어지는 건 아니에요. 그나저나 잘 지냈습니까?"

"예. 덕분에."

"하 교위님의 협조에 너무나도 감사드립니다. 반야심 작가한테 메일이 온 것도 하 교위님 덕분이란 생각이 듭니다."

"걔가 별나서겠죠. 제가 한 건 없습니다."

석도신애가 차를 담은 쟁반을 갖고 들어왔다.

"하 교위님, 죄송해요. 이렇게 답변 받았어요."

그녀는 차와 함께 종이로 출력한 종이를 건넸다.

죄송해요, 편집장님.

홀로 있는 시간이 익숙해서 지금이 가장 집중할 수 있는 때거든요. 제가 어디에 있었고 왜 연락 못 받았는지는 나중에 설명 드릴게요. 어쨌거나 마감 시간을 지켰다는 점을 긍정적으로 받아들여주세요.

주생이를 만나신 모양이군요. 전 잘 지내고 있고 조만간 만나게 될 거라고 전해주세요. 지금 주생이와 만난다면 『단죄의 신들』의 일선제력과 월선제력이 만나는 것처럼 모든 게 뒤죽박죽이 될 거예요.

『단죄의 신들 3부 : 극락정토의 시작』 원고는 아직 퇴고를 거치지 않은 상태로 보내드렸어요. 영화사에서 출간을 서두르라고 성화일 테니 급하게 보냅니다. 초벌원고를 완전히 손보기 전까진 누구의 연락도 받고 싶지 않아요.

혹시 주생이한테 연락이 다시 오거든 작품을 완벽하게 끝내놓고 제가 직접 찾아가겠다고 전해주세요. 감사합니다.

이종하가 흡족한 미소를 지었다.

"진정한 프로 아닙니까? 유머 감각도 늘었어요. 일선제력과 월선제력이라니. 하하하하."

듣는 주생은 간담이 서늘했다. 두 제력의 언급이 그에겐 농담으로 받아들여지지 않았다. 그사이 사람들이 죽었다는 것을 서진은 알고 있을까? 이종하는 엄청난 이윤을 창출할 『단죄의 신들』 3부작의 마지막 원고까지 받고 나니 앓던 이가 빠진 모습이었다. 그는 강인한 사람처럼 보였다. 대형 출판사를 성공시킨 그에겐 이윤이 최고의 가치일 것이었다. 사회에 들불처럼 번져가는 막연한 공포 심리도 그에겐 좋은 판매 전략일 뿐이었다. 하지만 강남이 아닌 섭주에 살았어도 그랬을까?

이종하의 눈빛이 번득였다.

"사람은 돈을 보고 움직입니다. 나 역시 작품이 일으킨 사회적 물의를 좌시하는 건 아닙니다. 오늘 뉴스에 보니 원인을 알 수 없는 집단 사망사건이 세 번째라더군요. 관련자들은 하나같이 『단죄의 신들』을 언급하고 있습니다. 하지만 반야심 작가는 이에 대해 책임을 느끼지 않고 나 역시 마찬가지입니다. 어느 책이 양서인지 악서인지는 독자들이 판단할 몫이기 때문이죠. 최초의 성서나 불경 역시 믿는 사람들은 숭배하고 믿지 않는 사람들은 외면했을 겁니다. 그건 쓴 사람이 의도한 것이 아닙니다."

"성서나 불경이 상업소설은 아니지 않습니까?"

"최초의 말씀을 남긴 사람은 아니겠지만 후세의 책 제작자들은 상업적인 목적이 있었기에 책 디자인도 화려하게 하고 홍보도 그만큼 한 겁니다. 안 팔리는 책이라면 그렇게 하지 않았겠죠. 『단죄의 신들』도 비슷한 경우라고 생각합니다. 난 그 작품을 상업소설이라고 생각하지 않습니다. 일종의 교리서로 보죠. 사람들을 움직이니까요. 앞서 말했듯 믿고 믿지 않고는 독자들 몫입니다."

그는 아픈 발바닥을 호리병에 굴리며 기체조를 하듯 양팔을 활짝 펼쳤다.

"나는 신적인 업적의 기획 제작자 노릇을 해낸 겁니다. 반야심이란 대형 신인을 만나서 말입니다."

"대단하신 분 맞습니다. 강남 중심에 빌딩을 세울 정도의 대성공을 하셨으니까요."

"아니요. 지난번에 말씀드렸다시피 나는 모든 일을 하늘에 감사드리는 수행자일 뿐입니다."

신을 언급하며 발바닥을 지압하는 그의 모습이 어딘가 희극적이었다. 십자가와 목탁의 하이브리드조차 웃음이 나왔다. 하지만 현대의 신격이란 고대의 웅장함이 없이 이런 패스트푸드 같은 가벼움으로 회자되는 것이다.

주생의 침묵이 머쓱한지 이종하가 지압을 멈췄다.

"누님이 나타났는데도 그렇게 기쁜 것 같지가 않네요."

"못 만난 지 너무 오래돼서 실감이 안 납니다."

"하 교위님을 좋아할 겁니다. 자주 언급하셨으니까요."

"별로 안 좋아할 것 같은데요."

그는 이종하가 서진의 전과를 물을 것이라 생각했지만 다행히 그렇지 않았다.

"반야심 작가는 우리와 전속 계약을 맺고 계속 새 이야기를 써나갈 겁니다. 하 교위님도 잘 설득해주세요. 작가들이 인기를 얻으면 원하는 것도 많아지고 자기 맘대로 하고 싶어 하고, 심지어 다른 출판사와도 손잡고 싶어 하거든요."

"제가 뭐라 말할 입장은 못 됩니다만 제 생각엔 이제 다른 작가와 작업하시는 게 나을 거 같은데요."

"어째서요?"

주생은 말없이 석도신애를 바라보았다. 이종하 대표도 알고 있느냐는 눈빛으로.

이종하가 웃었다.

"아, 알아보시는 동안 두 사람이 죽고, 내가 다친 것 말이지요?"

"예. 서진이의 과거는 저도 잘 모릅니다. 그런데 무속인이나 신비한 일과 자주 연관된 것 같더라고요."

"그 아파트 안의 물건 얘긴 저도 석도 편집장한테 들었습니다. 사람의 운명은 하늘에 달린 겁니다. 일생에 한 번 나올까 말까 한 작가와 역사에 남을 작품을 만드는 일이 무슨 사고라도 나지 않을까 떨면서 지내는 것보다 내겐 훨씬 중요합니다."

이종하는 발바닥을 호리병에 문지르며 지압을 계속했다. 주생은 호리병 속에서 뱀이 기어나와 이종하의 허벅지를 물 것 같은 불길한 상상에 시달렸다.

석도신애가 딱 소리가 나게 손가락을 튕겼다.

"반 작가의 신비로움을 3부 홍보에 적극 활용! 대박 날 거예요."

"저는 두 분이 걱정돼서 한 말입니다."

"걱정 안 하셔도 돼요. 죽음도 두려워하지 않는 게 진정한 예술인이거든요."

서진이가 월선제력이어도 그렇게 말할 수 있을까.

*

출판사를 나온 주생은 영미가 알려준 교회 이름을 내비게이션으로 찍고 이동했다. 교회는 인천에 있었다. 서진이 보낸 메일을 본 주생은 기분이 묘했다. 반가운 상봉도, 서진에게 기대한 금전적 도움도 신기루일 수 있었다. 어쩌면 대놓고 귀찮은 혹 덩어리 취급을 당할 수도 있었다. 부모님에 대한 죄책감도 기대할 수 없을지도 몰랐다. 아버지를 이상한 사람으로 보고 있었으니까. 환상이 사라지자 자신의 목을 점점 조여오는 김만식에 대한 공포가 현실적으로 다가왔다.

사이드미러에 점점 멀어져가는 연옥 출판사의 건물이 비쳤다. 그것은 볼 수도 도달할 수도 없는 고대 잉카제국의 황금도시처럼 보였다. 주생은 이제 서진이 말했다는 아버지의 정체와 광성도인이라는 자를 죽인 이유를 밝혀내는 데 신경을 집중하기로 했다. 어떤 결과가 있으면 그에 상응하는 원인이 있다, 이것이 주생이 삶을 바라보는 방식이었다. 왜 자신이 여기까지 왔는지, 어떤 인과 연이 있는지 분명 이유가 있을 것이었다.

주생은 절판된 문제집을 보유한 헌책방을 찾아낸 심정으로 교회에 당도했다. 교회는 바닷가와 인접한 허름한 건물이었다. 생선 비린내가 진동했다. 지붕에 솟은 십자가가 없었다면 생선가공품 창고로 착각했을 것이었다.

하지만 건물 안에서는 하느님 말씀을 증거하는 찬송가가 터져 나오고 있었다. “자, 더 크게요! 할렐루야!” 하는 마이크 소리가 신자들을 독려했다. 주생은 차에서 내려 건물로 걸어갔다. 최수학 목사의 업적과 행사를 소개하는 전단지가 여기저기 붙었는데 찢어지거나 색이 바랜 것이 많았다. 하느님의 성소라는 간판 밑에 크게 '건어물 취급'이라는 글씨가 적혀 있었고, 그 앞에는 '오직 천사만이 들어올 수 있는 곳. 악마야 물러가라'라는 구호가 붙어 있었다. 교회의 재정상태가 그리 좋아 보이지 않았다. 찬송가가 끝나고 기도와 연설이 시작되었다. 조금 전 후렴구를 독려하던 목소리가 우렁찬 찬양으로 건물을 진동시켰다.

"여러분! 악이 이미 눈앞에 다가왔음에도 우리는 보지 못합니다. 악이 꽃으로 포장한 독취를 내뿜어도 껍데기에 현혹된 우리는 맡지 못합니다. 악은 곤충의 날개로 날아다니나 우리 눈에 보이지 않습니다. 총칼이 사람을 죽이고, 질병이 세상을 휩쓸고, 경제적 압박이 약한 자를 흔들고, 무질서가 혼돈을 갖고 오는 곳에 바람이 붑니다. 악의 날개가 펄럭일 때 나오는 그 바람은 이웃을 겁박하고 세상을 위협하며 하느님의 왕국에 도전하고 있습니다. 그들은 자기들만의 숭배로 악의 존재를 인정합니다. 눈에 보이지 않는 것을 가시화하기 위해 우리의 눈을 왜곡시킵니다. 자기들만의 기도로 다른 목소리를 잠재웁니다. 자기들만의 기적으로 선의 영역에 타락의 시험을 던집니다. 이는 성스러운 찬양과 다릅니다. 천상의 은혜와도 거리가 멉니다.

그것은 때를 기다리며 악덕을 축적합니다. 눈에 보이지 않는다고, 일시적으로 격퇴했다고 마음을 놓아선 안 됩니다. 그것은 느슨한 틈을 타서, 위반의 틈을 타서 도래합니다. 여러분! 바야흐로 악은……."

문틈으로 보니 나이 든 목사가 열광적으로 연설하고 있었다. 하얗게 센 머리에 안경을 썼지만 사진 속의 그 남자가 분명했다. 신도들은 천사의 상징처럼 하얀 마스크를 쓰고 있었다.

시간이 흘러 사람들이 빠져나간 후 주생은 교회 안으로 들어갔다. 몇몇 사람과 함께 뒷정리를 하던 목사가 뿔테안경 너머로 주생을 힐끔 보았다.

"오늘 예배는 끝났습니다."

"설교 잘 들었다는 말씀드리고 싶어 찾아왔습니다. 아주 인상적이었습니다."

목사는 주생을 다시 한번 바라보더니 고개를 끄덕였다.

"발전하는 시대에는 악도 형세를 불려가기 때문이지요. 새 성도님이시오?"

"저는 하서진 씨 사촌동생입니다."

"누구?"

"서진이요. 18년 전 목사님이 경북 다홍에서 가출한 아이를 거두어 잠시 묵게 하셨지요. 그땐 교회가 인천이 아니라 서울에 있었고요. 무속인이 있는 정기 넘치는 산을 옆에 둔 교회 말입니다."

최 목사의 눈썹이 꿈틀거렸다.

"장영미가 데려온 하서진 말이오?"

"그렇습니다."

"영미는 더 이상 교회에 나오지 않소. 듣기로 배우인지 음악가인지가 되었다던데? 초대권을 보내준 적이 있었지만 가지 않았소."

"현재가 바뀌어도 과거는 그대로 남아 있습니다."

"내게 원하는 게 뭐요?"

"서진이에 대해 알려주십시오."

"너무 오래전 일이오. 갑자기 그걸 왜 묻는 거요?"

"제 부모님이 그때 서진이를 찾으러 가다가 돌아가셨어요. 서진인 얼마 후 광성도인이란 자를 살해하고 교도소에 들어갔죠. 최근에 출소했는데 또 행방불명이 되었습니다. 그리고 이건……."

주생이 핸드폰에 저장된 남자 둘이 서 있는 사진을 목사에게 보여주었다.

"서진이 집에 있던 사진을 찍은 겁니다."

젊은 날의 자신을 본 목사의 미간이 좁아졌다.

"목사님이 무속인과 얽힌 줄은 몰랐습니다."

"신내림 받아 광성도인이 되기 전의 성권이는 여러 종교를 폭넓게 연구한 엘리트였소. 나의 오랜 친구이기도 했고. 왜 죽었는지 나도 몰라요. 미안하지만 서진의 일이라면 아는 게 없소. 성권이를 따라가겠다고 고집을 피워 보내줬을 뿐 그 뒤로 들은 소식은 없어요."

"서진이가 목사님한테 내 몸에 손대지 마, 하고 욕을 했죠?"

뒷정리를 하느라 분주하게 움직이며 답하던 최 목사가 동작을 멈췄다. 안경을 벗은 그는 주생의 시선을 피하지 않았다.

"난 추행을 한 게 아니오. 남들은 그렇게 봤을지 몰라도."

"그럼 발작하는 여자애 옷을 왜 벗겼습니까?"

그는 내면의 갈등에 번민하는 사람처럼 찡그린 표정으로 말이 없다가 이윽고 입을 열었다.

"서진이 가슴과 어깨 사이에서 어떤 표식이 나왔기 때문이오. 생살을 뚫고 솟은 모양새가 십자가 형태길래 처음엔 성흔일 줄 알았소. 난 단지 그 표식의 정체를 확인하려 했던 거요."

주생의 머릿속에 네버힐 아파트를 가득 채운 거울들이 떠올랐다. 서진이 수시로 거울을 들여다봤다던 섭주 교도소 교도관 신미현의 증언도 떠올랐다.

최 목사가 의자에 앉았다.

"서진이는 어린 나이에 부모를 잃었다 했소. 자고 일어나니 부모가 아이를 버리고 떠났다고. 할아버지는 출가한 승려여서 유일한 친척인 큰아버지가 서진일 데려갔지만 미움을 받으며 성장했다고 했소."

"그 큰아버지가 바로 제 아버집니다. 사이비 종교에 물들었냐고 부모님이 서진이한테 야단친 적이 많았죠."

"서진이는 물론 서진이 부모도 평범한 기독교 신자였소. 같은 집에서 자랐다면 알고 있는 사실 아니오?"

"전혀 몰랐습니다."

"서진이 어렸을 때 부모님을 따라 다녔던 교회는 대한 예수교 장로회 소속의 정교였소. 내가 직접 확인한 사실이오. 내가 알기로 그 부모는 지나칠 정도로 충실한 신자였다고 하오. 마치 믿지 않으면 무슨 일이라도 벌어질 것처럼."

"광신도였단 말입니까?"

"그건 아니오. 오히려 큰아버지가 이상한 종교의 높은 사람이었다고 했소."

아버지의 정체가 또다시 크나큰 화두로 다가왔다.

"제 아버님은 불교 신자였습니다. 서진이가 나타나기 전까지 우리 집은 평온했습니다. 하지만 걔가 식구가 되면서 이상한 일이 일어났고 결국 부모님까지 돌아가시게 됐지요."

"교통사고였지요?"

"맞습니다."

"상대편 사망자는 누구인지 알고 있소?"

"모릅니다. 장례식장에도 나타나지 않았으니까요."

"당시 나는 서진이한테 연락을 받았소. 광성도인을 따라간지 얼마 되지 않았을 때였소. '난 큰아버지한테 데리러 오라 연락하지 않았다. 문신한 남자가 벌인 짓이다. 그들이 끔찍한 음모를 벌였다'라며 자신을 안전한 곳으로 데려가 달라고 했소. 내가 도착했을 땐 이미 사고가 일어난 뒤였고 서진은 어딘가로 사라지고 없었지. 정면충돌한 차에 탄 사람들은 싸늘한 주검이 되어 있었소. 당신 부모님은 빗길을 뚫고 갑자기 나타난 차를 보고 우측으로 핸들을 틀었고, 상대편 차는 왼쪽으로 핸들을 틀었다고 경찰이 말했소. 방어운전이 참극을 부른 건데,

마치 거울과도 같은 상황이 벌어진 거요. 게다가 상대편 사망자도 부부였소. 하준구, 이미라 부부. 그 이름을 모르진 않을 테지요?"

이미 초점을 잃은 주생의 눈에는 목사의 얼굴이 제대로 들어오지 않았다.

"작은아버지와 작은어머니 이름이군요. 서진이 부모님이죠. 거짓말 같은 이야긴데요."

"하진구, 하준구. 시신들 이름을 들었을 때까진 나 역시 거짓인 줄 알았소."

당시 장례식에는 어떤 사람도 교통사고 관련으로 주생을 찾아오지 않았다. 조금씩 이해가 갔다.

"문신한 남자란 건 대체 누구죠?"

"나도 몰라요. 서진이한테 물어보질 못했으니."

"아버지는 그때 분명 서진이의 전화를 받고 나갔어요."

"서진이 음성을 직접 들었소?"

"아니요……."

주생은 목이 타 물을 한 컵 마셨다.

"작은아버지, 작은어머니는 제가 어릴 때 행방불명됐어요."

"당신 아버지한테 딸을 버리고 도망간 거요. 이유야 모르겠지만."

"그분들이 마치 믿지 않으면 무슨 일이라도 날 것처럼 교회를 믿었다 그랬나요?"

"그렇소. 서진이도 나중에 비슷한 소릴 했소."

"무슨 소리요?"

"부모님과 광명에서 살 때는 괜찮았는데 다홍의 큰아버지 집에 기거했을 때부터 악몽을 여러 번 꿨다고 했소. 갑옷을 걸치고 창을 쥔 천상의 여장수가 되어 있는 꿈을. 그 여장수는 꿈속에서 거울에 비친 자신에게 '때가 될 때까지 아무것도 보지 말고 말하지도 말고 듣지도 말라고' 했다 하오. 서진이는 그 꿈이 너무 무서워 인터넷 사이트를 뒤지다가 그런 현상이 신들림의 전조 증상이라는 결론을 얻어냈소. 서진은 그 악몽이 불교와 관련이 없고 큰아버지의 믿음과 관련이 있다고 확신했소."

"제 아버진 평범한 철도청 공안 공무원이었습니다."

"그 철도청 공안이라는 직업이 늘 기차를 타고 다니며 현지에서 묵기도 해서 집에는 자주 못 오는 직업 아니오? 아버님이 밖에서 뭘 하고 돌아다니는지 직접 본 적이 있소?"

목사는 책상 서랍을 열어 오래된 노트 한 권을 꺼내 탁자 위에 놓았다.

"서진이 내게 갖고 왔던 노트였소. 큰아버지 서랍에서 몰래 훔쳐서 나온 것이라고 했죠. 직접 열어보시오."

주생이 열어보니 노트는 신문 기사를 오려붙인 스크랩북이었다.

첫 장은 1999년에 일어난 이상한 모임에 관한 기사였다.

경북 섭주군 엄동면 소재 야산에서 정체를 알 수 없는 집회 신고가 들어와 경찰이 조사에 나섰다. 지난 3일 오후 6시경 엄동면에 살고 있는 농민 A씨는 키우던 개가 돌아오지 않아 찾아 헤매다가 인근 야산의 동굴에 들어가게 되었다. 붕괴 위험이 있어 출입 금지된 천연 동굴 입구에서 A씨는 삼지창을 손에 들고 페인트로 몸을 칠한 20여 명의 사람들이 이상한 제의를 벌이는 광경을 목격했다. 사천왕상 같은 목각 인형 앞에서 도깨비처럼 분장한 사람들이 절을 하고 주문을 낭독했다고 한다. 목각 인형 근처에는 벌거벗은 남녀 청소년이 묶여 있었는데, A씨는 처음에는 영화를 촬영하는 줄 알았으나 점점 분위기가 이상해져 급히 그 자리를 벗어나 경찰에 신고했다고 밝혔다. 출동한 경찰은 사람들이 이미 자취를 감춘 동굴에서 『오성밀법강령』이라는 책과 삼지창 네 자루를 수거해갔다.

그 아래에는 아버지의 친필로 이렇게 쓰여 있었다.

보란 듯 흔적을 남긴 우매한 것들. 제력과 나한(羅漢)들이 알면 불벼락을 내릴 종자들. 교리 훈육에는 엄격함이 요구되고, 실천에는 용의주도가 필요하건만 신도를 자처하는 철없는 요즘 것들은 거룩한 신성을 장난으로 여기고 있다.

두 번째 장에는 2001년 다홍에서 일어난 사건 기사가 스크랩되어 있었다.

다홍시 모 중학교 2학년 A양이 수업 도중 성흔이 나타났다고 하여 화제다. 사건 당일(지난 4일) A양은 영어 수업을 듣던 중 '교복에 피가 배어난다'는 뒷자리 학생의 말을 듣고 등에서 피를 흘린다는 사실을 알게 되었다. A양을 간호한 양호선생 B씨는 출혈이 심했음에도 A양이 통증을 느끼지 못하자 상의를 탈의하게 했는데, A양의 등에 한 일(一) 자 모양의 자상이 있었고 피가 배어나왔다고 한다. 이때 세로로 상처가 덧생기면서 열십자를 이루는 걸 목격했다고 주장했다. 해당 중학교가 크리스천 계열이라 성흔이라며 화제가 되었다. 이후 여러 기독교 관련 전문가들이 조사 차 학교로 왔으나 상처가 하루 만에 사라져 신기한 해프닝으로 일단락되었다. 일각에선 A양과 양호선생이 관심을 끌기 위해 벌인 자작극이라는 말도 있다.

이 기사에도 주석처럼 붙인 아버지의 논평을 주생은 보았다.

표식이 나타났다 해도 열십자 형태에 불과하니 그들이 주장하는 성흔인들 우리와는 아무 관련도 없다. 오성밀법의 표식이 나타나는 날 죄인은 죗값을 치를 것이고 세상은 궁극의 무화를 맞이할 것이다. 2022년이 예정된 해이니 믿음 가진 자들은 흔들리지 않는 진념으로 구도에 정진해야 한다.

노트의 마지막 장에는 아버지가 자필로 쓴 이상한 암호문 같은 글이 있었다. 자신이 질문하고 자신이 답한 글처럼 보였다.

『오성밀법강령 : 윤회 편』에 대한 주석

문 : 내 대(代)에 궁극경지의 결실을 이룰 것인가?

답 : 그렇지 못할 것 같다.

문 : 2022년이 오면 재림은 이루어질 것인가?

답 : 확신한다! 그러나 훨씬 들어버릴 내 나이가 육신의 질병을 초래하지 않을지 그것이 염려된다.

문 : 내 핏줄 가운데 신성의 선택이 있을 것인가? 즉 윤회가 이루어질 것인가?

답 : 그렇지 않을 것 같다. 내 자식과 동생의 자식에겐 아무런 표식도 나타나지 않았다. 무녀독남, 무남독녀를 얻은 우리 형제는 신성에게 선택받지 못한 계시를 더 이상 자식을 낳지 못한 현실로 직접 받은 것이다. 내 앎이 참 앎이 아닌 거짓 앎이고, 믿음이 헛된 것은 아닌지 절망적이다.

주생은 책상 위에 노트를 내려놓았다.

목사가 말했다.

"가져가도 좋소."

"서진이 몸에서 어떤 표식이 나왔다는 겁니까?"

"사탄의 표식이오."

"사탄이요?"

"그렇소. 서진이 어깨의 화상자국에서 칼에 그인 듯한 십자가 형태가 계속 나타났소. 서진의 팔다리가 꺾이고 입이 돌아가 발작을 일으켰을 때 난 119를 부른 상태에서 그 아이를 안아 들었소. 그때 처음으로 그 표식이 나타났던 거요. 너무나도 신비로운 순간이었기에 다급한 상황도 잊고 서진이의 어깨를 드러내고 말았소. 하지만 그건 기독교적 성스러움의 표증이 아니었소. 열십자 상처는 변화를 거듭하더니 차츰 십자가와는 전혀 다른 표식으로 완성되었소. 그건 한자 죄(罪)와 비슷한 표식이었소. 얼마 후부터 내가 정신 잃은 여학생에게 이상한 정열을 갖고 옷을 벗겼다고 험담하는 사람이 나왔소. 내 등밖에 찍히지 않은 CCTV를 증거로 내세우면서 말이오. 그는 광성도인의 제자였소. 그날 그 현장에 개입한 건 악마가 틀림없소. 맹세컨대 난 당신 누나에게 결코 나쁜 짓을 하지 않았소."

"겨우 그런 표식 하나로 서진이를 사탄이라 칭하신 겁니까?"

"표식이 완성되자마자 서진이의 의식이 돌아오면서 내 몸에 손대지 말라고 소리쳤소. 동시에 예배당의 불이 꺼지고 벽화가 떨어졌어요. 그 순간 난 지옥의 풍경을 봤소. 서진이 아니면 악마가 보여준 지옥의 풍경 말이오."

"어떤 풍경을 보신 겁니까?"

"탱화와 비슷했소. 예배당이 어두운 동굴로 바뀌고 삼지창을 든 도깨비들이 나타났소. 머리가 맨들맨들하고 귀가 긴 도깨비들이 벌거벗은 사람들을 닥치는 대로 죽이고 있었소."

"남녀 장수가 나타나지는 않았습니까?"

"모르겠소. 너무 짧은 순간이었으니까. 난 주님을 부르며 기도했고 마침내 환영은 사라졌소. 왜 그런 걸 묻는 게요? 뭔가 알고 있소?"

"아, 아닙니다. 서진이가 광성도인은 어떻게 따라간 겁니까?"

"119가 도착하기도 전에 교회당 문이 열리면서 광성도인 성권이와 제자가 나타났소. 두 사람은 영험함이 많은 근처의 산에서 영단숭신(靈團崇神)의 의식을 수련 중이었는데 교회에서 커다란 영검이 번득였음을 온몸으로 감지하고 내왕했다고 말했소. 성권이가 서진의 옷을 들춰보더니 '네게 닥친 문제가 무엇인지 알고 있다. 나는 그걸 해결해줄 수 있는 사람이다. 너는 여기 있어서는 안 된다. 나를 따라가 사필귀정이 되게 해야 한다'고 말했소. 놀랍게도 서진이는 성권이의 말을 이해하는 표정이었소. 성권이가 몇 마디 귓속말을 더 하니 서진이 순순히 따라갔소.

난 성권에게 다급히 물었소. 그 죄의 표식은 무어냐고. 성권은 대답하지 않고 서진이를 데려가는 데만 급급했소. 그 아이가 떠나고 난 후에도 난 마음이 놓이지 않았소. 상황을 알게 된 영미가 찾아와 왜 모르는 사람한테 애를 보냈냐고 야단쳤죠.

결국 영미와 내가 서진을 직접 찾아 나서려 하는데 그 제자란 사람이 나를 찾아왔어요. 어떤 이유에선지 그 사람이 CCTV 동영상을 갖고 있었소. 목사 일을 계속하고 싶으면 더 이상 서진이를 찾지 말라고 협박했소. 나는 결백하니 당신 마음대로 하라고 그자와 싸웠지만 그의 뱀 같은 간사함을 결코 이길 수는 없었소. 사람들은 진실을 믿고 싶은 것이 아니라 믿고 싶은 것을 믿는다는 협박 말이오. 만약 그 동영상이 퍼지면 진실에 상관없이 목회자인 내 자리가 흔들릴 것은 명백했으니까. 얼마 후 광성도인이 죽었고 서진이가 범인으로 체포되었다는 소식이 들어왔소. 수소문 끝에 교도소로 면회 갔지만 서진이는 날 만나주지 않았소. 그 뒤 나는 일절 과거를 잊고 지내왔고 오늘까지도 서진이 소식은 듣지 못했소."

"그 제자는 남자였습니까, 여자였습니까?"

"두 명이에요. 남자와 여자가 번갈아 왔소."

"이름을 아십니까?"

"가끔 성권이가 이름을 부르긴 했어요. 근데 기억이……."

"순심이, 김순심."

"맞는 것 같아요."

"남자 쪽은 범천도인 아닌가요?"

"오인국이라고 불렀던 것 같아요."

"서진이는 고향에서도 비슷한 경기를 일으킨 적이 있어요. 거울 가게 앞이었다고 하죠. 교회에선 무슨 이유로 경기를 일으킨 거지요?"

"글쎄, 거울 같은 건 없었소. 당시 예배당 무대 위엔 연극을 연습하던 고등학생들 밖에 없었소. 〈안나 프랭크의 일기〉였지. 제2차 세계대전을 배경으로 독일군의 눈을 피해 일기를 쓰는 유대인 소녀 안나 프랭크 이야기 말이오. 우리는 안나가 주님에 의지하는 독백을 넣어 각색을 했어요. 서진인 연극과 상관없이 창고를 정리한 모양인데 거기 사람이 있는 줄 모르고 문을 열고 들어온 엑스트라 아이 하나를 보고 크게 놀란 모양이에요. 그 아이가 경련을 일으킨 서진일 보고 놀라서 나를 부르러 뛰어왔고요."

흠, 거울이 없었다. 어쩌면 거울이 원인이 아닐 수도 있다. 주생은 머릿속이 복잡해 습관처럼 정수리를 긁었다.

"이건 좀 다른 질문인데 서진이가 기적을 일으키거나 하는 일은 없었나요?"

"무슨 기적?"

"안수 같은 거요."

"말했다시피 내가 서진일 본 기간은 아주 잠깐이었소. 지금은 얼굴도 가물가물해요."

"서진이가 교도소에서 죽은 고양이를 살리고 아픈 사람도 치료한 모양입니다."

의외로 목사의 반응은 담담했다.

"사탄이 보이는 신기는 언제나 주님의 기적과 비슷해요. 믿음에 균열을 내려는 눈속임일 뿐이오."

"보고 겪은 이가 하나둘이 아닙니다."

"시험에 넘어간 자가 시험에 처한 자보다 많은 법이오."

"서진이가 사탄일까요?"

"내가 기억하는 서진인 하느님의 말씀에 충실한 학생이었소. 그냥 두면 자기에게 주어진 싹을 틔우고 열매도 맺을 평범한 아이. 그런데 어떤 영향력이 작용한 거요. 큰아버지가 아마 그 영향력의 주인일지도 모르지. 진실을 알고 싶다면 당신 아버님부터 조사해보시오. 지금 세상은 『단죄의 신들』이라는 요상한 책이 사람들을 이상한 기운으로 물들이고 있어요. 그게 당신 아버님과 연관이 있을지도 모른다는 생각이 들어요. 불교의 이름을 교묘히 빌리는 척하면서 전혀 대자대비와 관련이 없는 책 말이오."

"그 책의 저자 반야심이 바로 서진입니다."

목사가 눈살을 찌푸렸다.

"믿음을 부정하지 않는 내가 한 가지 믿음만은 변경하겠소. 정말 당신 사촌누나는 지상에 현현한 사탄일지도 모르겠소."

*

주생이 다홍으로 돌아온 것은 자정 무렵이었다. 종일 운전을 해서인지 피곤했다. 아파트 주차장에 차를 댔을 때 묘한 인기척이 느껴졌다. 시시각각 느껴지는 그 검은 그림자는 아무리 고개를 돌려도 눈에 들어오지 않았다. 피가 마르는 것 같았다. 김 전무가 언제 뒤통수를 칠지 몰라 등 돌리고 있는 상황 자체가 긴장의 연속이었다. 그런 걱정을 떨쳐버리듯 문자가 왔다.

내일 사장님 심부름 시킬 거 있으면 이 번호로 전화해. 사장님 어디 아픈 거 같던데 교도소장한테 얘기해서 치료 잘 받게 해드려. 손모가지 안 잘리려면 늘 조심해라.

김 전무는 화가 난 것 같았다. 이어지는 장문의 문자만 봐도 알 수 있었다.

소림사로 목 돌아간 우럭 보낸 게 너지? 중들 고기 못 먹는데 아주 멋진 조롱이야. 니 짓인 게 밝혀지면 뒤통수에도 안구 이식 해놓는 게 좋을 거야. 언제 우리 애들이 슬쩍 니 목을 돌려버릴지 모르니까.

가장 현실적인 공포는 서진이도 검은 그림자도 아닌 김만식과 김 전무 일당이었다. 이들은 우럭이 죽었다는 사실을 알았고 절에도 이미 다녀간 모양이었다. 어쩌면 수상한 동영상을 보낸 건 김 전무일지도 몰랐다.

아직까진 단순 공갈포일 거야. 김만식의 심부름을 언급했으니 아직은 내가 필요하단 말이겠지.

목이 돌아간 우럭이 생각나면서 등에 한기가 느껴졌다. 주생은 걸음을 빨리해 엘리베이터에 올랐다.

집 앞에 택배가 와 있었다. 커다란 상자였다. 발신인 이름은 없었고 수신인에 하주생이라고만 적혀 있었다.

주생은 고민하다가 상자를 들고 집 안으로 들어갔다. 박스를 개봉하니 아날로그 텔레비전이 한 대 나왔다. 텔레비전과 비디오플레이어가 일체로 합쳐진 비디오비전이었다. 그 위에는 1990년대에 제조되었음직한 비디오테이프가 하나 놓여 있었다. 연옥의 이종하 대표가 도둑맞았다던 물건이 틀림없었다.

이종하에게 전화부터 해야 하나 경찰에 신고를 해야 하나 망설이다가 주생은 비디오를 설치하고 테이프를 넣었다. 캠코더로 찍은 화면이 재생되었다. 당연히 화질은 좋지 않았다. 으스스하고 어두컴컴한 공간이 쭉 나오다가 배우가 화면에 잡혔다. 의자에 앉은 우럭이었다. 죽기 전 누군가에게 강제로 촬영당한 것 같았다. 코와 입가에는 하얀 가루가 잔뜩 묻어 있었다. 초점을 잃은 눈은 정상이 아니었다. 마약을 한계 이상으로 투약한 탓인지 움직임도 눈짓도 몽롱했다. 그는 몸을 떨었다. 눈물 두 줄기가 허연 가루를 지웠다. 카메라를 보고 침을 꿀꺽 삼킨 우럭이 머리를 조아렸다.

"나의 죄를 대오하고 각성한 후 무화에 임하겠습니다."

말을 마친 우럭이 오른손으로 왼쪽 뒤통수를, 왼손으로 오른쪽 턱을 붙잡았다. 크게 숨을 내쉬느라 가슴께가 벌렁거렸다. 그는 기합이라도 넣듯 눈을 크게 뜨더니 목을 돌리기 시작했다. 곧 한계에 이르렀지만 돌리기를 멈추지 않았다. 화질은 좋지 않았지만 마이크는 고성능이었다. 끄으윽 꺼져가는 비명이, 뚜두두둑 뼈 부러지는 소리가 크게 들려왔다. 주생의 입이 떡 벌어졌다. 다음 순간 마분지를 찢는 듯한 소리와 함께 목이 한 바퀴 회전했고 우럭의 얼굴은 더 이상 보이지 않았다. 앞가슴 위에 놓인 건 뒤통수였다. 그래도 우럭은 죽지 않았다. 그 상태로 일어나 어디론가 비틀비틀 걷기 시작했다. 자세히 보니 화면 끝에 사람 하나가 서 있었다. 검은 실루엣이 검은 배경에 삼켜져 모습은 드러나지 않았다. 주생이 눈을 가늘게 뜨고 그를 쳐다보려고 할 때 영상은 끝났다.

충격의 침묵이 한동안 지속되었다. 주생은 떨리는 손으로 상자를 뒤지며 비디오비전과 테이프를 샅샅이 살폈다. 그러나 단서가 될 만한 그 무엇도 나오지 않았다.

7

1857년

“현실이에요, 서방님! 우리가 길을 잘못 들었어요. 극락정토 가는 길을 알아보지 못했고 황폐한 땅을 헤맸어요. 사교의 사이비 지옥이 아니었어요. 이곳이야말로 우리에게 던져진 시련의 성지가 틀림없어요.”

칼을 내던진 초아는 새롭게 생겨난 남편의 왼팔을 어루만졌다. 그 촉감은 가짜가 아니었고 보이는 것은 눈속임이 아니었다.

범천존자 일선제력과 삼도천녀 월선제력, 음양을 대표하는 두 신은 온화한 미소로 부부를 바라보았다. 월선제력의 음성이 전해졌다.

“얻는 것은 주는 것이며 주는 것이 곧 얻는 것이다. 아픔이 있으면 나음도 있는 것처럼 기쁨이 있으면 슬픔 또한 따른다.

이것이 제력의 말씀인 대척(對蹠)이다."

"대척이라뇨?"

초아가 물었다. 빛으로 물든 그녀의 얼굴은 갓 태어난 아기 같았다. 순간 그녀의 인상이 구겨지더니 고통에 따른 몸부림이 뒤를 이었다. 초아는 보았다. 영원히 살고 죽고 영원히 죽고 사는 괴로움의 바다를. 그 바다에 피 색깔의 파도가 출렁였다. 월선제력의 얼굴은 인자함으로 가득했다. 이합정이 깜짝 놀랐다.

"부인, 왜 그러시오?"

"으으으…… 아…… 아악!"

이합정이 아내를 붙잡았지만 고통에 빠진 초아는 남편을 밀쳤다. 이합정이 재차 다가가려던 순간 그의 얼굴로 피가 분수처럼 뿜어졌다. 초아의 왼팔이 하늘 높이 떨어져 나가고 어깨에서 피가 솟구쳤다. 포물선을 그리던 팔은 목이 돌아가 죽은 명설의 시체 위로 툭 떨어졌다. 군사들 사이에서 혼란이 일어났고 범천존자 일선제력의 거대한 그림자가 그들을 뒤덮었다.

"보았느냐? 이것이 대척이니라."

2022년

일어나보니 아날로그 텔레비전도 비디오테이프도 그대로 있었다. 꿈이 아닌 현실이었다.

이 비디오비전은 이종하의 소유품일 것이다. 전화를 하자니 입이 떨어지지 않았다. 위험하니 피하라고 말하고 싶었으나 어째서 서울 논현동의 물건이 다흥까지 와 있는지, 비디오테이프의 내용이 뭔지 설명할 방법이 막연했다. 설상가상으로 오늘은 김만식을 만나러 가야 하는 야간 근무 날이었다.

주생은 옷을 갈아입고 바깥으로 나왔다. 하늘은 온통 뿌옇고 흐렸다. 서진의 소식을 들은 이후 단 한 번도 맑은 날씨가 없었다.

주생은 핸드폰 내비게이션으로 명중사란 절을 찾아갔다. 다흥의 시골 변두리에 위치한 작은 절이었다. 승방 문을 두드리자 나이 든 승려가 나왔다.

"어제 이 절에 계신 스님한테서 공창현 씨를 데리고 있다는 전화를 받은 사람입니다."

"하주생 씨?"

"그렇습니다."

"내가 전화한 사람이오. 공창현 씨 시체는 수습해 갔소."

"경찰이요?"

"하주생 씨 친구란 사람이."

"이름을 말하던가요?"

"안 밝혔어요."

"갸름한 얼굴에 뿔테안경, 키가 작고 뱀 같은 눈을 가진 사람 아닙니까? 뺨에 칼자국 같은 게 있고."

"맞아요."

"친구 아닙니다. 그냥 아는 사람입니다."

"그 사람이 건달 같은 사람들을 시켜 봉고차에 시체를 실어 갔어요. 앞으로 스님은 묵언수행을 해야 할 텐데, 경찰에 신고하면 손목을 잘라 목탁도 두드릴 수 없게 하겠다고 협박했소. 대신 시주를 하겠다고 이렇게 돈을 주더군요. 옛소, 30만 원. 이런 돈 필요 없으니 가져가시오."

"전 그자들과 관련 없는 사람입니다."

승려는 돈을 방 한구석으로 던졌다.

"어떻게 목이 돌아간 사람이 걸어서 여기까지 왔는지 모르겠소."

"목이 돌아간 채로 제 발로 걸어 여길 왔단 말입니까?"

승려는 대문가의 바위를 손가락으로 가리켰다.

"저기 표지석 보이지요?"

"네, 보입니다."

"그자를 발견한 건 내가 새벽 공양을 마치고 나올 때였어요. 머리를 박박 깎은 어떤 남자가 저 돌을 끌어안고 있었어요. 허리를 굽히고 있었는데도 얼굴은 하늘을 보고 있었지요. 가까이 가보니 머리가 돌아가 있었어요. 놀라 넘어졌는데 그 자가 '전 나쁜 사람이 아닙니다' 하고 말을 했소."

상상만으로도 직접 그 장면을 본 것 같아 주생은 한기를 느꼈다.

"날 보고 뒷걸음질로 다가오면서 부처님 잘못했습니다, 다시는 나쁜 짓 안 하겠습니다, 제발 살려주십시오, 하고 애원했소. 그러더니 저기 법당 밖에 무릎을 꿇지 뭐요? 부처님 향해 머리를 두고 몸통은 반대편으로 둔 채 말이오. 계속 잘못했다며 기도를 올리던 그 사람이 갑자기 날 보면서 여긴 그 그림이 없네요, 라고 했소."

"어떤 그림 말입니까?"

"마귀들이 있는 그림. 그림에서 본 마귀들이 우루루 몰려와 자기를 둘러쌌는데 갑자기 그들이 물러나고 문신을 한 사람이 다가와 모가지를 돌려버렸다는 거요. 그러더니 쓰러져 의식을 잃어갔어요. 그 와중에 하주생 씨와 통화하게 해달라고 사정을 해서 내가 전화했던 거요."

"제게 보낸 동영상을 찍은 분도 스님입니까?"

"동영상? 전화를 한 번 더 걸었을 뿐이오. 다시 걸었을 때 선생 전화기 전원은 꺼져 있었소. 경찰에 전화하려는데 그 사람이 날 잡고 그랬소. '제가 구원받도록 불경이나 외워주십시오. 부처님 앞에 있으니 이제야 좀 편합니다, 스님. 제가 그동안 지은 죄의 대가를 치르려나 봅니다. 제발 저를 혼자 두지 마세요' 하고. 대체 그자는 누구요?"

"누구긴요? 마귀에게 당해 부처님을 찾은 불자지요."

문신한 남자가 모가지를 돌려버렸다. 주생은 새로 얻은 정보를 되새기며 절을 나서려다 다시 승려를 불렀다.

"저기, 스님. 혹시 길윤 스님이라고 아시나요?"

"우리나라에 길윤 스님 모르는 사람이 누가 있소? 속세를 버리고 수도에 평생을 바친 고승 중의 고승 아니오?"

할아버지가 그렇게나 유명한 분이셨나? 내겐 가정을 버리고 도피한 이미지밖에 없는데.

"어디 사는지 아세요? 인터넷에 쳐도 안 나와서요."

"왜 그분을 찾으려고 하오?"

"그분의 속세 시절 손자가 절실히 찾고 있습니다."

승려는 길윤이 어느 절에 기거하고 있는지 알려주었다. 울산의 큰 사찰이었다. 주생이 승려에게 인사하고 명중사를 나올 무렵 김 전무의 전화가 걸려 왔다. 그는 더 이상 형식적인 예의도 갖추지 않았다.

"어이, 하 주임. 어디야?"

"절."

"오늘이 석가탄신일인가?"

"우럭 보러 왔어."

"니가 죽인 거 다 아는데 찾는 척이야?"

"마음대로 얘기해. 당신들 조직은 전부 의심병자밖에 없는 것 같으니."

"그건 상정안으로 등급이 떨어졌으니 비상시국 현안부터 얘기하지. 사장님한테 전화가 또 왔어. 무슨 짓을 한 거야?"

범죄에 종사하는 이들은 농담 한마디라도 현학적인 수사를 즐겨 넣었다. 마치 그래야만 암흑가의 거물인 것처럼. 주생은 그런 경박한 말장난이 마음에 들지 않았다. 그래서 우럭의 최후가 담긴 비디오테이프와 동영상 얘긴 하지 않았다. 누가 머리를 거꾸로 돌렸는지는 몰라도 내 적을 죽인 자이니 아군이라는 생각마저 들었다.

"무슨 짓을 해, 내가?"

"다 알고 있으면서 내 입으로 들으려고 하지 마. 성질 테스트는 니 에미한테나 해."

"뭐가 어째!"

주생이 고함을 지르자 잠시 침묵이 흘렀다. 주생은 열기가 오른 숨을 내뱉었다.

"당신 사장 며칠 보지도 못했어. 오늘이 근무 들어가는 날인데 내가 당신 사장한테 뭘 어쨌다고 그래?"

"스토킹해서 일부러 피 말리게 한다며? 나도 너한테 똑같이 해볼까?"

"무슨 스토킹? 좀 알아듣게 얘기해봐!"

"진짜 몰라서 물어, 모르는 척이야?"

"난 지난 이틀간 휴가였어. 김 사장 곁엔 있지도 않았다고."

김 전무는 코웃음만 치다가 불쑥 물었다.

"밤마다 나무 위에 올라가서 사장님을 쳐다본다며?"

"무슨 개소리야?"

"니가 아니면 니가 시킨 어떤 놈이겠지."

"어이가 없네. 나무에 올라가 김만식일 쳐다봤다고?"

"사장님 계신 18실 창문에서 보면 20미터 거리에 큰 미루나무가 있지. 음침한 고목 말이야. 이틀 전부터 밤만 되면 그 나무 꼭대기에서 18실을 쳐다보는 놈이 있대. 교도관 순찰에도 안 걸리는 놈이라면 그놈도 교도관이란 얘기겠지."

"미쳤구나. 사람 괴롭히는 방식도 가지각색이다. 우럭 때문에 이러니?"

"사장님이 똑똑히 봤다잖아. 나무 위에 사람이 올라가 있는 걸. 생김새가 꼭 하 주임 너 같다던데?"

"사람이 못 올라갈 정도로 높은 나무야! CCTV도 널렸는데 내가 그런 또라이 짓을 한다고? 니네 사장 귀신 본 모양이네."

"니들이 짜고 치는 고스톱일 수도 있지."

"존경하는 김 사장님 징역 오래 살더니 환각을 다 보시고."

"주둥아리 조심하는 게 좋아, 하 주임."

"당신 사장, 그렇게도 환각을 잘 보는데 뭣하러 가루는 구한대?"

"계속 열심히 놀려봐라. 아무리 놀려대도 난 니 입은 안 건드릴 거야."

"난 모르는 일이야."

"손목부터 잘라버릴 거야, 하 주임. 톱이든 칼이든 뭐든 자를 수 있는 건 다 갖고 올 거야. 한 번에 안 자르고 시간 들여서 자를 거야. 하루가 걸리든 이틀이 걸리든 쓱싹쓱싹 이렇게 말이지. 니가 우리 같은 사람들과 엮인 걸 평생 후회하도록."

주생이 '이 개새끼야!' 하고 소리 지르려는데 김 전무가 먼저 전화를 끊었다. 잠시 후 문자가 왔다.

안녕하세요. 네버힐 1405호인데요. 어젯밤에 1305호에 누가 다녀간 것 같아요.

주생은 숨을 몰아쉬며 화를 진정시키려 했다. 쉽게 마음이 가라앉지 않았다. 그러자 1405호 주부가 먼저 전화를 걸어 말했다. 어젯밤 늦은 시간에서 새벽 사이 아래층에서 몹시 조심스럽지만 분주한 기색이 있었다. 고민 끝에 내려갔는데 불이 꺼져 있어 초인종을 눌러봤다. 그런데 아무 응답이 없어서 동생분이 찾고 있다는 쪽지를 끼워 넣고 왔지만 아침이 되어도 쪽지는 그대로였고 아무런 답도 없었다고 했다. 하지만 분명 아래층에서 사람이 내는 기색을 들었고 베란다와 화장실로 악취도 올라온다고 했다.

"제가 지금 바로 가보겠습니다."

주생은 즉시 섭주로 차를 몰았다. 오후 출근까지 시간이 빠듯했지만 서두르면 맞출 수 있었다. 과속을 하면서 그는 생각했다.

'나무 위에 누가 있다니, 김만식이 뭘 보고 그러는 걸까? 혹시 서진이가 날 도와주는 거 아냐?'

자신 역시 미쳐간다는 생각에 주생은 너털웃음을 터뜨렸다. 서진이가 월선제력이 맞다면 김만식보다 더 미운 김 전무를 싹싹 빌게 만들어달라고 청하고 싶었다.

*

네버힐 1305호에 도착한 주생은 초인종을 누르지 않고 이전처럼 마스터키를 이용했다. 서진이 있든 누가 있든 붙들어진상을 캘 것이었다. 마스터키를 도어록에 갖다 대자 1305호 문이 열렸다. 주부의 말처럼 악취가 몰려왔다. 독가스 같은 대단한 악취였다.

주생은 집 안의 충격적인 변화에 할 말을 잃었다. 벽마다 온통 피범벅이었다. 대야에 담은 피를 벽 여기저기에 뿌린 것 같았다. 거울은 몽땅 깨져 있었고 그 아래 하얀 커튼도 피범벅이었다. 소리를 죽이기 위해 커튼으로 거울을 잡고 깨부순 모양이었다.

다행히 서진의 시체는 없었다. 그 누구의 시체도 없었다. 대신 거실 한복판에 죽은 닭들이 나뒹굴고 있었다. 검은 닭 한 쌍, 흰 닭 한 쌍, 얼룩 닭 한 쌍, 여섯 마리의 닭들은 모두 머리가 없었다. 벽마다 가득한 피는 바로 머리를 떼어낸 이 닭들을 샴페인 병처럼 흔들어 바른 게 틀림없었다. 과연 여기저기에 떨어진 닭 머리가 눈에 들어왔다.

짤랑거리는 소리가 들려 주생은 급히 돌아보았다. 커튼에 새끼줄이 묶여 있었는데 거기 매달린 식칼 여러 개가 부딪치는 소리였다. 그 옆에는 지난번에 집 밖에 있던 걸 집 안으로 옮긴 택배상자가 쌓여 있었는데 그사이 몇 개가 더 늘었다. 피는 거기까지도 튀었다. 맨 위에 놓인 가장 최근 상자는 연옥 출판사에서 보낸 것이었다. 추가로 1쇄를 찍을 때마다 두 권씩 증정한다더니 『단죄의 신들』은 이 생지옥의 와중에도 끊임없이 팔리는 모양이었다. 전파력이 코로나 바이러스 빰쳤다.

주생은 안방으로 갔다가 벽에 무수히 나붙은 부적을 보았다. 이곳의 거울도 남김없이 깨져 있었고 서진의 노트북이 있던 자리에는 잘린 돼지머리가 놓여 있었다. 얼었다가 녹은 돼지는 입에 부적을 물었고 귀 옆에 창과 깃발이 세워져 있었다. 보통 돼지보다 두 배 정도는 큰 머리였다. 찌지직하는 소리가 들려 주생이 깜짝 놀라 옆을 보았다. 닭의 핏물 때문에 벽지가 너덜거리는 소리였다. 그 뒤에 사람의 형상이 보인 것 같았다. 주생이 거칠게 벽지를 벗겨내니 사람이 아닌 마귀가 나왔다. 마귀들이 삼지창으로 사람을 찌르는 지옥 벽화가 거대하게 벽을 장악하고 있었다. 커다란 눈알이 이쪽을 바라볼 때 주생은 현기증을 느꼈다. 『단죄의 신들』 삽화와 닮은 그림을 벽마다 가득 그려놓고 벽지를 덧바른 것이다. 이유는 하나였다.

"서진이에게 영기를 불어넣으려고 몰래 장치한 거겠지."

뒷걸음질 치던 그는 이번엔 작은 방으로 들어갔다. 그곳에도 너덜거리는 벽지 사이로 마귀들의 고문 잔치가 등장했다. 흐트러진 이불 위에 가발이 하나 놓여 있었고 주변에 피가 낭자했다. 머리숱이 그다지 많지 않은, 노인 분장용 가발 같았다. 손을 대던 주생이 기겁했다. 가발이 아니라 살점이 붙은 진짜 머릿가죽이었다. 그 위에 붙은 거울도 균열이 가 있었다. 여러 개의 얼굴이 자신을 비추었다. 숨이 막혀 베란다로 달려간 그는 문을 열고 시원한 공기를 들어오게 했다.

이쪽을 올려다보는 사람이 있었다. 13층 높이였지만 검은 옷을 입은 사람이라는 것을 알 수 있었다. 먼 거리에서 벌써 몇 번째나 마주치는 건지 모른다. 아니, 일부러 심리적 불안감을 조성하는 건지도 모른다. 굉장히 큰 마스크가 그의 입은 물론 눈까지 덮고 있었다. 주생과 시선이 마주치자 그자는 서둘러 몸을 피했다. 주생은 그를 추격하려고 서둘러 집을 나오다가 바깥에 있던 1405호 주부와 부딪칠 뻔했다.

“아! 애기 어머니!”

“저…… 소리가 들려서 내려와봤어요.”

“예. 제가 들어온 겁니다. 어제의 인기척도 비슷한 느낌이었나요?”

“어, 이사 들어오는 집 같은 분주한 인기척이었어요. 근데 밤중이고 새벽이라서 아주 조심하는 분위기였어요.”

“아무도 모르게 들어오는 거 같았단 말이지요?”

주생은 주부의 귀 밝음에 탄복했다.

“네. 누님은 찾으셨나요?”

“아무도 없네요. 누가 어젯밤 다녀간 건 분명한데 지금은 없어요.”

“뭔가 썩는 냄새가 났는데…….”

주생은 차마 안의 사정을 말할 수 없었다.

“그때 냉동실 돼지머리가 어떻게 또 굴러 떨어져 썩어가더라고요.”

“담배 냄새가 또 났어요.”

“네?”

“악취 사이로 담배 냄새가 났어요. 담배 냄새로 사람을 구별할 순 없겠지만 예전에 누님 살기 전에 살던 아저씨의 담배 냄새랑 똑같았어요."

주생은 그 전에 살던 놈도, 어제 담배를 피운 놈도 김순심의 남편일 것이라 생각했다. 범천도인. 며칠 동안 자신을 따라다닌 검은 실루엣은 김 전무 쪽도 감찰반 쪽도 아닐 것이란 생각이 처음으로 들었다.

'범천도인 오인국. 왜 그 생각을 못 했을까?'

아마 그 무당 부부는 작당을 하고 서진을 가두었겠지. 공포소설인 척 악에 가득 찬 글을 써내라고. 44쇄든 88쇄든 계속 책을 찍어내 돈을 가져오라고.

'그런데 왜 거울이 깨졌고 피가 낭자했을까.'

주부가 안으로 들어가고 싶어 하는 눈치였다. 주생은 문을 열지 않았다. 주부가 말했다.

"누님은 좋은 분이셨어요. 어디 계시든 빨리 돌아오셨음 좋겠어요."

"저도 같은 생각입니다."

*

다시 다홍에 돌아온 주생은 구치지소로 출근해 주차장에 차를 댔다. 김만식과 만날 일이 걱정이었다. 나무 위에 사람이 있다니 그의 정신 상태가 의심스러웠다. 마약을 못 구해 화가 난 김만식이 감기약이라도 한꺼번에 털어 먹고 해롱거리다 헛것을 본 게 분명했다. 그가 막 차에서 내릴 때 뒤쪽에서 누군가가 걸어왔다. 안면이 있는 여성이었다.

"섭주 의료원의 채보서 선생님이로군요."

"드릴 말씀이 있어서 왔어요."

주생의 본능이 이 자리를 피하라고 알려왔다. 서진과 사진을 찍은 여자들 두 명이 그가 보는 앞에서 죽었다. 수사기관은 자살과 사고사로 정의했지만 주생의 호흡기관은 그보다 사악한 실체적 진실을 감지하고 거친 숨을 내뿜었다. 이 인상 좋은 소아과 여의사도 분명 사진 속에 존재했었다. 차라리 찾아온 여자가 김순심이라면 나았을 걸. 보이지 않는 적이 가장 강한 법이고 숨어 있는 적이 가장 사악한 법이다. 닭 대가리 돼지 대가리가 뒹구는 1305호의 난리통은 분명 무당의 술법과 관련이 있다.

"무슨 일로 오셨죠?"

"잠깐이면 돼요. 여기서 그냥 말씀드릴게요."

"좋습니다."

두 사람은 주생의 차 왼쪽과 오른쪽에 선 채 이야기를 나누었다.

"인정할게요. 하서진 씨가 그날 밤 병원에 온 건 지원이 때문이에요. 올케언니는 그분이 지원이의 지병을 치료할 수 있을 거랬어요."

"겨우 고양이 하나로 그렇게 믿었나요?"

"그게 아니에요. 올케언니는 하서진 씨의 정체를 안다고 했어요."

"서진이 정체가 뭔데요?"

"신."

"신?"

감춰왔던 환희가 채보서의 얼굴에 언뜻 나타났다.

"고수애의 고양이를 살릴 때 밤늦은 시간에 올케언니가 감방에서 하서진 씨를 빼냈어요."

"운동장에 데려간 거죠?"

"아뇨. 법당이요. 교도소 안에도 법당이 있다더군요. 미리 거기에 갖다놓은 고양이를 하서진 씨가 살린 거예요."

그랬다. 범죄를 저지른 사람이라도 요일에 따라 교정기관 안에서 기독교, 불교, 천주교 등 종교 집회에 참석할 수 있다. 때문에 모든 교도소 구치소는 기독교, 천주교 신자를 위한 예배당과 불교 신자를 위한 법당을 갖추고 있다. 어떻게 보면 이 장소들은 신을 위한 상징적인 공간이다. 법당에 데려갔다? 거기서 내 사촌누나를 신이라고 인정했다?

"법당 같은 곳은 사람 눈에 띄기 좋은 공간이에요. 왜 그런 곳으로 서진일 데려간 거죠?"

"하서진 씨의 정체를 확인하기 위해서였대요."

"정미정 계장님 같은 사람이 서진이 정체 규명을 제안했을 리 없습니다. 법당이란 공간에서 죽은 생명을 부활시키게 했다면 누군가 그런 지식에 정통한 사람이 있을 겁니다."

"김순심이라고 했어요."

"그 여자가 서진이 가는 교도소마다 그림자처럼 따라다닌 사실은 아시나요?"

"그러고도 남을 거라고 생각해요."

"어째서죠?"

"하서진을 신딸로 만들겠다고 했거든요."

"그 여자가 거짓말을 하고 있거나 의사 선생님이 거짓말을 하고 있거나 둘 중 하납니다. 신이라면 모셔야 될 존재이지 딸이라니 당치도 않아요."

"말이 신딸이지 상전이겠죠. 김순심은 하서진을 데리고 있으면 큰 돈벌이가 될 거라고 했거든요."

"신을 모시고 기껏 하는 일이 돈벌이라고?"

말도 안 된다. 하지만 내면의 목소리는 너도 돈 때문에 여태껏 서진이를 찾았잖아, 라고 윽박질렀다.

"그날 법당에 누가 있었죠?"

"올케언니, 고수애, 김순심."

"모두 사진에 찍힌 사람들이군요. 의사 선생님은 재소자가 아니니 당연히 없었을 테고."

"김순심이 모의했어요. 하서진과 출소할 때까지 같은 감방에서 한 몸처럼 움직이려면 올케언니의 도움이 필요했어요. 고수애는 같은 감방을 썼기 때문에 입막음을 위해서라도 한편으로 만들 필요가 있었고요. 아니, 서진 씨의 능력을 입증하려면 고수애가 반드시 필요했어요. 서진 씨가 고수애를 언니처럼 따랐거든요. 은빛 고양이를 유인한 것도 김순심, 몰래 약을 먹여 죽인 것도 김순심이에요. 서진의 힘을 빌리기 위해 일부러 고양이를 들여와 고수애를 세뇌시킨 거예요."

"그 고양이는 누가 넣어줬지요?"

채보서가 무서운 기억을 상기하듯 양손을 맞잡았다.

"고양이처럼 보이지만 그게 고양이인지 개인지 아니면 다른 어떤 것인지 모르겠어요."

"그게 무슨 소리죠?"

"고양이 같지 않은 움직임을 보인 게 한두 번이 아니었어요. 고수애는 그 짐승한테 눈이 멀었지만 난 안 그랬어요. 그 짐승은 사람처럼 노려보고 사람처럼 웃었어요. 어디서 온 녀석인지는 몰라도 사람이 길들일 수 있는 동물이 아니었어요."

"어떻게 그 고양이가 교도소에 나타난 거죠?"

"김순심 남편이 몰래 넣었다고 들었어요. 서진 씨 출소 기념으로 우리가 모였을 때 사진을 찍어준 사람이죠. 그자도 무속인이라고 들었어요."

"이름이 범천도인이죠?"

"이름은 몰라요. 정체에 관해 물으면 김순심이 불같이 화를 냈어요. 그가 이 음모를 설계한 사람일 거예요. 이건 오래된 흉계예요. 그 사람의 스승 시절부터 서진 씨가 표적이었다고 하니까요."

"선생님도 직접 본 적이 있겠네요."

"네, 두어 번. 올케언니가 잃어버린 다이아반지를 찾고 그 사람을 만나러 간 적이 있는데 저도 데려갔어요. 무섭게 생긴 사람인데 마치 뱀처럼 차가운 기운을 지닌 사람이었어요."

"혹시 이마에 큰 점이 있지 않나요?"

"맞아요. 천중(天中)의 기혈이 사기(肆氣)를 막아준다고 흉측한 점을 일부러 놔뒀어요."

그놈이구나. 범인은 결코 멀리 있지 않다더니, 작당한 내외가 바로 옆집에 살면서 서진이를 조종했구나. 그 부부가 서진이를 감금했을 수도 있고 그보다 더한 짓을 저질렀을지도 모른다. 피를 바르고 칼을 내건 것도 그들 짓이리라. 주생은 1306호 남자가 손에 쥔 봉지에서 뚝뚝 떨어지던 피를 떠올렸다.

"서진이가 법당에서 어떤 일을 당한 겁니까? 그 세 사람이 도와달라고 절을 했을 것 같진 않은데."

"법당에 전신거울이 있대요. 커다란 불상 옆에 있는 거울이라고 했죠. 김순심이 서진 씨 머리채를 잡고 계속 거울을 바라보게 했대요. 그리고 『오성밀법강령』이란 책에 나오는 주문을 외웠대요. 서진 씨는 거울을 보지 않으려 했고 완강하게 저항했는데 세 사람이 강제로 거울을 향하게 하자 차츰 변화가 있었대요."

"어떤 변화요?"

"어깨와 가슴 쪽 살을 뚫고 표식이 나타났댔어요. 그다음에는 여기저기서 표식이 솟구치면서 본래 모습을 드러냈대요."

"그 표식은 한자이고, 본래 모습이란 건 창칼을 쥔 여자 장군 모습이 아닙니까?"

"맞아요. 김순심이 그렇게 얘기했대요."

"그럼 정미정 계장이나 고수애 눈에는 그렇게 안 보였고요?"

"두 사람은 무속인이 아니니까요."

서진이가 정말 월선제력인가…….

채보서가 눈가를 훔쳤다.

"서진 씨는 나는 평범한 사람이고 신이 아니라고 계속 울부짖었대요. 김순심이 나뭇가지 같은 걸로 어깨를 계속 내리치고 부적을 붙이고 피도 낸 모양이에요. 그러자 서진 씨의 눈빛이 변하더니 갑자기 신들린 것처럼 소릴 질렀대요. 자기를 깨우면 무서운 일이 일어난다고요. 하지만 김순심은 계속 서진 씨를 놔주지 않고 『오성밀법강령』의 주문을 외웠대요. 고수애와 올케언니는 강제로 서진 씨에게 불붙인 부적을 삼키게 하고 피도 마시게 했대요. 그러자 서진 씨가 발작을 일으키며 실신했다고 했어요. 김순심은 고수애와 올케언니를 불러 찰리 브라운이 살아나면 서진이가 알려줄 것이니 도로 갖다 묻으라고 했어요. 그게 서진이가 우리들의 신령이 되는 신호라고요. 정말 고양이는 살아났고 그 후로 하서진 씨는 사람이 변했대요. 살이 빠지고 말수도 적어지고 웃음을 잃었다고 했죠. 하지만 올케언니는 무릎까지 꿇고 끈덕지게 빌었어요. 아픈 아이가 있는데 한 번만 도와달라고요. 가석방까지 알아봐주겠다고 사정사정했죠. 가석방이란 말을 듣고 서진 씨가 반응을 보였대요. 손톱깎이를 삼키게 해 응급실로 빼내는 각본은 나랑 올케언니가 함께 짠 거예요."

채보서가 하늘을 올려다보았다. 구름 너머에 주생이 모르는 과거가 흘러 다니는 듯했다.

“내가 하서진 씨를 처음 봤을 때 첫인상은 무척이나 무서웠어요. 혼백이 빠져나간 사람 같았거든요. 살아 있는 귀신을 보는 것 같았죠. 수술실에서 미리 기다리던 지원이는 뭘 봤는지 크게 겁먹은 얼굴이었어요. 밖에는 남자 교도관들이 수술실로 들어오려고 하는데 지원인 서진 씨한테 가까이 다가가지 않으려고 발버둥을 쳤죠. 모든 계획이 들통날 판이었어요. 올케언니가 지원이가 탄 휠체어를 강제로 잡아끌었어요. 소란이 일어났고 사람들이 문을 열고 들어올 것 같았어요. 그때 서진 씨가 다가와 지원이의 이마를 다섯 손가락으로 눌렀어요. 이어서 손바닥으로 얼굴을 덮었죠. 그때 난 기적을 봤어요. 지원이가 얌전해지고 경련하던 근육이 거짓말처럼 정상으로 돌아왔거든요. 눈앞에서 벌어진 기적이에요. 그걸 안수라고 불러도 좋을지 모르겠지만, 안수 하나로 불치병이 치료가 된 거예요. 그게 사건의 전말이에요.”

채보서의 입에서 한숨이 나왔다.

“루게릭병이 떠난 지원이는 완벽한 아이로 거듭났어요. 올케언니는 불길한 기쁨 속에서 제정신이 아니었어요. 서진 씨가 가석방을 받게끔 온갖 노력을 다했죠. 그런데 어느 날 서진 씨가 올케언니를 불러 이렇게 말했대요. 내가 원하는 건 따로 있다고요. 그 말을 한 건 김순심이 먼저 출소해서 더 이상 그 여자 감시를 안 받아도 될 때였죠.”

“뭘 원했습니까, 김순심 몰래?”

“『오성밀법강령』을 지원이에게 전해주고, 하나도 빠짐없이 번역해서 보내랬어요. 만약 김순심한테 알리면 지원이 몸을 원래대로 돌려놓을 테니 명심하라고 하면서요. 올케언니는 김순심 모르게 지원이에게 책을 보냈고 지원이는 그걸 해독해서 교도소 안으로 다시 들여보냈어요.”

“그래서 지원이가 기브 앤 테이크를 말한 거로군. 베풂을 받으면 대신 무언가를 바쳐야 한다.”

채보서의 눈에 공포가 서렸다.

“난 그 책을 번역해준 일로 하서진 씨와의 관계가 끝나길 바랐어요. 지원이가 낫는 걸 보자 신기하기도 했지만 겁도 났거든요. 올케언니와 고수애는 서진 씨에게 돈을 보냈고, 김순심은 수시로 면회를 왔고 서진 씨가 출소 후에 살 집까지 장만해줬어요. 사실은 서진 씨를 데려가려고 벌인 짓이었죠. 그런데…… 출소일에 사진을 찍을 때였어요.”

채보서가 추위를 느꼈는지 팔짱을 꼈다.

“우리는 교도소 정문을 나온 서진 씨에게 아양이라도 떨 듯 몰려들었어요. 김순심을 빼놓고 사실 우리는 모두 떨고 있었어요. 기적을 목도하고도 나쁜 일이 일어날까 봐 잔뜩 겁을 먹었죠. 고수애는 찰리 브라운을 품에서 한 번도 놓지 않고 꼭 안고 있었어요. 하서진 씨가 전혀 웃지 않고 말도 안 했기에 더 무서웠나 봐요. 우린 서진 씨에게 최대한 친절했어요. 법당과 병원에서 강제로 그랬던 과거가 있으니 저주를 보내지 말아달라는 심정이겠죠. 사진을 찍자마자 서진 씨가 무서운 얼굴로 우리를 돌아봤어요. '너희들 때문에 내 정체가 수면 위로 드러났다. 언젠가 태양의 남자가 너희를 찾아갈 것이다. 태양의 남자는 나와 몹시 가까운 사람이다. 방문을 받게 되면 너희는 응해야 할 것이다. 나를 석방시켰으니 다 끝났다고 생각하는 모양인데 오산이다. 그가 방문하는 날 너희들은 받는 것과 주는 것의 이치를 진정 깨달을 것이다'라고요. 그러자 김순심이 손을 싹싹 빌면서 죄송합니다, 죄송합니다를 연발했어요. 치성으로 모실 테니 노여움을 푸시라 애원했지요. 그러자 서진 씨도 약간 표정이 풀어져 김순심 부부를 따라갔어요."

"선생님은 섭주에서 그 부부를 자주 봤나요?"

"아뇨. 그날 이후 한 번도 본 적이 없어요. 올케언니가 앞으로 그 사람들을 봐도 모른 척하라고 했거든요."

"태양의 남자는 누구죠? 일선제력의 일(日)을 의미하나요?"

채보서가 주생의 얼굴을 뚫어져라 쳐다보았다. 그리고 마침내 결심한 듯 말했다.

"난 오늘 죽을 각오를 하고 여기 나왔어요. 정확히, 당신이 나타나고부터 모든 게 맞아떨어져요."

"내가 서진이의 짝인 남자 신이란 말입니까? 천만에요, 나 역시 서진일 찾고 있는 사람에 불과해요."

"고수애도, 올케언니도 당신을 만나고 죽었잖아요."

"고수애는 양심이라는 신 때문에 죽었고 올케언니는 사고라는 신 때문에 죽었어요."

"올케언니의 사인은 사고가 아니에요."

“내가 찾는 신은 돈이에요. 돈만이 이 더러운 세상의 참된 신이에요.”

“그런 신은 찾을 필요 없어요.”

“찾아야만 됩니다! 내가 좆같은 조폭 새끼한테서 벗어나려면! 나는 지금 생명의 위협을 받고 있는데 아무도 내 고충을 몰라요!”

채보서의 이마로 땀방울이 흘러내렸다.

“지원이는 당신을 알아본 눈치였어요. 올케언니도 그랬어요. 당신한테서 하서진 씨와 같은 기운을 느꼈다고.”

“고수애는 우울증을 앓다가 뛰어내렸고 선생님 올케언니는 고령 운전자에게 재수 없이 당한 거지요.”

“그 운전자도 나한(羅漢)들의 환각을 봤다고 경찰에 진술했어요!”

“나한?”

“『단죄의 신들』에 나오는 마귀들 말이에요.”

“그건 사람 머리를 이상하게 만드는 저주받은 베스트셀러예요. 급발진이 사람을 죽이고 코로나바이러스가 사람을 죽이지 소설이 사람을 죽이진 않아요. 하나만 물읍시다. 지금 서진이가 어딨는지 알아요?”

“김순심이 데리고 있겠죠.”

“그 사람 집은 아는데 서진이는 사라졌어요. 어디 있는지 몰라요?”

“몰라요.”

"그 여자를 만날 방법이 없을까요? 점집 같은 게 있을 것 아닙니까?"

"올케언니가 시켜서 연락을 끊었어요."

"그렇다면 알아내주세요."

"난 몰라요."

"내 사촌누나에게 당신들은 미친 짓을 했어요. 병원에 떠벌리기 전에 알아내요! 당장!"

"마음대로 하세요. 난 이미 포기했으니까."

"뭘 포기해? 사람 죽여놓고 나 몰라라 하면 그만이야?"

채보서가 두려움에 휩싸인 눈빛으로 주생을 바라보았다.

"당신이 더 잘 알겠죠. 당신이 그 사람이니까."

"젠장, 무슨 헛소리야? 분명 모른다고 할 테지만, 하나만 더 물어봅시다. 김순심의 집에 가보니 거울이 깨져 있고 온통 피칠갑이 되어 있던데 어떻게 된 일인지 혹시 알아요?"

채보서가 놀란 표정을 지었다.

"그 여자, 이미 당했다는 말 같은데요."

"누구한테?"

"당신이 아니라면 서진 씨겠죠."

"겁 그만 줘요."

주생은 이 말을 끝으로 등을 돌렸다. 심장이 너무 세게 뛰고 있었다.

"너의 죄를 대오하고 각성해 무화의 경지로 들어가라."

채보서의 독백을 주생은 듣지 못했다.

"됐어요, 돌아가요."

주생이 뒤도 돌아보지 않고 말했다. 채보서가 멈칫하더니 차에 올라타서는 천천한 속도로 주생을 따라왔다.

"돌아가라니까!"

주생이 옆으로 비켜섰다. 채보서가 차창을 내리고 주생을 향해 소리쳤다.

"난 병원에서 그 표식을 직접 봤어요. 지원이에게 안수했을 때 서진 씨 어깨에 나타났어요. 그게 바로 자신의 정체를 알리는 표식이랬어요! 죽을 것처럼 겁을 내는 걸 난 똑똑히 봤어요. 잘 아는 성형외과를 소개시켜주겠다는 말도 소용없었어요. 현대의 의료장비로는 절대로 이 표식을 없앨 수 없다고 서진 씨가 말했으니까요. 그 옛날 광성도인을 순순히 따라간 것도 표식을 지워주겠다는 제안 때문이었다고 들었어요. 하지만 그 표식은 사람의 힘으로 사라지게 할 수 있는 게 아니에요. 그래서 서진 씨가 광성도인을 죽인 걸 거예요. 무지한 인간에 대한 단죄죠. 그 표식이야말로 신의 표식이니까요!"

소리를 지르고 난 채보서가 그대로 내달렸다. 채보서의 볼보 승용차가 빠르게 멀어졌다. 주생은 가슴에 통증을 느끼며 잠시 가로수를 짚었다.

그래, 서진이는 월선제력이야, 하지만 난 일선제력이 아니야.

타이어 찢어지는 소리와 함께 볼보가 S 자로 흔들렸다. 나무와 정면충돌한 차는 보닛이 완전히 찌그러졌다. 채보서의 비명이 들려왔다. 민원실에서 고개를 내민 직원들이 사고가 난 것을 알고 달려왔다. 하지만 차에 접근할 수 있는 이는 아무도 없었다. 윙윙거리는 격렬한 소리와 함께 사람들이 기겁해 흩어졌다. 주생도 달려갔으나 죽어가는 채보서에게 접근할 수 없었다. 열려진 차창 사이로 그는 보았다. 수백 마리의 말벌에 둘러싸인 채 절망적으로 손을 흔드는 여자를. 검은 뱀 한마리가 그녀 옆에 놓인 거대한 벌집을 감고 있었다. 벌의 공격에도 뱀은 꿈쩍도 하지 않았다.

또다시 주생은 환영을 보았다. 채보서는 운전석에 그대로 앉아 있었지만 조수석과 뒷좌석에 아까는 보이지 않던 두 명이 더 있었다. 그들은 『단죄의 신들』에 등장하는 벌거숭이 마귀들이었다. 조수석의 붉은 마귀는 손에 든 벌집으로 채보서의 얼굴에 말벌을 털어댔고, 뒷좌석의 푸른 마귀는 검은 뱀을 밧줄 삼아 채보서의 목을 졸랐다. 뱀에 목이 감겨 숨이 막혀가는 채보서의 얼굴로 벌들이 날아들었다. 독침에 그녀의 자줏빛 얼굴은 퉁퉁 부어올랐지만 마귀들은 신나게 웃어댔다. 주생은 울부짖듯 절규했다.

어깨에 둔탁한 충격이 느껴지며 환영은 사라졌다. 민원인 하나가 달려오다 주생과 부딪쳤다. 그들 앞에는 벌들에게 쏘여 죽어가는 채보서가 있었다. 마귀들은 없었다. 민원인이 소리쳤다.

"내가 봤어요! 이 차가 창문을 열고 달려오는데 저 미루나무에서 말벌집이 떨어졌어요! 정확하게 차 안으로요!"

"어떻게 그런 일이……!"

"뱀 때문이에요. 뱀이 벌집을 칭칭 감자 무게를 못 견디고 떨어진 거예요. 진짜 백만 분의 일 확률로 재수 없는 경우예요!"

사람들이 달려왔다. 어떤 이는 살충제를, 또 어떤 이는 소화기를 뿌렸다. 소용없었다. 알아볼 수 없을 정도로 얼굴과 손이 퉁퉁 부은 채보서는 숨이 끊어졌다. 주생은 교도소 담벼락에 등을 기댄 채 무너지듯 주저앉았다. 벌집에 몸을 감고 있던 검은 뱀이 차창 밖으로 기어가 자취를 감췄다.

*

사무실에서 전화가 걸려 왔다. 교대 시간이 다 됐는데 왜 들어오지 않느냐는 당직 계장의 노한 음성이었다.

"사고 소식은 우리도 알아! 그거 구경하느라 늦은 거야?"

"그게 아니라……."

"왜, 죽은 사람하고 알기라도 해?"

"아닙니다."

"그럼, 빨리 근무 들어가. 이성제가 단단히 화났어."

"알겠습니다."

민원실 직원들이 신고했지만 아직 경찰은 오지 않았다. 주생과 채보서의 대화를 목격한 이는 아무도 없었다. 이번에도 주생은 별다른 의혹을 받지 않았다. 뭔가 이상했다. 인간의 능력을 초월한 손길이 자신을 돕는 것 같았다. 그는 참담한 심정으로 근무지로 향했다. 김만식이 기다리고 있을 2동은 컴컴했다. 주생의 내면도 컴컴했다. 어제까지 그를 잠식하던 현실의 공포보다 더 무서운 초현실의 공포 때문이었다.

"왜 이리 늦게 왔어? 한 번도 안 그러더니?"

전임 근무자 이성제가 짜증을 내다가 주생을 살폈다.

"얼굴이 왜 그래?"

"방금 사람이 죽었어."

"뭐? 사람이 죽었다고?"

"민원실 앞 나무에 말벌집이 있는데 그게 지나가는 차 안에 떨어졌어."

"아이구, 세상에. 벌에 쏘여 죽은 거야?"

"그래, 경찰도 오고 있어."

주생이 자포자기한 음성으로 대꾸했다.

"이거 구경 가야겠네. 난 또 김만식 때문에 그런 줄 알았지."

"김만식이 왜?"

"왜긴 왜야? 직원들 괴롭히기로 유명한 놈이잖아. 아, 그런 인간이 오늘은 하루 종일 말을 안 해."

"김만식이 무게 잡는 게 하루이틀이야?"

"이번엔 좀 이상해. 계속 쇠창살에 기댄 채 바깥만 바라보는데 부르면 깜짝깜짝 놀라거든."

"혹시 누가 자기를 스토킹한다는 소리 같은 거 안 했어?"

"아니, 아무 말도 없었는데?"

"나무 위에 귀신이 나온다는 소리도 없었어?"

"무슨 헛소리야?"

이성제가 눈살을 찌푸리자 주생은 더 이상 묻지 않았다. 인수인계를 마친 이성제가 나가자마자 주생은 김만식이 있는 18실로 걸어갔다. 걷는 동안 참혹하게 훼손된 고수애와 정미정과 채보서의 시체가 머릿속을 스쳐 지나갔다. 18실까지 온 주생은 김만식이 쇠창살을 잡고 바깥을 향해 구부정히 서 있는 모습을 보았다.

주생이 손가락으로 문을 톡톡 두드렸다. 돌아보는 김만식 얼굴에 식은땀이 가득했다. 며칠을 못 잔 사람처럼 눈도 움푹 파였다.

“김 전무 만났어요. 우럭 찾은 거 알죠?”

김만식은 답 없이 주생을 쳐다보기만 했다.

“왜 그래요?”

“저기.”

그가 가리킨 것은 창살 밖 20여 미터 거리에 있는 미루나무였다.

“밤만 되면 저기 나무에 올라 나를 쳐다보는 남자가 있어.”

“무슨 소리예요. 저렇게 높은 나무에 어떻게 사람이 올라가요? 그보다 우럭이…….”

“있다니까! 매일 쳐다봐!”

“김 전무한테 대충 들었어요. 난 아닙니다.”

“네가 아닌 거 알아. 좀 막아줘.”

“일과 종료 후에 교도소 입구는 봉쇄되고 외부 초소에선 아무도 못 들어오게 막아요. 그런데 어떻게 저기 사람이 있단 말이에요?"

"점점 거리가 가까워져! 오늘 새벽엔 이 앞까지 왔어!"

김만식이 겁에 질린 얼굴로 쇠창살을 가리켰다.

"첨엔 저기 나뭇가지 위에 서 있다가 다음엔 내려왔어. 그다음엔 저기 중간까지 오다가 오늘 새벽엔 창살을 붙잡고 내게 얼굴을 들이밀었어."

"꿈 꾼 거겠죠."

"꿈 아냐!"

"어떻게 생겼는데요?"

"검은 옷을 입었어. 그런데 속살이 비쳤어. 온통 문신투성이야. 그리고 마스크를 썼어."

"문신? 마스크?"

"마스크 네 개를 썼어. 입에 하나, 눈에 하나. 그리고 뒤통수에도 두 개. 마스크 위에는 사인펜으로 눈하고 입을 그렸어. 웃는 얼굴이야. 무서워! 너무 무섭게 생겼어!"

"진정해요."

"손에는 캠코더를 들고 있어."

"캠코더요?"

"그래. 슬그머니 다가와 나를 막 찍어대."

비디오비전을 떠올린 주생이 소스라치게 놀랐다.

"직원들을 부르지 그랬어요?"

"소용없어. 그자가 올 때마다 가위가 눌려. 손가락 하나 까딱 못 해."

얼굴을 가린 마스크에 눈과 입을 그린 사람이 가위 눌린 김만식에게 캠코더를 들이미는 광경을 상상하자 기분이 좋지 않았다.

김만식은 완전한 노이로제 환자의 모습이었다.

"어떻게 저 높은 나무 위까지 올라갈 수 있지? 또 어떻게 사라졌다가 이 앞까지 다가올 수 있지? 내 눈에만 보이는 모양이야. 못 오게 해. 제발 못 오게 해줘! 저승사자인지도 몰라!"

"어떤 문신인지 봤어요?"

"한문이었어. 온몸에 한자가 가득해."

"태양은? 태양 같은 표시는 없었어요?"

"몰라! 나 좀 어떻게 해달라니까!"

주생은 김만식이 가리킨 곳을 보았다. 커다란 미루나무 잎이 바람에 흔들렸다. 목이 돌아간 우럭을 찍은 것도 저화질의 캠코더였다. 채보서를 죽인 벌집도 저 나무 위에서 떨어졌다.

"우럭이 죽었어요. 가루는 우럭이 다 빨아들였고."

"나도 알아. 그것도 그 마스크 놈 짓이야. 그 가루는 내게 건넬 가루가 아니야. 훨씬 무서운 아프리카 마약이지. 그자가 꿈에 나와 자기가 찍은 걸 비디오로 틀어줬어. 우럭은 그자 때문에 목이 돌아간 거야. 나보고 그랬어. 다음 차례는 김만식이 너라고."

김만식의 눈에 핏발이 섰다. 약을 한 것처럼 행동이 이상했다.

"하주생 주임님!"

수용동 입구에서 누군가 불렀다. 신규 직원 이탁이었다. 주생은 즉시 김만식과 거리를 두었다.

"하주생 주임님, 지금 즉시 보안과로 오시랍니다."

"왜?"

"경찰들이 왔는데 물어볼 게 있답니다."

김만식의 얼굴이 노래졌다.

"무슨 짓을 한 거야?"

"걱정 마요. 우럭하고 상관없는 거니까."

"날 두고 가지 마! 하 주임! 나한테 무슨 일이 일어날 것 같아! 이제 안 괴롭힐 테니까 날 좀 지켜줘."

"진정하고 기다려요. 멀리 안 가요. 민원인이 벌에 쏘여 죽어서 그거 조사하러 가는 거니까."

"그냥 여기 있으면 안 돼? 그자가 또 올 것 같아."

"정신 좀 차려요! 왜 이래요 대체! 사람들이 보고 있는데!"

주생이 목소리를 죽여 쏘아붙였다. 김만식이 창살에서 물러섰다. 극도의 공포에 질려 있었다. 주생은 밖을 향해 서둘러 걸어갔다. 1실에서 누군가 벌떡 일어나 창살을 붙잡았다. 귀 옆에만 머리칼이 약간 남아 있고 뾰족한 이빨이 솟아난 대머리 마귀였다. 나한이라 불리는 대머리 마귀가 켈켈켈 웃자 주생은 머리칼이 쭈뼛 곤두섰다.

"빨리 와! 그자가 또 올까 봐 무서워……."

18실에 있는 김만식의 고함에 주생은 화들짝 놀라 제정신을 차렸다. 창살을 잡은 채 웃고 있는 사람은 오태하였다.

"나쁜 짓 하면 지옥 가! 천당 못 가!"

주생은 평소 오태하가 밤에 잠을 잘 자지 않는다는 사실을 기억해냈다.

"너 저 나무 알지? 혹시 밤에 저기 나무 위에 있는 사람 본 적 있어?"

"있어."

"봤어?"

"있어."

"봤냐고?"

"있어. 근데 아는 척하면 안 돼. 본 척 해도 안 돼."

갑자기 오태하가 울먹거리면서 등을 돌렸다. 야단맞는 어린 아이처럼 눈치를 살폈다. 주생은 이탁에게 18실 김만식을 잘 지켜보라고 말한 뒤 밖으로 나왔다.

*

경찰은 사고 현장을 조사하고, 119 구급대원들은 채보서의 시신을 수습했다. 순경이 사고 현장에 있던 목격자 진술 때문에 불렀다고 친절하게 설명했다. 주생과 채보서가 꽤 오랜 시간 주차장에서 대화를 나눈 광경은 아무도 보지 못한 모양이었다.

"사망 원인이 뭡니까?"

"뭐긴 뭐예요. 신께서 데려가신 거지."

"신요?"

"인명은 재천 아닙니까?"

순간 경찰의 마스크 끈이 툭 떨어졌다. 순찰차로 돌아간 그는 새 마스크를 바꾸어 썼다. [메리고라운드]라는 상표가 화려했다. 주생이 물었다.

"혹시 누가 저 나무를 발로 차거나 일부러 벌집을 떨어뜨린 건 아닐까요?"

"추리소설도 아니고, 현실에선 절대 일어날 수 없는 일이죠."

성격이 낙천적인지 경찰은 시체를 앞에 두고도 희희낙락했다. 사고는 우연한 비극으로 결론지어졌다. 꿀을 탐내는 뱀이 세상에 있냐고 주생은 물었다. 경찰은 아마 벌집 너머에 새집이 있었을 것이고 뱀의 목적지는 그곳인데 벌집을 건드리는 바람에 같이 추락한 게 아니겠냐고 답했다. 재수 없는 것은 그 아래를 지나던 사람인데 차창만 닫았어도 피할 수 있는 변이었다, 그러니 인명이 재천 아니겠냐고 말했다.

코앞에서 세 사람이 죽었어도 주생은 의심받지 않았다. 마치 서진이 자신을 괴롭히던 민규의 아랫도리를 잡고 산 아래로 날려버렸을 때처럼. 그때도 주생에게 책임을 묻는 이는 아무도 없었다. 주생이 손가락으로 머리를 북북 긁자, 곁에 있던 경찰이 이상하게 바라보았다.

주생은 루게릭병을 앓던 지원을 떠올렸다. 고모마저 죽었으니 돌봐줄 사람이 있을까. 주머니에서 핸드폰이 울어댔다. 이종하 대표였는데, 평소의 그답지 않은 빠른 음성이었다.

"석도신애 편집장이 전화를 안 받아요. 혹시 주생 씨한테 연락 한 적 없어요?"

나름 친분의 표시인지 그는 하 교위 대신 이름을 불렀다. 끼익끼익, 하는 소리가 들려왔다.

"아뇨. 무슨 일이 있습니까?"

"오늘 아침 편집부 직원의 전화를 받았는데 신애가 목과 머리가 아프고 열이 40도까지 오른다고 했대요. 코로나 확진인가 봐요."

"어디서 감염되었나 보죠."

"근데 전화를 안 받아요. 문자가 두 통 왔는데 하나는 문신이 가득한 사람이 따라오는 꿈 얘기를 했어요. 그 꿈을 꾸고 나서 열이 오르고 몸이 아프다는 문자였어요. 꿈 속 장소는 우리가 처음 만났던 다홍 구치소 민원실 앞에 있는 나무라고 했어요. 또 다른 문자는 우리가 책으로 내지 말아야 할 작품을 내고 말았다는 이상한 내용이었어요. 그 뒤로 계속 연락이 안 돼요."

"문신 가득한 사람요? 여기 민원실요?"

마른침이 주생의 식도로 넘어갔다.

"내 다리가 부러진 것도 그렇고 솔직히 『단죄의 신들』 때문에 좀 불길한 예감이 들어요."

통화 사이 끼익끼익, 하는 불쾌한 소리가 계속 들려왔다. 주생의 심장에서도 비슷한 소리가 들리는 것 같았다.

"서진이는 나타났나요?"

"반야심 작가요? 아직요. 어디서 최종 퇴고하고 있을 텐데 여전히 전화길 꺼놨어요."

주생이 통화하는 동안에도 경찰과 구급대원이 분주하게 시신을 처리하고 있었다. 커다랗게 뜬 채보서의 눈이 자신을 향한 것 같아 주생은 등을 돌렸다.

"소설은 이쯤에서 그만두시는 게 어떻습니까?"

"같은 생각이에요. 이번 3부작만 완성되면 공포소설은 당분간 거리를 둬야겠어요."

3부작 완성이 아니라 지금 당장 그만두라고! 사람이 죽어나가잖아!

계속되는 끼익끼익 소리가 신경에 거슬렸다.

"이게 무슨 소리죠?"

"아, 미안해요. 표주박으로 지압을 하던 중이에요. 이상해요, 발이 낫질 않아요. 분명 의사가 금방 괜찮아진다고 했는데 더 아파요. 혹시 신애한테서 연락 오면 나한테 꼭 알려줘요."

주생은 머리칼이 헝클어지도록 손톱으로 마구 긁었다. 민원실 직원이 주생을 향해 달려왔다.

"하 주임, 큰일 났다! 니 근무지의 김만식이 죽었단다!"

"뭐? 김만식이 왜 죽어!"

"자살인가 봐. 빨리 가봐."

이종하의 여보세요 여보세요, 하는 소리도 무시한 채 주생은 근무지로 달려갔다.

*

두 평 남짓한 2하 18실의 벽과 바닥이 온통 피로 얼룩졌다. 주생이 도착했을 때 김만식의 호흡은 잦아들고 있었다. 동맥출혈이어서 심장이 박동하는 대로 피가 거세게 뿜어져 나왔다. 피바다 위에 누워 있는 김만식은 머리부터 발끝까지 붉게 채색되었다. 교도관들이 출동해 지혈을 했지만 소용없었다. 성기가 잘려 있었는데 그곳의 출혈이 가장 심했다. 지옥 그림이 연상되는 광경이었다. 분주히 움직이는 교도관들은 삼지창 든 마귀들이고 누워있는 김만식은 벌거숭이 죄인처럼 보였다. 연상은 금세 익숙한 환영으로 변했다. 죽은 이를 둘러싸고 키득거리는 마귀들 중 이쪽을 돌아보는 마귀 하나가 있었다. 길쭉한 어금니를 드러낸 채 히죽 웃는 그 마귀의 손에는 아직도 진득한 핏방울이 떨어지는 김만식의 성기가 쥐어 있었다. 마귀는 감방 벽에다 성기를 갖다 대고 붓처럼 휘둘렀다.

보안과장의 고함이 환영을 사라지게 했다.

"이 새끼! 신규 교도 놈이 근무는 안 서고 졸아? 사람이 목숨을 끊었는데도 모르고 있어?"

주생을 대신해 잠시 근무를 했던 교도관 이탁은 겁에 질려 울고 있었다.

"과장님, 제가 자려고 했던 게 아니고요. 그게…… 저도 모르게 저절로 잠이 들었어요."

"중징계 각오하고 있어! 야! 지금 밖에 민간인 사고당해 구급차 와 있다. 김만식이도 일단 거기 태우자! 빨리 움직여! 그리고 몇 명 차출해서 저 미루나무 쪽부터 창살 아래까지 싹 다 수색해. 스스로 거시기를 끊어 저기로 던진 모양이니까."

김만식은 푸른색 관용 모포를 벌겋게 물들이며 피칠갑이 된 사람들에게 운반되었다. 방에는 그가 스스로를 찌른 10센티미터 가량의 굵은 철사가 뒹굴고 있었다. 벽에는 피로 쓴 글자가 선명했다.

'너의 죄를 고하라. 대오하고 각성한 후 무화를 받아들여라.'

똑같은 반복이었다. 이번에도 사람이 죽었지만 주생은 책임질 일에서 해방되었다. 파면까지 각오해야 할 중징계는 신규 직원 이탁이 지게 될 것이었다. 그를 야금야금 갉아먹던 커넥션은 이로써 끝났다. 그를 협박했던 수괴는 완벽하게 제거된 것이다. 모두가 김만식의 죽음을 자살이라고 서둘러 결론지었다. 하지만 주생은 다리에 힘이 풀려 주저앉았다.

'난 일선제력이 아니야. 마스크 쓴 문신자를 찾아야 해. 그놈일 거야.'

환영처럼 등 뒤에서 서진이 스르르 나타났다. 이상한 표식을 화상으로 감춘 사촌누나의 팔이 주생의 목을 감싸 안았다.

'네 운명을 거부하지 마. 우린 열심히 살아왔잖아. 근데 주변에서 우릴 가만두지 않으니 어쩌겠니? 우리도 순리에 따라야지, 안 그래, 주생아?'

주생은 숨을 몰아쉬며 김만식의 피로 붉게 얼룩진 거울을 바라보았다. 거기 비친 것은 굴절된 자신의 얼굴이었다.

8

1857년

"보았느냐 아이야? 너는 팔을 얻었지만 네 아내는 팔을 잃었다. 이것이 대척이니라. 모든 사물에는 바른 것(正)이 있고 그릇된 것(反)이 있다. 하지만 이 명제는 완벽하지 않다. 누군가에겐 그릇된 일이 다른 이에겐 바른 일이 될 수도 있기 때문이다. 선과 악의 구별이 없고 주관과 객관의 구분이 없다. 오직 둘 간의 대척이 있을 뿐이다. 하지만 이 대척이 하나로 합쳐지는 일은 결코 없다. 합쳐짐은 신이 만들어놓은 무한의 진리를 부정하는 것이기 때문이다."

범천존자 일선제력이 지상을 내려다보았다. 땅바닥에 앉은 이합정은 나약한 인간의 얼굴로 신을 올려다보았다. 한 팔을 잃은 초아는 남편의 두 팔에 안긴 채 누워 고통스럽게 몸부림치고 있었다. 이합정의 눈에서 눈물이 흘러내렸다.

"이 마귀들아, 내 아내의 팔을 어떻게 했느냐!"

"천지신명을 마귀라 칭하는 아이야. 네 마음의 거울이 뿌옇구나. 닦지 않으면 더럽혀지는 것이 네 마음이다. 새 팔을 가지게 될 때도 그런 마음이 네 거울에 비쳤더냐?"

삼도천녀 월선제력의 설법에 이합정이 무릎을 꿇었다. 이 모습은 이적(異蹟)*에 충격받은 유중활과 군사들의 사기를 바닥까지 떨어뜨렸다.

"아내의 팔을 돌려주십시오."

"이제야 신도(神道)를 믿겠느냐?"

"믿습니다."

"모든 것은 대척 안에서 돌고 도는 것이다. 대척의 진리를 믿겠느냐?"

"믿습니다."

"그렇다면 네 아내의 팔이 부활하려면 어떻게 해야 하겠느냐?"

"대척의 지론대로 제 팔을 바쳐야 할 것입니다."

"그렇다! 네 아내의 팔을 되돌리는 대신 너는 새로 얻은 팔을 잃게 된다. 그래도 좋겠느냐?"

이합정이 고개를 들었다. 고통 가득한 표정에 고뇌가 가득했다. 신음을 멈춘 초아도 지아비의 얼굴을 바라보았다. 두 사

* 기이한 행적.

람의 눈이 마주쳤다. 일선제력이 창으로 땅을 찍었다.

"번뇌가 너를 놓아주지 않느냐?"

이합정은 자신의 팔을 내려다보았다. 남아로 태어나 입신양명을 향해 내달린 세월 동안 그의 팔은 훌륭한 아군이자, 배신하지 않는 충신 역할을 해왔다. 한 팔을 잃었을 때 오직 전진밖에 없던 이합정의 무용(武勇)은 꺾였고 그와 더불어 야심도 꺾였다. 이제 신의 법력으로 잃었던 팔을 찾았다. 두 개의 팔은 대척이 아닌 화합으로 삶의 목표란 불씨에 다시금 불을 지필 것이다. 그러나 꿀물이 입에 떨어지기 직전, 신은 또 다른 시험을 던졌다.

"왜 대답이 없느냐?"

이번엔 월선제력이 질문을 던졌다. 대답을 머뭇거리는 남편의 모습에 초아의 표정에도 보이지 않는 변화가 일어났다. 그것은 적장의 목을 베고 귀환한 장수가 열리지 않는 성문을 맞닥뜨릴 때와 비슷했다. 월선제력이 미소를 머금었다.

"문제를 내는 것은 신이다. 그렇지만 답하는 것은 바로 너희 인간이다."

이합정이 간신히 답했다.

"다시 제 팔을 거두어 가주십시오."

"그게 너의 진심이더냐?"

"그렇습니다. 이 몸은 대척의 설법을 득음한 것에 만족하오이다."

이합정이 고개를 끄덕였다. 초아가 그런 남편의 얼굴을 복잡한 심정으로 바라보았다. 이합정도 초아를 바라보았다. 초아가 아무도 모를 눈짓을 남편에게 살짝 던졌다.

2022년

다음 날, 교도관의 부실한 근무로 자살을 막지 못한 다흥 구치지소는 시끄러웠다. 죽은 사람이 정계의 부정한 권력과 연결된 건설시공업체의 거물이었기 때문이다. 기자들이 몰려들었고, 김만식의 수하들이 교도소 바깥에서 행패를 부렸다. 주생의 내면은 점점 황폐해지고 있었다. 교대를 왔던 신규 직원 이탁이 모든 악운을 뒤집어썼지만 주생이 김만식의 죽음에 일종의 쾌감을 느낀 것은 사실이었다. 김만식은 주생의 현실을 위협하는 협박자였다. 주생의 이기심은 신규 직원의 징계에 대한 걱정이 아닌 김 전무의 보복에 대한 두려움으로 더 쏠렸다. 그는 인터넷을 통해 방검복(防劍服)을 주문했고 원래부터 갖고 있던 가스총의 탄도 추가로 구했다. 손목을 자른다는 김 전무의 말이 귀를 떠나지 않았다.

돈만이 이 시대의 신이라 생각해왔던 주생의 가치관이 흔들렸다. 이제 서진의 정체도, 아버지의 정체도, 출가한 할아버지마저 단순한 미스터리로 다가오지 않았다. 가족이야말로 어쩌면 가장 무서운 존재였다. 혈연이라는 피의 끈은, 잘라내면 터지고 분출해 모두가 핏물을 뒤집어쓰게 되는 끔찍한 것일지도 몰랐다.

자신을 버렸던, 만나기 싫은 할아버지가 아무도 모를 비밀을 알고 있을지도 모른다. 퇴근한 주생은 할아버지가 기거하는 울산의 사찰로 전화를 걸었다.

"저는 하주생이란 사람인데 길윤 스님의 손자입니다. 물론 출가하시기 전의 인연이지요. 집안일로 반드시 통화해야 할 일이 생겼습니다. 속세의 모든 인연을 끊으셨다 들었지만 급한 일이 생겼으니 제 연락처로 꼭 전화달라고 해주실 순 없겠습니까? 아니, 제가 직접 찾아뵙겠습니다. 꼭 한 번만 만나게 해달라고 말씀 좀 전해주십시오."

"그렇잖아도 큰스님께서 손자 되시는 분의 연락이 조만간 올지 모른다고 말씀하셨답니다. 저희도 연락드리려 했지만 선생님 전화번호를 몰랐습니다."

"그랬습니까?"

"예. 그런데 그사이 마음 준비를 하고 들으셔야 할 일이 생겼습니다. 나무관세음보살."

"마음 준비라뇨?"

"스님께서 이틀 전 새벽에 뇌졸중으로 쓰러지셨습니다."

"할아버지가 쓰러지셨다구요?"

"나무관세음보살. 그렇습니다. 의식을 찾지 못해 중환자실에 계십니다. 병실을 알려드릴 테니 방문하도록 하십시오."

주생은 눈앞이 캄캄했다. 왜 고수애, 정미정, 우럭, 김만식이 죽은 이 시기에 쓰러지셨단 말인가?

*

울산으로 차를 몰면서 주생은 석도신애에게 전화를 걸었다. 신호만 갈 뿐 받지 않았다. 문자를 보내도 답이 없었다. 이종하 대표도 마찬가지였다. 마지막으로 서진의 전화번호, 즉 김순심에게 걸었지만 전원이 꺼져 있어 음성메시지를 남겼다.

"서진아, 나 주생이다. 잘 지냈니? 이 메시지 들으면 내게 전화 좀 줘. 급한 일이다. 꼭, 알았지?"

주생은 숨을 크게 몰아쉬고 김 전무에게 전화를 걸었다. 나름 연습을 했지만 자신의 해명을 믿어줄 것 같지 않았다. 놈이 제2의 김만식이 될 수도 있다는 생각에 두려웠다. 하지만 그런 김 전무조차 연락이 되지 않았다.

'나만 빼놓고 모두가 짠 것 같네.'

아무도 그의 부름에 호응하지 않았다. 불길한 일이었다.

졸음운전 쉼터를 지나자마자 졸음이 몰려왔다. 잠을 쫓으며 한참을 달리자 고속도로 휴게소가 보였다. 휴게소에 차를 세우고 커피를 뽑아 온 주생은 『단죄의 신들』 뉴스를 검색하다가 '민속학자'가 썼던 댓글을 기억해냈다. 비밀 댓글은 길었다. 주생은 시트를 뒤로 눕히고 글을 읽기 시작했다.

ID '고문관' 님의 질문에 관한 답변입니다.

오성교는 외형상 불교를 흉내 낸 사교이자, 교묘히 꾸며낸 말로 조선 사회를 어지럽혔던 거짓 종교입니다. 165년을 주기로 그들의 신이 재림한다고 하니 정확한 시초는 삼국시대인지 고려시대인지 저도 잘 모르겠습니다. 165년 주기에 관한 설명은 뒤에 다시 하겠습니다.

문서로 전해지진 않지만 오성교의 교세가 조선 후기에 가장 왕성했다는 것은 관련 학자들에게는 은밀히 전해져온 사실입니다. 왜 기록으로 남지 않았냐면 사악하고 잔혹한 교리와 포교로 인해 많은 사람들이 죽거나 다쳐 조정에서도 뿌리 뽑을 필요가 있다고 판단했기 때문입니다. 실제로 인터넷으로 검색해도 오성교에 관한 정보가 부족한 이유가 바로 이것입니다.

조선 후기에 토포사 유중활이 군사를 이끌고 고초굴이란 비밀 집회 장소를 급습했습니다. 이 동굴이 알 수 없는 이유로 붕괴되어 관군과 사교의 무리들이 다 함께 묻혀 죽었습니다. 그 후 교단에 관한 소식은 끊어졌습니다만 교리를 숭앙하는 자들은 현재까지도 곳곳에 남아 있습니다. 그들은 아까시나무처럼 생명력 강하고 번식력이 강해 언젠가 큰 화근이 될 가능성이 있습니다.

오성교의 교리부터 간단히 살펴보면, 오성은 나를 깨닫는다는 의미입니다. 이 깨달음은 전생과 현생의 업보를 지고 태어난 인간에게 '사람은 모두가 죄인이며 이 죄를 깨달아야 한다'라는 대전제와 연결됩니다. 불교에서 사람은 욕망, 화, 어리석음 같은 번뇌와 전·현생의 업에 구속되어 있는데 이로부터 해방하는 것을 구원으로 보고 있습니다. 즉, 번뇌의 속박을 떠나무애자재(無礙自在)의 깨달음을 얻는 '해탈'이 궁극의 경지인 것이지요.

오성교의 교리 역시 지금까지의 업을 없애고 새로운 업을 짓지 않겠다는 불교의 업장소멸(業障消滅)과도 비슷하지만, 업을 벗어나는 궁극의 득도가 죽음이라는 점이 다릅니다. 일종의 속죄인 '죽음'이 그들이 내세우는 최고의 경지입니다. 그들은 이 죽음의 경지를 모든 대척에서 해방되는 상태, 즉 무화라고 일컫습니다.

그럼 대척(對蹠)이란 무엇이냐?

종교적 윤리로 오성교는 '정반대'라는 이론을 내세우고 있습니다. 세상 모든 사물, 성질, 환경은 이분화되어 있고 영원한 합치라는 건 없으며, 인간은 결코 여기서 자유로울 수 없다는 이론입니다. 생과 사, 햇볕과 그늘, 부자와 빈자, 남자와 여자, 하늘과 땅, 희망과 절망, 불과 물, 고통과 안락, 배고픔과 배부름, 소리와 침묵, 사랑과 증오, 이해와 몰이해, 협동과 독단 등등 세상 모든 원리에는 합쳐지지 않고 반대되는 두 가지가 있고, 하나가 옳을 때도 하나는 틀리며, 선으로 보이는 일도 누군가에겐 악으로 보인다는 상반(相反)의 이치가 대척입니다.

가령 우리가 화분에 물을 주면 식물은 살지만 흙 속에는 물 때문에 숨이 막혀 죽는 작은 생물이 있고, 맹수를 쏘아 죽여 사람을 구하는 선덕도 다르게 보면 그 맹수의 자연스러운 삶을 끊는 악덕이 됩니다.

불교에서 보는 이 세상의 관계는 이것이 생하면 저것이 생하고 이것이 멸하면 저것도 멸한다는 연기(緣起)입니다. 원인이 있으면 결과가 있다는 인연(因緣)이죠. 사람이 자라는 건 태어남이 우선하고, 열매가 맺히는 건 씨앗이 있어서입니다. 불가에서 보는 만물의 인과관계는 상호의 의존인 것입니다.

인과 연을 무시하고 상호작용을 부정하며 물과 기름 같은 대척만을 내세우는 오성교는 이 세상의 모든 것을 '어쩔 수 없이 주어진 것'으로 간주합니다. 이 주어진 것들은 반대를 찾아 움직이는데, 주어진 것들이 내던져진 '곳'은 우리가 사는 '삶' 속이며 이 삶의 대척점은 죽음이니 죽음만이 '무화의 극락'이요, '속죄의 궁극 지점'이란 논법에 의해 '지옥'이 그들이 지향하는 천국이 됩니다. 지옥은 죄인들이 가는 공간이니 '삶을 사는 우리'는 '지옥 속의 죄인'이라는 그들만의 공식이 성립되는 거죠. 다시 말해 살아가는 일 자체가 죄악이며, 이 죄악들이 상호작용하는 세상에서 절대적인 합치란 없으니, 삶의 대척인 죽음으로 가자고 주장하는 염세적 세계관의 종교가 오성교인 것입니다. 무화에선 그 어떤 불합치도 없으며 무한 속에서 절대적 영생을 누릴 수 있다고 경전은 가르치고 있죠.

제 생각에 현대 문명사회에서 『단죄의 신들』 같은 책이 큰 인기를 얻는 이유도 소통보다 그 대척인 불통이 커지는 시대적 흐름과 연관이 있다고 봅니다. 무화를 혼돈의 답안으로 제시하고 그게 먹혀들어가기 때문이겠죠.

오성교가 떠받들어 모시는 신은 남녀 대칙의 모습을 띤 두 명의 신입니다. 여자인 삼도천녀 월선제력, 남자인 범천존자 일선제력이 그들입니다. 제력(帝力)이란 명칭은 불신(佛神)인 제석(帝釋)의 이름을 교묘히 바꾼 것입니다. 사람이 죽어 저승으로 가는 삼도천, 사바세계의 보호 신으로 숭앙받는 범천왕의 이름을 조금씩 바꾸어 그 앞에 갖다 붙인 것도 불교적입니다.

아마도 오성교의 신이라 추앙받는 최초의 남녀가 한때 불법에 의지했던 자들이 아닐까 생각되는데, 독자적인 이론을 내세워 정교에서 이탈해 이단을 설립한 자들이라고 보는 학자들도 있습니다. 조선 후기에 이 두 신적 존재를 목격한 사람이 생각보다 많다고 전해지고 있습니다. 당시 무시할 수 없을 정도의 교세 확장은 이들 두 존재가 보였던 신통력과 연관이 있습니다. 일선제력, 월선제력은 불구자의 잘려진 팔을 새로 돋게 하고, 자신들을 믿지 않는 이의 머리를 손도 대지 않은 채 거꾸로 돌려버렸다는 일화가 있습니다. 이 같은 이적이 두 사람을 신격화하는 데 공헌했음은 두말할 나위도 없겠지요. 저는 사기라고 믿습니다만.

오성교의 본산지는 정해진 곳이 없었습니다. 전국 어디든 은밀한 동굴 같은 곳에 있어왔고 각 장소마다 신도들이 모여 의식을 치렀습니다. 여러 본산지 중에 두 신이 재림지로 선택하면 그곳은 오성교의 성지가 되었습니다. 재미있는 점은 교주와 신도들이 이 본산지 모두를 공히 지옥의 형상으로 구현했다는 점입니다. 불교의 탱화에서 한 번쯤 팔열팔한 지옥을 보신 적이 있을 겁니다. 그림 속 온갖 마귀들이 사람들을 잡아 찌르고 베고 끓이고 끌고 다니며 형벌을 가하는 그림 말이지요. 오성교 추종자들은 그 그림과 완전히 똑같은 지옥을 은밀한 장소에 구현한 뒤 사화사빙(四火四氷) 지옥으로 표현하고 신도들을 도깨비로 분장시켰습니다. 그리고 무화를 위해 속죄시킨다는 명목과 오성교의 신들께 혼백을 보낸다는 명분으로 모인 사람들을 죽였습니다. 여기서 사이비에 관한 질문을 하지 않을 수 없는 게, 삶의 최고 대척점인 죽음을 선택하는 길이 왜 고문당하고 처형받는 것이란 말입니까? 이게 말이 된다고 보십니까? 그런데 이런 사이비 중의 사이비 같은 믿음에 왜 그토록 많은 사람들이 기꺼이 목숨을 던졌던 것일까요?

지옥이 뭘까요? 지옥의 의미는 다른 것이 아닙니다. 아무도 겪어보지 못한 곳이 바로 지옥이란 곳입니다. 사는 게 지옥 같다, 그 고통은 지옥 그 자체다, 라는 표현은 많아도 실제로는 그 누구도 겪어보지 못한 곳이 지옥입니다. 즉, 실제로 있는지도 없는지도 모르는 곳이 바로 천국이요, 지옥입니다. 겪어보지 못한 그 공간을 고대 불교에서는 왜 탱화로 남겼겠습니까? 죄를 지으면 이런 곳에 떨어진다는 무서운 광경에 겁을 먹게 해 삶에 대한 애착을 갖게 하는 것 아니겠습니까? 남을 해치거나, 부모나 아이를 버리거나, 말 못하는 짐승을 살생하는 등 죄를 짓지 않게 하려는 예방책이 지옥의 모습 아니겠습니까? 이것이야말로 실제로 무서운 처형을 하고자 하는 것이 아닌, 죄

짓지 아니하는 대자대비한 세상을 이룩하려는 불교의 거룩한 가르침인 것이지요.

하지만 오성교의 지옥은 죄지은 자를 처단하기 위해 인위적으로 만든 처형장입니다. 지옥의 대척은 극락이니, 죽음에 처한 신도는 지옥을 지키는 마귀들에게 죽임당하면서 동시에 극락 승천하는 것입니다. 무화로 갈 수 있다는 광신적인 믿음을 위해 이들은 희귀한 마약을 이용했습니다. 어떻게 우리나라에 들어왔는지는 모르지만 아프리카 대륙에서 들여온 피아초(彼我草, Iotubis)가 당시 오성교 집단의 관리 아래 몰래 재배되었습니다. 극단적 환각과 초월적 쾌락을 준다고 알려진 독초는 이 세상 너머의 비경을 볼 수 있다는 소문으로 사람들의 귀를 솔깃하게 했습니다. 환각의 효과가 지나칠 정도로 강렬해 한 번 중독되면 창칼에 난도질당해도 신비한 쾌감으로 느끼고 몸이 가루가 되어 떨어져 나가도 세상의 주인이 되는 기분에 빠져든다고 할 정도입니다. 이 쾌락은 짧고 유한한 것이 아니라 고문당하는 내내 길게, 매우 길게 이어집니다. 극도의 쾌락, 즉 극락을 위해 호기심 강한 사람들은 기꺼이 죽음을 받아들였습니다. 죄를 속죄한다는 허언을 내던지고 자신의 몸이 잘리고 끓여지는 것도 모른 채 죽음에 빠져든 그들은 마약에, 사이비 종교에 희생당한 것입니다. 오성교의 동굴에 멋도 모르고 따라갔다가 살아 돌아온 이들의 증언이 입소문을 더욱 자극했습니다. 피아초를 맛본 그들은 이 세상에서 겪을 수 없는 저세상의 광경, 그리고 탱화에서나 볼 수 있었던 마귀들의 풍경을 떠들어대 세상에 혼란을 가져왔습니다.

하지만 명심하세요. 그건 신이 자리하는 공간이 절대 아닙니다. 살인과 폭력에 미친 사이코 집단의 광란의 현장일 뿐입니다. 그 정도의 환각성 마약이라면 마귀로 변장한 사람이 실제 도깨비로 보이고, 법포(法布)를 두르고 색깔 나는 가루를 뿌려놓은 두 남녀가 신으로 보이는 것도 가능합니다. 팔을 잘랐다거나 목이 돌아갔다거나 하는 이야기도 허위가 분명합니다.

소설 『단죄의 신들』은 숨겨진 범죄 사실은 고스란히 빼고 오성교의 경전인 『오성밀법강령』에 나온 '죄 의식에서 죄 사함으로'의 진리만을 공포 스릴러의 소재로 이용하고 있습니다. 이런 싸구려 장르소설이 현대인의 의식을 장악하고 있으니 기가 찰 노릇이죠.

한 가지 신기한 건 명백한 사기인데 아직까지도 일선제력과 월선제력을 신으로 믿고 있는 이들이 많다는 점입니다. 전쟁이나 질병 등이 창궐할 때 이 두 이름은 자주 회자되었으며 나름의 신명을 획득했습니다. 불멸불사인 두 제력은 세월을 초월해 존재한다고 하는데 아까 말했듯 165년에 한 번씩 찾아온다고 일컬어지고 있습니다. 165는 69와 96을 더한 숫자입니다. 6과 9는 뒤집힌 형상으로 서로 대척인데 69와 96 또한 대척의 형상이지요. 69는 두 사람이 만나는 화합의 형상, 96은 서로가 등진 이별의 형상입니다. 화합과 이별도 대척이지요.

유중활이란 장수는 조선시대 병조에 소속된 관리였습니다. 교세가 커지던 1857년 조정은 유중활을 토포사로 앉혀 오성교를 일망타진하라고 밀명을 내립니다. 당시 경상도 섭주의 고초굴이란 동굴에 두 신이 재림했다는 첩보가 있었던 모양입니다. 억불의 시대이건만 전국 사찰에서 가려 뽑은 고승 500명도 이 작전에 동행했다고 합니다. 동굴이 왜 무너져 적군 아군 할 것 없이 전원 몰살당했는지는 모르지만 동굴 밖에 있던 생존자들 중 '윤회한다! 윤회한다!'라는 소리를 들었다는 사람이 한두 명이 아니라고 합니다. 그 윤회라는 예언 때문인지 오성교는 근절되지 못했고 조정의 눈을 피해 은밀히 교리가 이어졌습니다. 크게 약화되긴 했지만 전국 어디에나 고초굴이 생겨났습니다. 심지어 일본과 중국에도요. 누군가는 그 피아초를 지금까지도 몰래 재배했습니다.

올해가 2022년이니 그들이 주장하는 윤회 부활의 165년째 해이죠. 일선제력, 월선제력이 재림한다면 아마도 현대인의 모습으로 등장할 겁니다. 공무원, 연예인, 정치인, 사업가 등 어떤 모습으로도 변신이 가능하겠죠. 하지만 『단죄의 신들』 저자는 아닐 겁니다. 누군가 옛 경전을 읽은 사람이 소설적 플롯을 붙여 잡글을 쓴 것에 불과합니다. 그게 독자들에게 받아들여지는 게 신기하죠. 맛이 간 세상입니다. 어쩌면 작가와 출판사가 합작한 약아빠진 마케팅일지도 모르지요. 왜일까요? 정답은 하납니다.

돈을 벌기 위해서.

돈이야말로 현대의 신 아니겠습니까?

이걸 알아두세요. 165년 전 사교집단은 목적이 뚜렷했습니다. '살생하지 마라'는 불가의 가르침에 대척하는 '살생해라'.

아시겠죠? 사람을 죽이지 못해 몸이 근질근질한 사이코패스 집단일 뿐입니다. 뉴스 보면 아시겠지만 당분간 이 소설 때문에 폭력 사건은 더 늘어날 겁니다. 하지만 그 와중에 누군가는 또 돈을 벌겠죠.

독자들이 이런 걸 좀 알았으면 좋겠습니다. 고문관 님도 제 글에 뭔가 와닿는 게 있다면 하트나 날리는 대신 널리 널리 퍼뜨려서 사람들이 진실을 알게 해주십시오.

긴 글에 눈이 아팠다. 말이 민속학자이지 진짜 학자인지조차 알 수 없었다. 하지만 주생의 신경을 예리하게 긁는 문장이 있었다. 165년 전에 두 신이 출몰한 곳이 섭주라는 사실이었다. 서진이가 늘 피했고 결국은 끌려오고 만 섭주.

*

주생의 할아버지 길윤 스님은 아직도 의식을 찾지 못한 채 누워 있었다. 코로나 여파로 금지된 면회가 성사된 것은 주생이 존경받는 고승의 유일한 혈육이었기 때문이다. 의식불명 상태로 다른 스님들의 보살핌을 받는 할아버지가 주생은 야속했다. 할아버지는 그 옛날 가족을 버려둔 채 홀로 출가한 이기적인 사람이었다. 그러나 승복 대신 환자복을 입은 앙상한 노인을 보니 마음 한구석에 슬픈 감정이 이는 것을 어쩔 수 없었다. 혈육은 혈육이었다. 서진이를 마주하면 어떤 감정이 들지 알 수 없었다.

산소호흡기에 의지해 호흡은 규칙적이었으나 힘이 들어 보였다. 제행무상(諸行無常)의 진리가 이 안타까운 모습 하나로 구현되었지만, 후욱거리는 숨마다 가득한 건 탈속이 아닌 생의 한으로 느껴졌다. 주생이 그런 할아버지를 바라보고 있는데 마스크를 쓴 승려 하나가 합장을 했다.

"하주생 선생님이십니까? 저는 합화사 총무를 맡고 있는 영보라고 합니다."

주생도 합장을 했다.

"예. 대체 어떻게 된 일입니까?"

"평소 고혈압이 있어 약을 드셨는데 최근 들어 안색이 좋지 않고 무슨 걱정이 있는지 통 잠을 이루지 못하셨습니다. 천성이 부지런하여 새벽 예불 전에도 늘 명상을 하셨는데 그만 쓰러지신 것입니다."

"의식이 돌아올 가망은 없겠습니까?"

"예. 저희가 일찍 발견해 구급차로 모셔 왔음에도 회복이 어렵다 했습니다. 저희도 충격이 이만저만이 아닙니다."

"제 말이 이상하게 들릴지는 모르겠지만 혹시…… 누가 조부님을 괴롭히거나 하진 않았습니까? 가령 모습을 숨긴 채 따라다니거나."

영보는 어리둥절한 표정으로 주생을 바라보다가 말했다.

"큰스님께서는 팔십 평생 원한 살 만한 일을 하신 적이 없습니다. 큰스님을 살아 있는 부처님이라 여기는 불자들도 많습니다."

"아, 그렇군요. 제가 오해했습니다."

"제가 하 선생님께 방문해달라고 말씀드린 데는 이유가 있습니다. 큰스님께서 속세의 손자가 찾아오면 전하라고 한 물건이 있어서입니다. 우편으로 보내도 될 것을 그래도 큰스님 얼굴이라도 한번 보시는 게 도리일 것 같아서 부른 것입니다."

"잘하셨습니다. 제게 뭘 맡기셨나요?"

"함께 사찰로 가시지요."

주생은 할아버지의 얼굴을 마지막으로 보았다. 아버지에 관해 물어보고 싶은 게 많았는데. 왜 출가하셨는지 물어보고 싶은 게 많았는데. 승복 대신 환자복을 입은 할아버지는 존경받는 승려 대신 보호받아야 할 아이처럼 보였다.

의사와 간호사가 회진을 왔다. 간호사는 링거액을 점검하고 의사는 환자복 단추를 풀어 청진기를 들이댔다. 그때 주생은 할아버지의 몸에 난 화상 자국을 보았다. 한두 군데가 아니었다.

"스님, 할아버지 가슴이 왜 저렇지요?"

"원래부터 있던 것인데 저희도 잘 모르겠습니다. 언젠가 물어보니 번뇌를 태워 없앤 자국이라고 하셨습니다."

가까이 가서 확인하고 싶었지만 마스크를 쓴 의사와 간호사가 병실 밖으로 나가라는 손짓을 보냈다. 어쩔 수 없이 주생은 진심 어린 합장을 할아버지께 보내고 스님을 따라갔다.

사찰에 당도한 후 영보의 안내로 텅 빈 할아버지의 승방에 들어갔다. 청빈하고 정리 정돈이 잘되어 있는 방이었다. 컴퓨터나 텔레비전은 없었다. 작은 책상 하나와 공부하던 불경이 있을 뿐이었다. 몸이 불편했는지 지팡이 몇 개가 벽에 기대어 있었고 화장실도 딸려 있었다. 주생의 머릿속에 라이터 불빛 같은 것이 번쩍 스치고 지나갔다.

"이 방에 거울이 없고 화장실에도 거울이 없는데 모든 스님들 방이 다 이렇습니까?"

"아닙니다. 큰스님이 직접 방의 거울을 남김없이 치우셨습니다. 쳐다보면 허영심이 생긴다는 이유로요."

그렇지, 서진은 교도소에서 하루 종일 거울을 들여다봤지. 최 목사는 표식이 솟아오른 서진의 어깨에도 화상 자국이 있었다고 했고.

"큰스님께서 부탁하신 물건은 이 책입니다."

영보가 단단히 밀봉된 봉투를 건네준 뒤 합장하고 물러갔다. 뜯어보니 놀랍게도『오성밀법강령』과 두툼한 편지였다.

내 손자 주생이 보거라.

불법에 귀의한 지 어언 50년이 지났다. 네게 처음이자 마지막으로 남길 이 편지에 부처님의 가피가 아닌 마군의 기운만이 가득하여 미안하구나. 내가 태어나기 전부터 거부하지 못할 악연이 우리 가문에 내림했고 이 번뇌에서 벗어나기 위해

선 부처님께 귀의하는 것밖에 방법이 없었다. 무서운 재래(在來)를 피하고 싶어 후손을 버리고 책임에서 회피했으니 내 죄가 너무나도 크구나.

단도직입적으로 말하마.

우리 가문은 저주를 받았다.

우리 핏줄 중 선택받은 누군가는 일선제력과 월선제력이 재림할 운명을 타고났단다. 그들은 오성교라는 천년 믿음의 유이신(唯二神)이야. 외형이 비슷하지만 그들은 석가세존, 여래보살이 아니야. 그들의 설법도 불가의 말씀과 달라.

누구나 태어남을 선택할 수 없는 게 우리네 사람이다. 그들 두 악신은 우리 가문 악연의 호주(戶主)란다.

그들의 설법에 의하면 부처님은 그들의 '대척'이야. 정반대란 말이지. 그들은 대자대비가 아닌 무자무비로 불법을 농단해왔고 부처님의 극락정토를 살생의 지옥토로 바꿔놓았단다. 악덕의 근절 없는 윤회를 믿어 일체개공(一切皆空)*을 인정하지 않았고, 눈에 보이는 지옥을 만들어 멋대로 사람들을 심판했단다. 불교와 대척되는 믿음을 만들어 사람들을 속이고 희생시켜온 것이지.

지난 시대 나의 할아버지, 그러니까 네 고조부는 이 믿음에 크게 빠졌단다. 몰락한 한학자이자 보부상인이기도 했던 그분은 접장(接長)**이라는 위치를 이용해 신도를 포섭하고 교리를

* 모든 현상은 실체가 텅빈 것.

** 보부장의 우두머리.

정리하여 400명 신도를 오성교로 이끌어들였고 경상도 섭주 땅에 고초굴이란 성지까지 만들었다. 나라에서 금하는 마약을 재배하고 보급해 사람의 심신을 흩뜨리고 신에게 바친다는 명목으로 그들의 목숨을 앗았지. 그 결과 일선제력과 월선제력은 네 고조부 앞에 실제로 현신했단다.

당시 오성교 토벌 작전으로 군사가 쳐들어왔지만 믿음에 눈이 먼 네 고조부는 겁먹지 않으셨다. 군사를 이끈 이합정이라는 부장(副將)은 전장터를 누빈 유능한 장수였지만, 그의 뒤에는 부족한 지혜와 무모한 명령으로 인간의 힘을 넘어서는 존재에게 대책 없이 접근한 무능한 토포사가 있었고, 또 그 뒤에는 무기력하고 썩어빠진 조정이 있음을 아셨기 때문이다. 군사들은 고초굴까지 진입하는 데 성공했지만 알 수 없는 이유로 동굴이 붕괴되었어. 그래서 군사들도, 오성교의 신도들과 아수라들도, 일선제력과 월선제력까지도 모조리 돌에 파묻혀 두 번 다시 세상에 나타나지 않았다고 하지.

하지만 이게 끝이 아니란다. 고조부는 그 자리에 계시지 않아 목숨을 보전하셨고, 사악한 믿음의 대를 이을 전수자를 얻었다. 일선월선 두 신은 죽어 없어진 것이 아니라 무화의 영역에서 재래해 다시 세상을 무화로 이끈다고 오성교의 경전은 말하고 있단다. 그 추가된 내용의 경전을 쓰신 분이 바로 네 고조부다. 무화란 '육신은 없어지지만 정신은 어디에나 존재하는 곳이자, 죄 많은 사바세계의 인간이 속죄해 자유롭게 떠돌 수 있는 영원한 극락'을 가리킨단다. 고초굴의 일망타진 후로도 네 고조부는 사람들에게 오성교의 교리를 은밀히 전파하는 데 힘을 쏟았다. 청량산 폭포 아래에서 5년간 수도(修道)에 들어갔는데 큰 산불이 일어난 4월 4일의 봄날, 165년 세월에 윤회한다는 제력의 말씀을 직접 들으셨다고 한다.

"믿을 수 없어! 내 조상이……."

주생은 편지를 쥔 채 좁은 승방 안을 왔다 갔다 했다. 그의 몸을 타고 흐르는 피는 저주의 생명수였고, 부모로부터 받은 육신은 피할 수 없는 운명의 외피였다. 주생은 고통에 찬 눈을 깜빡이며 뒷장을 읽었다.

나는 스물한 살에 결혼했는데 너의 증조부가 강압적으로 시킨 결혼이었다. 네 할머니는 초등학교 선생님이었는데 고운 용모에 피리를 잘 부는 재주를 가졌지만 어딘가 인생의 배필감은 아니라고 생각했다. 하지만 아버지는 무리하게 나를 그분과 결혼시켰다.

결혼하자마자 네 할머니는 집 안에 무수한 거울을 사들여놓기 시작했고 매번 내게 모습을 비쳐 보게 했다. 밤마다 이상한 경문을 낭독하고 내가 하는 일이 옳든 그르든 사사건건 반대를 했지. 정신 상태를 염려해 병원에 데려가려 했는데 갑자기 아버지가 나타나 앞을 막았다. 시아버지와 며느리가 합심한 마당에 그녀의 친정아버지까지 불쑥 나타났지. 세 사람이 나를 둘러싸고 오성교에 관해 설명하기 시작해 무척이나 혼란스러웠단다. 장인 정수역 박사의 정체는 오성교 12대 교주였어. 정수역 박사는 고조부를 존경하던 오성교의 후학이었고, 내 아버지는 그분과 교연(教緣)으로 맺어진 오성교의 신앙심 깊은 세역장(勢域長)이었지. 알겠니? 친가도 외가도 다 오성교의 영향 아래 있었던 거야. 네 부모도, 그리고 너와 서진이도 나와 같은 운명이었지.

명망 깊은 사학 교수로 행세해왔던 정수역 박사는 우리 가문에 일월선제력의 재림이 이루어질 거라는 계시를 경전으로 풀이해냈고, 그래서 자기 딸을 나와 혼인시킨 것이었어. 예언의 실현으로 선택받은 자의 몸에 오성교의 표식이 나타난다고 내게 거듭 말했지. 나는 세 사람이 미친 줄만 알았단다. 하지만 정말로 내 몸에 표식이 나타나기 시작하면서 믿을 수밖에 없게 되었어. 오성교를 상징하는 한자가 생살을 뚫고 솟아올랐고 그와 함께 무서운 환영들이 내 눈앞에 펼쳐졌단다. 신비한 음양의 신적 존재들과 그들을 둘러싼 아수라들의 환영 말이다. 그 후 내 주변의 사람들이 사고로 죽어나가는 일이 생기기 시작했다. 추락사고로, 감전사로, 화재로, 익사로 네 명이나 죽었어. 무화의 진리를 타인의 죽음으로 보여준 것이지.

난 겁이 나 사람들과의 관계를 멀리하고 닥치는 대로 오성교에 관해 공부하기 시작했다. 신적 존재로 선택받은 이들에 대한 공부였는데, 그를 통해 내가 얻은 한 가지 결론은 나는 무서운 신이 될 생각이 전혀 없다는 것이었어. 그들이 내세우는 이론, 그들이 주장하는 신세계는 거짓이 아니었어. 오성교의 신 일선제력과 월선제력은 분명히 존재해. 하지만 나는 그런 존재가 될 생각이 꿈에도 없었단다.

운명을 거부할 방법은 불교에의 귀의밖에 없었다. 나는 집을 나와 부처님의 영역으로 도피했고 가족이 찾아와도 만나주지 않았다. 이미 낳은 두 아들을 버렸고 두 번 다시 세상을 뒤돌아보지 않았다.

너의 할머니는 나를 포기하고 두 아들에게 오성교의 교리를 각인시키기 시작했다. 아이들은 내 고조부의 행동을 그대로 따라 했어. 그러나 성장하면서 둘째 준구는 깨달음을 얻어 교회를 다니는 것으로 윤회의 저주를 피하려고 했다. 하지만 네 아버지 진구는 양가 집안 대대로 내려온 교주의 길을 밟았다. 다행인지 아닌지는 몰라도 그 아이들에게는 표식이 나타나지 않았다는데 너와 서진이가 걱정된다. 준구가 어린 서진일 네 아비 집에 맡기고 사라졌다는 소식을 들었을 때, 난 서진이한테서 어떤 표식을 발견했기 때문이 아닐까 하고 생각했단다. 준구를 만나려 했지만 어릴 때 가정을 버렸다는 이유로 나를 만나주지 않았다.

"아니야. 내 곁에서 일어난 죽음은 나 때문에 생긴 게 아니야. 절대 아니야! 그렇다면 서진일까?"

주생의 손이 부르르 떨렸다. 당장 편지를 갈기갈기 찢고 싶었다. 하지만 아직도 한 장이 더 남았다. 『오성밀법강령』으로 시선을 돌렸던 주생은 떨리는 손으로 다시 편지를 펼쳤다.

요 며칠 전부터 꿈자리가 어지럽다.

올해는 고초굴의 수난이 있은 지 165년 되는 해이다. 너와 서진이의 정체가 일선제력과 월선제력으로 귀결되는 꿈을 자주 꾼다.

내 손자 주생아, 너의 원래 이름은 왕생이었단다. 내가 직접 지은 왕생(往生)은 '가서 태어나라'라는 말로, 부처님의 정토에 가서 태어나라는 뜻이 담긴 거룩한 이름이란다. 나를 증오하는 네 아버지는 부수인 척(彳)을 빼버리고 주생(主生)으로 네 이름을 바꾸어버렸단다. '주인이 되는 생'이 무엇이겠니? 너를 지옥의 주인인 일선제력으로 만들겠다는 뜻이 아니겠니?

네 아비와 서진이 아비가 어떻게 죽었는지는 말하지 않겠다. 이 사실을 말하자니 내 가슴이 찢어지는 것만 같구나. 내 두 아들은 두 제력의 법력이 사바세계에 현현해 있다는 증명으로써 순교를 당한 것이었다. 서로가 죽이고 죽는 대척의 그물에 아들들이 걸린 걸 알았을 때 세상을 다 잃은 것만 같았다. 속세를 버리고 떠나긴 했지만 그 아이들은 엄연히 내 자식이다.

내 손자 주생아, 이 편지를 읽거든 혹시 네 몸에 표식이 없는지 샅샅이 살펴보거라. 그리고 서진이와 연락이 닿거든 똑같이 물어보거라.

오성교의 표식은 불교를 숭앙하는 척하면서 실은 모독하는 상징이란다. 내 살점을 뚫고 오르는 그 표식을 여섯 차례 불로 지지자 더는 나타나지 않았다. 그 표식은 부처님을 흉내 내는 사악한 신성으로 껍질을 벗으려는 마군이야. 올바른 믿음만이 마군을 다스릴 수 있단다.

업에 따라 생사가 거듭되는 게 윤회란다. 전생의 신이 현생의 속인이기도 하며, 현생의 영웅이 전생의 죄인이기도 하단다. 전생의 자식이 현생의 부모가 되기도 하고, 현생의 원수가 전생의 지인이 되기도 해. 저주받은 가문의 대물림되는 악연도, 사람을 달리해 현현하는 윤회도 어쩌면 업 탓일 수 있다. 그러나 사람은 전생의 업을 알 수 없으니 현생의 업만큼은 쌓지 말고 버려야 한다.

무한, 사랑, 동정, 기쁨과 치우치지 않은 네 가지 마음, 자비희사(慈悲喜捨)야말로 부처님이 계신 곳 불국토란다. 업보를 비우고 멸도한 뒤에 널리 중생들을 가엾게 여기는 마음을 지니는 것이야말로 부처님의 마음이요, 참다운 신의 마음이다. 이 마음으로 정진하면 마군은 결코 너를 선택하지 못할 것이다.

부디 운명을 잘 극복하거라. 육신이 죽어서도 내 혼백은 너를 위해 대자대비한 부처님께 발원할 것이다.

편지를 다 읽은 주생은 눈을 감았다.

'우리 집이 오성교 교주들의 집안이었다니. 할아버지가 쓰러지셨으니 사찰도 안전하지 않겠구나.'

*

합화사를 떠난 주생이 다흥에 다다랐을 때 전화가 걸려 왔다.

"하주생 주임? 안녕하세요?"

"누구시죠?"

"꼴통 짓 하던 담당 문제수가 죽어 속이 시원하겠네요?"

"나는 에프엠으로 근무하는 사람이라서 내가 있었으면 막을 수 있었을 겁니다."

"맞습니다. 우리도 그 점을 참 안타까워합니다."

"누구십니까?"

김 전무 쪽인지 감찰반 쪽인지 몰라 주생은 말을 길게 늘이면서도 단어 선택을 실수하지 않도록 조심했다. 양쪽 다 자신을 노리고 있을 것이기에 사소한 빌미도 주면 안 되었다.

"농담까지 하는 걸 보면 기분 좋은 모양이네요, 앓던 이도 빠지고."

"누구냐고 물었잖아요?"

"본부 소속 백풍산 교위입니다."

"감찰반이요?"

"그렇습니다. 조만간에 만나 뵙게 될 겁니다."

"왜요?"

"투서가 들어왔거든요."

"무슨 투서요?"

"신고자 보호 차원에서 아직은 알려드릴 수 없네요. 말씀드렸다시피 곧 만나게 될 겁니다. 인사 차 전화드렸어요."

"알겠습니다. 그럼 하나만 물어볼게요. 최근에 내 뒤를 밟은 적이 있습니까?"

"왜요? 이 통화 녹음하시려고?"

"녹음 안 해요. 농담도 아니고요. 요새 누가 자꾸 따라와서 그래요. 감찰반에서 날 미행한 적이 있나요? 솔직히 말씀해주세요."

상대방은 헛기침을 하더니 선심 쓰는 것처럼 말했다.

"우린 하 주임 얼굴도 모릅니다. 답변 준비 잘 해놓으세요."

전화가 끊어졌다.

'그럼 내 뒤를 밟고 김만식을 스토킹한 건 누구야?'

단속 카메라가 보여 주생은 급브레이크를 밟았다. 저만치 앞에 다홍 톨게이트가 등장했다. 어느덧 오후가 되어 하늘에는 붉은 노을이 깔렸다. 주생은 라디오를 켜 뉴스가 나오는 채널을 찾았다. 핵미사일 위협, 신 변종 바이러스의 출현 예상, 폭력사건 증가, 국경 분쟁, 『단죄의 신들』 해외판 영화 동시 제작 등이 보도되다가 갑자기 속보로 넘어갔다.

잠시 주춤하던 신종 바이러스가 또다시 고위험군 변종으로 변이해 일부 아시아 지역에 출몰하기 시작한 지금, 오늘 오전 전국에서 동시다발적으로 발생한 화재로 위기감이 고조되고 있습니다. 세계적인 마스크 공급업체 [메리고라운드]는 조금 전 4시를 기해, 더 이상 마스크를 공급할 수 있는 여력이 못 된다고 선언했습니다. 대표인 임유신 씨는 화재가 발생한 전국 100여개 공장이 마스크 제조공장이라고 밝힘과 동시에 국내 생산품은 물론 해외수출용 물품까지 전소되었다고 했습니다.

정부 및 지방자치단체는 마스크 비축분을 점검하고 있지만 불이 난 장소 중에는 정부관리 창고도 있어 마스크 대란이 예상되는 바입니다. 한편 [메리고라운드]측은 대대적인 방화를 주도한 단체가 있을 것으로 보고 수사를 의뢰했습니다. 정부는 내일 아침 대국민 담화 계획을…….

"그래, 차라리 다 죽자."

라디오를 껐다. 톨게이트를 통과하니 차가 휘청거렸다. 강풍이 부는 궂은 날씨였다. 계절에 걸맞지 않게 태풍이 온다고 했다. 시내로 들어온 주생은 영미가 말한 '동전유리'를 떠올리고 그쪽으로 차를 몰았다. 다행히 점포는 아직 같은 자리에 있었다. 코로나 환자가 급증하고 있었지만 길거리에는 마스크를 벗고 다니는 사람이 많았다. 짙은 자포자기의 공기가 코로나 바이러스와 함께 떠다녔다.

주생은 '동전유리' 앞에 섰다.

"서진인 왜 여기서 경기를 일으켰지. 어째서 할아버지는 거울을 피하셨던 걸까?"

할아버지의 거울 없는 승방과 네버힐 1305호의 수많은 거울이 떠올랐다.

2004년이나 지금이나 그대로였다. 가게 앞에는 무수한 전신거울이 진열되어 있었다. 특이한 점은 없었다. 맞은편의 상가 간판만이 최신식으로 바뀌었을 뿐, 그 너머로 보이는 사찰 용형사의 불탑도 예전 그대로였다.

'대체 이 거울에서 뭘 본 거지?'

주생은 가게 앞에 세워둔 전신거울을 바라보았다. 강풍에 쓰러질까 봐 받침대를 손보던 사장이 주생에게 말을 걸었다.

"거울 사시게요?"

"저, 궁금한 게 있는데, 한 20년 전인데요. 여기서 거울을 보다가 경기 일으켜서 쓰러진 여학생 혹시 기억하시나요?"

"몰라요."

고객이 아니란 걸 안 사장의 대답은 성의가 없었다. 골목길로 들어선 트럭 한 대가 속도를 줄인 채 가게를 향해 오고 있었다. 사장이 주생에게 손짓했다.

"물건 들어오는데 옆으로 좀 비켜주세요."

트럭이 가게 앞에 주차하려 했지만, 앞 건물에 이삿짐을 나르던 사다리차가 길을 가로막고 있었다. 트럭 기사가 그쪽을 향해 씨팔, 왜 길을 막아, 하고 대뜸 욕을 퍼부었고 이삿짐 부리는 사람들은 듣고도 못 들은 척했다. 요즘은 어딜 가나 폭력이고 싸움이었다. 조만간 대형 사건이 터진대도 이상할 것 없는 분위기였다. 하지만 『단죄의 신들』은 계속 베스트셀러였다. 사회 전반을 휘감은 피와 폭력의 공기는 『단죄의 신들』을 읽은 주생에겐 다르게 다가왔다. 폭력은 죄책감이 없이 맹목적인 자기주장, 자기 믿음만을 동반했다.

주생은 거울을 바라보면서 옆걸음으로 자리를 비켜주었다. 순간, 비치지 않던 것이 거울에 비쳤다. 맞은편 상가 너머에 있는 절 용형사의 불탑 옆 지붕이었다. 지붕 추녀에 매달린 卍(만)

자가 비쳤다. 정확히 말하면 卍(만) 자가 거꾸로 비친 현상이었다. 그 순간 눈앞이 캄캄해지더니 거대한 불길이 치솟았고 삼지창을 든 아수라 마귀들이 그 앞에서 광란의 춤을 벌이는 환영이 나타났다. 남녀 두 신이 경극 배우처럼 얼굴에 하얗게 분칠을 하고 나타났다. 주생은 어지러워 비틀거렸다. 세상이 뒤집히면서 땅에 뺨을 부딪치고는 한동안 일어나질 못했다.

"어어! 이봐요, 괜찮아요?"

주생이 눈을 떴다. 가게 사장이 쓰러진 그를 일으켜 세우고 있었다.

"왜 그래요? 어디 아파요?"

"저기 절이…… 예전부터 같은 자리에 있었죠?"

"용형사? 40년 전부터 있었죠."

"아저씬 항상 거울을 가게 앞에 진열했나요?"

"맞아요. 아버지가 하는 방식 그대로요. 왜 그래요?"

누군가 나타나 손을 내밀었다. 햇살을 등진 그의 얼굴은 드러나지 않았다. 바람이 불어 긴 머리칼이 휘날렸다. 그 사람이 한 걸음 옆으로 물러서자 햇빛의 위치가 바뀌어 얼굴이 드러났다. 정미정의 아들이자 채보서의 조카, 지원이었다.

*

루게릭 병마가 사라지고 자연스럽게 움직이는 지원은 연예인처럼 잘생겼다. 신의 도움으로 인생의 덫을 파괴한 그는 모든 것이 완벽한 젊은이였다.

"이제 나치 누나란 말이 무슨 의민지 알겠죠?"

그랬다. 뒤집힌 불교의 卍 자는 나치의 표식과 흡사했다. 불교를 흉내 냈지만 불법과는 거리가 먼 사악한 믿음의 표식.

대척. 진짜 불법과 가짜 불법.

"나를 낫게 한 그분 어깨에도 그 표식이 있었어요. 그분이 교회에서 기절한 건 〈안나 프랭크의 일기〉 연극의 조연배우와 맞닥뜨렸기 때문이에요. 그 조연배우 역할은……."

"나치 독일군이었겠지."

"그렇습니다. 독일군의 어깨에 붙은 뒤틀린 만 자 표시를 보고 경기를 일으킨 겁니다. 이 거울가게 앞에서처럼."

주생은 답을 알아도 시원하지 않고 오히려 무서워졌다.

"여긴 어떻게 알고 온 거예요?"

"그분이 전화했어요. 여기 와서 당신을 찾으라고."

"서진이가 전화했다고? 두 사람, 서로 연락하는 사이였어요?"

"그분은 모든 걸 내려다보니까요."

"그럼 대체 내 전화는 왜 피하는 거야? 아니, 나랑 통화 좀 하게 해줘요."

"소용없습니다. 그분은 속세에 흔적을 남기지 않습니다."

지원은 발신제한번호라고 적힌 통화 기록을 보여주었다.

"지원 씨 고모님도 날 만나러 왔다가 돌아가신 건 알고 있어요?"

"자기 순서가 오자 책임질 의무를 다한 것뿐입니다."

"서진일 괴롭힌 책임?"

"태양의 남자에의 책임이죠."

빛나는 지원의 눈 속에서 파도가 일렁이는 듯했다.

"서진이가 왜 날 찾으라 그랬지?"

"메시지를 전하라고 했습니다. 당신이 그분이 맞대요."

"그분?"

"예. 그분이 맞으니 자살을 하든지 사람 없는 무인도 같은 곳으로 가라고 했어요. 아니면 운명을 받아들이라고 했습니다."

"이 씨팔 새끼야, 이리 와봐! 나보고 뭐라 그랬어?"

갑작스러운 소란에 주생과 지원이 소리가 나는 쪽으로 동시에 고개를 돌렸다. 트럭 기사와 이삿짐센터 사람 간에 시비가 붙었다.

"개새끼라고? 어린 놈의 새끼가! 이리 내려와."

"몇 살 처먹었는데 새끼새끼야? 재수 없는 새끼가!"

바람이 불어 두 사람의 모자를 동시에 날려 보냈다. 그러나 서로를 노려보는 두 사람은 모자를 주울 생각도 하지 않았다. 지원이 천천히 입을 열었다.

"거울 밖의 모습과 거울 속의 모습 역시 하나의 대척입니다. 어느 쪽이 진짜인지는 모릅니다. 하나는 죄인의 모습을, 하나는 신의 모습을 보여주죠. 물론 선택받은 사람들을 가리키는 말입니다만."

"내가 신이란 거야? 아니면 일선제력이란 거야?"

지원은 멱살을 잡으려는 두 남자를 돌아보며 말했다.

"앞으로 저런 일은 이 사회에 차고 넘칠 겁니다."

"어째서?"

"인간은 죄인이니까요."

지원의 말이 진리라는 것을 증명하기라도 하듯 두 사람의 고함이 커졌다.

"안 놔! 안 놔! 좆같은 세상! 좆같은 새끼들!"

"씨팔! 돈벌이도 안 되는데 병원에 한번 드러누워보자! 돈 많으면 얼마든지 쳐봐, 새끼야!"

주생이 지원의 눈을 바라보았다. 그는 제발 그렇다고 답해주길 바라며 소리쳤다.

"일선제력이니 월선제력 같은 건 없어!"

"있습니다. 그 사실을 중개자 김순심 씨 도움으로 일깨운 사람들이 제 어머니와 고모입니다. 당신도 그 때문에 일깨운 겁니다. 모두가 그분과 당신께 죄를 지었습니다. 나 역시도 이 죄악에서 자유롭지 못합니다. 그래서 무화를 향해 가려 합니다."

지원이 싱긋 웃었다.

"당신이 이제 돌아왔습니다. 그분은 당신을 보고 싶어 했습니다."

"나를 따라다닌 자가 있었어. 그게 지원 씨 당신이야?"

주생이 지원의 옷깃을 잡고 문신을 확인하려 했다. 그러나 지원이 물러서는 바람에 실패했다. 지원의 얼굴에는 득도한 표정만이 가득했다. 하지만 그의 뒤편에는 속세의 시시비비에 얽매인 중생들이 있었다.

"쳐봐! 쳐봐! 치지도 못할 새끼가!"

아파트 고층에 있던 남자가 소리쳤다.

"야! 상대하지 말고 빨리 타! 기계 조종해!"

지원이 의미를 알 수 없는 미소를 보이더니 주생에게서 멀어져갔다. 그의 입에서 익숙한 문장이 나왔다.

"대오하고 각성하라, 그리고 무화를 받아들여라."

"혹시 일선제력은 지원 씨 당신 아냐? 대답해줘요!"

"답은 듣는 것이 아닙니다. 찾는 것입니다."

주생은 점점 멀어져가는 지원을 바라보기만 했다. 흙먼지와 함께 강풍이 재차 불었고 거울 하나가 산산조각 났다. '동전유리' 사장이 "내 이럴 줄 알았다"며 고함을 쳤고 이삿짐센터 사장도 소릴 질렀다.

"기계 조종하라니까! 이 새끼야!"

거대한 기계에서 끄으으윽하는 비명 소리가 들려왔다. 사다리차의 대형 사다리가 강풍에 균형을 잃었다. 멱살을 쥐고 있던 두 사람의 눈이 커다래졌다. 지원의 눈과 입이 커다랗게 떠졌다. 눈알이 튀어나오고 혀가 뽑힐 정도의 안면이 변형되었다. 지원의 팔다리가 저절로 휘어지고 꺾이더니 나치 문양과 비슷한 형상을 완성해냈다. 그 순간 또다시 주생 앞에 환영이 펼쳐졌다. 정미정 계장에게 관을 던졌던 도깨비들이 시가지가 사라진 길 끝에서 다시 나타났다. 그들이 둘러멘 관 속에는 팔다리가 잘린 정미정의 시체가 있었다. 죽은 그녀의 눈이 저절로 움직여 아들을 바라보았다. 하늘에서 벌떼가 몰려와 지원의 몸에 내려앉자 사악하게 변형된 卍 자는 마침내 굵은 글씨로 완성되었다. 나한, 도깨비, 마귀, 아수라 등 무수한 이름으로 불렸던 벌거숭이들이 켈켈켈켈 웃으며 무쇠 관을 던졌다.

"안 돼! 멈춰!"

주생이 소리쳤지만 이미 늦었다. 육중한 사다리가 쓰러진 곳은 지원의 머리 위였다. 지원의 몸도 그가 웅얼거리던 주문도 그대로 박살나 형체가 사라졌다. 두 싸움꾼이 서로의 멱살을 스르르 놓았다.

"우아아아아아!"

주생이 절규했다.

*

이삿짐센터 직원이 경찰에 연행되고 그와 시비가 붙었던 트럭 기사도 연행되었다. 그러나 주생은 이번에도 통과였다.

방역.

역(疫)은 돌림병 말고도 귀신, 역귀 등의 다양한 뜻이 있다. 사람 목숨을 노리는 귀신의 존재가 곳곳에서 느껴졌지만 주생은 누누이 그곳을 벗어났다.

'난 누구지? 서진이 넌 어딨지? 날 왜 이렇게 괴롭히는 거지?'

그는 머리를 싸안고 쪼그려 앉아 한참을 울었다. 자살하거나 무인도로 가버리라는 서진의 메시지가 머릿속을 맴돌았다.

집으로 돌아오니 문 앞에 상자가 놓여 있었다. 이번에도 이름이 없었다. 상자를 열어보니 비디오테이프 한 개가 들어 있었다. 그는 쓰레기봉투에 테이프를 처박았다.

"배송의 대척은 환송이지? 폐기도 할 수 있지."

하지만 주생은 5분 만에 비디오테이프를 도로 꺼내 비디오 비전에 재생시켰다. 시작하자마자 의자에 앉은 어떤 남자가 등장했다. 목이 돌아가진 않았지만 주생의 심장은 철렁했다. 김 전무다. 항상 트렁크에 누군가를 가두고 가학적인 고문을 즐겼던 잔혹한 남자가 울고 있었다. 입에는 우럭처럼 허연 가루가 묻어 있었다. 두 팔을 앞으로 쭉 내민 채였는데, 선생님한테 '앞으로 나란히' 벌을 받는 학생 같았다. 그가 갇힌 곳은 무척 어두웠는데, 작은 빛이 들어와 간신히 얼굴을 알아볼 수 있었다.

카메라가 뒤로 물러나면서 시야가 넓어졌다. 김 전무는 어딘가에 손을 넣은 채였다. 사각형 상자였고 아래쪽에서 약한 빛이 새어나오고 있었다. 그 빛이 얼굴을 밝힌 것이다. 누군가의 팔이 김 전무의 턱을 움켜잡았다. 팔에는 한자를 새긴 문신이 가득했다. 주생은 罪와 거꾸로 뒤집힌 卍 자 문신을 분명히 보았다. 그 팔이 벽에 기대어둔 지팡이를 잡더니 김 전무의 머리를 툭툭 건드렸다. 김 전무가 고개를 끄덕이며 손을 뺐는데 그 손은 퍼렇게 얼어 있었다. 그가 손을 넣고 있던 곳은 냉동고였다.

김 전무가 울먹이며 꽁꽁 얼어버린 양손을 내밀었다.

"내 죄를 대성하고 각오하고……."

야단치듯 지팡이가 내리쳐졌다. 김 전무의 두 손이 퍽하고 부러져 날아갔다. 고드름 조각의 일부가 떨어지듯이. 얼어붙은 팔목에선 피도 떨어지지 않았다. 김 전무는 통증도 느끼지 못하는지 흐리멍덩한 눈으로 자신의 손목을 내려다보았다. 그가 카메라와 손목을 번갈아 쳐다보는데 화면이 바뀌었다.

역시 시커먼 공간이었지만 촬영한 시기는 다른 것 같았다. 의자에 앉은 이종하 대표가 나왔다. 잘 묶은 머리는 풀어 헤쳐졌고 얼굴에는 상처 자국이 가득했다. 부와 권력의 상징 같던 이 강한 남자가 지금은 고통스러운 표정으로 위를 노려보는데, 어떤 검은 그림자가 이 잘 나가는 강남 사업가의 얼굴을 뒤덮고 있었다. 이종하의 깁스하지 않은 다리는 낮은 책상 위에 올라가 있었다. 그곳은 연옥 출판사 건물이 아니었지만 물건은 모두 그의 것이었다. 도난당한 캠코더, 그의 다리 아래로 깔린 여러 개의 호리병들. 그것은 지압용이 결코 아니었다. 앞으로 벌어질 타격을 떠받칠 지지대일 뿐이었다. 한자 문신이 새겨진 팔이 이번에도 지팡이로 이종하의 다리를 툭툭 건드렸다. 잠시 후 이종하는 결기 품은 음성으로 말했다.

"책을 낸 것을 후회하지 않는다. 예술을 위해서라면 죽음 따윈 두렵지 않다!"

죄수의 최후 유언을 마친 것처럼 집행이 시작되었다. 지팡이가 아닌 쇠파이프가 다리로 떨어졌다. 수차례나 떨어졌지만 이종하는 끝내 비명을 지르지 않았다. 하지만 으직하고 부러지는 소리와 함께 살점과 피가 튀자 그는 사자가 포효하는 듯 무시무시한 비명을 질렀다.

다시 화면이 바뀌고 석도신애가 나왔다. 그녀도 의자에 앉아 있었는데 검은 천으로 눈을 가린 채였다. 편집실에서처럼 귀에는 필기구가 꽂혀 있었다. 이번엔 볼펜이었다. 문신이 가득한 팔이 나타나 귀 옆에 꽂힌 볼펜을 빼낼 때 석도신애는 기겁을 했다. 울면서 뭐라고 소리쳤는데, 상대방은 봐줄 생각이 없는 것 같았다. 주생은 화면을 향해 손을 뻗었다.

"나, 나, 나는 일선제력이다! 당장 니가 하는 짓을 그만둬라!"

살을 난도질하는 끔찍한 음향과 함께 렌즈에 피가 튀었다.

"서진아, 제발 그만해!"

주생이 외쳤다. 하지만 피의 잔치는 끝나지 않았다. 석도신애의 처참한 비명을 더 이상 들을 수 없어 주생은 비디오비전을 껐다. 귀를 막아도 '모두 죽여야만 해' 하는 서진의 음성이 환청으로 들렸다. 눈을 감아도 서진이 민규를 산 아래로 날려 버리던 광경이 생생했다. 민규는 산 아래를 구르다가 부러진 가지에 가슴을 관통당하고 나서야 움직임을 멈췄다. 그 얼굴은 반대로 돌아간 우럭의 뒤통수로 바뀌었다.

'이게 바로 단죄야, 주생아! 죄 많은 것들이 우릴 가만히 두지 않았잖니? 돈이 인생의 전부가 아니야. 모두의 무화만이 인생의 전부야.'

"어흑!"

주생이 정신을 차렸다. 환영은 사라지고 어두운 현실만이 남았다. 그는 자신이 본 것들이 거짓임을 기대하며 다시 비디오비전을 켰다. 안타깝게도 그의 소원은 이뤄지지 않았다. 피바다 속에 누운 채 움직이지 않는 사람은 석도신애가 틀림없었다.

다시 화면은 바뀌고 의자에 묶인 여자가 등장했다. 중년의 부인이었지만 부릅뜬 눈의 기운은 귀신마저 굴복시킬 수 있을 만치 대담했다. 한 여자를 긴 세월 동안, 심지어 교도소 안까지 스토킹하며 사악함을 완성하려 한 무당, 김순심이었다.

팔에 문신한 사람이 전체 모습으로 화면에 등장했다. 주생은 그 형태의 기이함에 질려버렸다. 한복처럼 생긴 옷을 입고 있었는데 속살이 비쳐 몸에 새겨진 한자를 충분히 알아볼 수 있었다. 얼굴에는 두 개의 마스크를 썼다. 이마에 하나, 또 입에 하나. 이마에 쓴 마스크에는 사인펜으로 커다랗게 눈이 그려져 있었고, 입에 쓴 마스크에는 人(인) 자 모양으로 입이 그려져 있었다. 주생은 그가 자신을 오랫동안 미행한 자임을 알아보았다. 한자로 가득한 팔이 날이 시퍼런 청룡검을 붙잡고 김순심의 뺨을 톡톡 때렸다. 김순심은 귀기가 번뜩이는 눈을 부릅뜨고 상대방을 노려보았다. 청룡검의 타격이 빠르고 날카로워졌다. 뺨에서 피가 배어 나왔다.

"그건 내 칼이야! 내려놔!"

김순심이 앙칼지게 소리 지르다가 푸, 하고 침을 뱉었다. 마스크의 눈과 입이 일부 지워져 한층 그로테스크한 형상을 완성했다. 김순심이 주문을 외우자 어디선가 방울 소리가 들려왔다. 괴인은 조금도 개의치 않고 김순심의 머리채를 휘어잡았다. 이제까지 모습을 숨기고 모든 음모를 진행해온 여자답게 김순심은 나름의 기개를 잃지 않았다.

"난 그날 법당에서 서진의 정체를 알아봤어!"

마스크로 덮인 고개가 갸웃거렸다. 자세히 보니 얼굴에 마스크가 네 개나 씌어져 있었다. 앞에 두 개, 뒤에 두 개. 하지만 눈코입은 앞에만 그려져 있었다. 김순심이 악담을 퍼부었다.

"넌 일선제력이 아니야. 니가 태양의 남자라면 내게 얼굴을 보여봐! 기꺼이 무화를 받아들일 테니."

괴인이 화면 밖으로 사라졌다가 다시 돌아왔다. 손에 부적을 쥐고 있었다. 주생은 김순심의 아파트에서 본 그 부적을 기억해냈다. 김순심이 주문을 외우자 방울 소리가 격렬해졌다. 괴인이 김순심의 앞을 막아섰다. 주생에겐 등밖에 보이지 않았는데 문신들이 저절로 움직거리는 것 같았다. 방울 소리가 귀청을 찢을 듯 울려 퍼졌다. 괴인이 마스크를 열어 김순심에게 얼굴을 보여주는 것 같았지만, 주생에겐 등만 보일 뿐이었다. 그 순간 방울 소리가 멎고 공포에 질린 김순심의 외마디는 비명인지 울음인지 구분이 가지 않았다. 괴인이 다시 마스크를 바로 하고 자리에서 물러나자 눈과 입을 크게 벌린 김순심의 얼굴이 나타났다. 괴인은 부적을 김순심의 양쪽 눈에 두 개, 입에 하나 붙였다. 그 부적에는 거꾸로 그려진 卍 자가 쓰여 있었다.

"으읍……."

김순심의 주문은 부적에 막혀 더 이상 나오지 않았다. 주생은 부적에도 하얀 가루가 묻어 있는 걸 보았다. 괴인이 머리채를 잡을 때도 김순심은 비명을 참았다. 괴인이 그녀의 머리를 잡아당겨 이맛가죽을 팽팽하게 만든 뒤 청룡검을 들이댔다. 부적에 막혀 비명 소리는 까마득한 곳에서 울려나오는 듯했다. 검이 내리쳐지고 머릿가죽에서 주르르 흘러내린 피가 부적을 적셨다. 얼굴에 찰싹 달라붙은 부적에 김순심은 숨이 막혀 몸부림치기 시작했다. 괴인은 잘라낸 머릿가죽을 들고 캠코더를 약간 돌렸다. 목이 잘려 널브러진 닭들이 보였다. 머릿가죽이 이불처럼 닭들 위로 툭 던져졌다. 그러는 동안에도 숨이 막혀 고통스러워하는 신음이 계속해서 들려왔다. 하지만 괴인은 죽어가는 김순심을 도와주지 않았다. 주생은 1305호에서 봤던 사람 머릿가죽의 출처가 어디인지 알게 되었다.

다시 화면이 바뀌면서 김만식이 등장했다. 그가 서 있는 공간이 익숙했다. 다홍 구치지소 2하 18실이었다. 온통 피로 도배되어 있는 점만이 평소와 달랐다. 공허한 표정으로 서 있는 김만식의 목에서는 동맥의 움직임에 맞춰 울컥울컥 핏물이 쏟아져 나오고 있었다. 붉은 피로 채워진 분수대를 보는 것 같았다. 그 상태로 김만식은 스스로 끊어낸 성기를 붓처럼 휘둘러 무화를 받아들이라는 글씨를 벽에 썼다. 도저히 쳐다볼 수 없는 끔찍한 영상이었다. 그때 화면이 일그러지더니 테이프가 저절로 튀어나왔다. 콘센트에서 불꽃이 일며 비디오비전도 꺼졌다. 주생은 뒤로 물러나다가 어떤 사람의 형상에 소스라치게 놀랐다. 그것은 전신거울에 비친 자신의 모습이었다. 그는 정신을 잃고 기절해버렸다.

꿈속에서 주생은 서진을 만났다. 꿈속 배경은 중 2때인 1999년이었다. 폭설이 내렸던 다음 날로 남매가 함께 있었다. 서진의 절친 장영미도 있었다. 그곳은 같은 아파트 단지였지만 평수가 넓은 동으로 향하는 긴 언덕길이었다. 드디어 기억났다. 그들이 뭘 했는지 드디어 기억났다. 그러나 미처 떠올리기도 전에 배경은 희미해지고 마귀들이 가득한 검은 동굴이 나타났다. 여 신장의 모습이 된 서진이 그 앞에 당당하게 나타났다.

"우린 곧 만나게 될 거야. 주생아."

9

1857년

팔을 얻은 이합정은 팔을 잃은 초아를 앞에 둔 채 신들의 질문에 봉착했다. 자신이 팔을 얻었기에 아내가 팔을 잃었다. 이걸 다시 되돌리겠냐는 난제였다. 새로 얻은 팔로 그는 이루고 싶은 일이 많았고 이루어낼 자신도 있었다. 하지만 그걸 택한다면 아내는 평생을 한 팔로만 살아야 했다.

"문제를 내는 것은 신이다. 그렇지만 답하는 것은 바로 너희 인간이다."

월선제력의 설법에 이합정이 간신히 답했다.

"다시 제 팔을 거두어 가주십시오."

"그게 너의 진심이더냐?"

"그렇습니다. 이 몸은 대척의 설법을 득음한 것에 만족하오이다."

이합정이 고개를 끄덕였다. 초아가 그린 님편의 얼굴을 복잡한 심정으로 바라보았다. 이합정도 초아를 바라보았다. 초아가 어깨에서 피를 흘리며 일어섰다. 마귀들이 국자로 사람들을 눌러대는 거대 솥에선 아직도 안개 같은 훈김이 피어올랐다. 초아가 월선제력을 향해 말했다.

"서방님의 팔을 그대로 두셔요. 저는 한쪽 팔이 없어도 괜찮습니다."

일선제력과 월선제력이 아래를 내려다보았다.

그때 토포사 유중활이 나섰다.

"일선제력! 월선제력! 내 여식의 팔을 돌려주시오!"

"아버지! 신께 불경함을 끼치지 마세요. 제게 닥친 일을 받아들이는데 팔 하나쯤은 상관없어요."

"우리를 제력이라 칭하다니 이제 그대도 믿는 것인가?"

일선제력이 유중활에게 물었다. 유중활은 대답하지 못했다.

이합정이 앞으로 나섰다.

"제가 잠시 인간고(人間苦)의 꿀물에 눈이 멀었습니다. 제 팔을 수습하시고 아내의 팔을 돌려주십시오."

"그러지 마세요! 서방님은 저보다 이루어야 할 일이 아직 많아요! 다시 얻은 팔이 백만대군보다 훌륭한 서방님의 분신이 될 거예요! 이로써 전 서방님과 영원히 한 몸이 된 거예요! 서방님을 위해서라면 팔이 아니라 온몸을 다 바쳐도 좋아요."

이합정을 향한 초아의 눈은 투명했고 구슬처럼 빛났다.

"그럴 순 없소, 여보. 내가 지난 시절 이 팔을 잃었던 건 천지신명을 알아보지 못하고 항거했기 때문이오. 지금 내가 다시 얻은 이 팔을 기꺼이 봉헌하는 건 나의 대오와 각성에 의한 것이오."

이합정의 눈도 초아를 향했다. 대척을 넘어선 숭고한 합치에 부부는 현실의 고통을 잊었다. 흐르는 피도, 커져가는 통증도 두 사람의 이타이타심(利他利她心)을 이기지 못했다.

솥에서 오른 김이 동굴을 흠뻑 적셨다. 군사들은 마귀들의 그림자가 집보다 더 커지는 걸 보았다.

"서로를 위해 희생하겠다는 것이냐?"

일선제력이 묻자 이합정이 답했다.

"그렇습니다."

"그 이유가 무엇이더냐?"

"제 팔이 다시 생기지 않았던들 그에 따른 욕심과 번뇌도 생겨나지 않았을 것이기 때문입니다. 마음의 거울을 바로 보고 닦았으니 다시 팔을 아내에게 돌려주십시오."

월선제력이 초아를 바라보았다.

"이번엔 너에게 묻겠다. 다시 붙을 수도 있을 팔을 포기하는 이유가 무엇이더냐?"

"저보다 서방님을 더 아끼기 때문입니다."

"무슨 소린지 모르겠구나."

"남편을 저 자신보다 더 사랑하기 때문입니다."

월선제력과 일선제력이 서로를 바라보고 미소 지었다.

"한쪽이 불구가 되어도 그 상황을 너희는 받아들였다. 대부분의 중생이 둘 가운데 하나를 채워주면 남은 하나도 채워달라고 조른다. 조금 전 너희들은 오성밀법 대척의 이치를 깨우쳤느니라. 이제 대척의 진리를 믿겠느냐?"

"믿습니다."

초아와 이합정이 동시에 답했다. 월선제력이 손을 내밀며 다가왔다. 지옥의 풍경에서 꽃향기가 퍼지고 빛이 내려왔다. 초아와 이합정이 서로를 마주보았다. 그들 역시도 두 제력처럼 환하게 웃었다.

"함께 죽어도 좋소, 여보."

"준비됐어요."

두 사람이 동시에 팔을 내뻗었다. 그리고 손을 놓고 물러났다. 순간 모든 시간이 정지된 것만 같았다. 초아와 이합정이 서로를 껴안고 앞을 바라보았다.

월선제력은 자신의 가슴을 관통한 두 자루의 검을 찬찬히 바라보았다. 당혹스럽다는 인상은 없었다. 꽃 내음이 사라지고 범천존자 일선제력의 수염이 드날렸다.

"너희 어리석은 중생들에게 참을 보여주었더니 그 대척인 거짓으로 신을 대하였구나."

2022년

전화벨 소리에 주생은 잠에서 깨어났다. 모처럼 화창한 햇살이 창문을 통해 들어왔다. 전원이 꺼진 시커먼 비디오비전도 태양 앞에선 어제처럼 무섭게 느껴지지 않았다. 태양. 태양의 남자. 일선제력.

“여보세요?”

“안녕하십니까. 보안과 서무 윤양호입니다. 하 주임님, 왜 출근 안 하십니까?”

시계를 보니 9시 30분이었다. 시간은 더 이상 무의미했다. 직장도, 돈도, 사는 것도 다 무의미했다. 죽음만이, 어쩌면 무화만이 유의미한지도 몰랐다. 그러나 아직은 아니었다. 소설 하나로 오성교의 가르침을 현대에 전파한 서진을 만날 때까지는 무화에 들 수 없었다.

“열이 40도까지 오르고 몸살이 나 간이키트로 코로나 검사했는데 양성 반응 나왔다.”

“정말요? 왜 진작 말씀 안 하셨어요?”

“나도 방금 알았어.”

“그랬군요. 일단 과장님한테 여쭤보고 다시 연락드리겠습니다.”

주생은 전화를 끊고 기다렸다. 그들이 자신과 김만식과의 커넥션을 확신한다는 생각이 들었다. 다시 전화가 걸려 왔다.

“주임님, 출근하지 마시고 선별 진료소 가서 PCR 검사 받아보세요. 간이키트는 확률이 떨어지니까 PCR 결과가 음성 나올 때 다시 출근하시면 됩니다. 몸조리 잘하시고요."

"잠깐만, 김만식 건은 어떻게 됐어?"

"아무 일도 없어요. 유가족도 조용하고 회사 관계자도 연락이 없습니다. 그날 근무 선 신규 애만 징계위원회에 회부될 겁니다."

"난 상관없는 건가?"

"주임님이 왜요? 현장에 있지도 않았는데."

"김만식이 성기는 찾았고?"

"아무리 뒤져도 없다던데요? 삼킨 건지도 모른댔어요."

섬뜩한 소리에 주생은 할 말을 잃었다.

"김만식이 민원실 앞 미루나무에서 귀신을 봤다던데……."

"귀신요? 무슨 황당한 소리세요?"

윤양호가 어이없다는 반응을 보였다.

"저…… 혹시…… 교정본부에서 날 찾는 직원 없었어?"

"주임님을 찾진 않았는데 본부에서 김만식 사망사건 조사를 온 건 맞아요. 담당자 이름이 백풍산 교위인데……. 사고가 있었어요."

"무슨 사고?"

"2하 1실에 오태하 있잖아요? '나쁜 짓 하면 지옥 가!'라고 외치던 그 또라이 오태하."

"알지."

"하필 운동 시간에 감찰반 애들이 2동으로 왔어요. 오태하

그놈이 운동 마치고 들어오면서 김만식 방을 조사하던 백풍산 교위를 공격했어요."

"오태하가 또라이긴 해도 순해서 사람한테 막 덤벼들진 않는데."

"맞아요. 근데 백 교위 머리를 막 돌리려고 했어요."

"머리를 돌리려고 했다고?"

"예. 양손으로 잡고 뭐랬더라? 대오각성을 하라던가? 하여튼 꽁꽁 묶여서 징벌실 갔습니다."

"백풍산인지 뭔지 그 직원은 안 다쳤어?"

"우리가 보기엔 전혀 안 다쳤는데 목이 계속 아프다고 병원에 갔어요. 식은땀을 줄줄 흘리면서요. 무슨 이유인지 감사는 이걸로 끝낸대요. 저, 하 주임님 땜빵 근무자 구해야 돼서 이만 끊을게요."

갑자기 창틀이 흔들릴 만큼 거센 바람이 불어닥쳤다. 커튼이 날리고, 비디오비전이 저절로 켜졌다. 릴이 망가진 테이프는 재생되지 않았고, 화면에는 어지러운 노이즈만 나타났다. 저 아래에서 욕설이 올라왔다. 베란다로 나가 내려다보니 주차장에서 두 사람이 싸우고 있었다. 한 명은 칼까지 꺼내 들었다. 번뇌로 가득 찬 사바세계를 내려다보는 기분이었다. 그때 전화가 걸려 왔다. 김순심의 번호이자 서진의 번호였다.

"여보세요?"

"주생아?"

떨리는 여자의 음성.

올 것이 오고야 말았다. 대척끼리의 만남.

"서진이니?"

"그래, 주생아. 나 서진이야."

"정말 서진이로구나. 너 대체 어디 있었던 거야? 널 얼마나 찾았는지 알아?"

"널 만나지 않으려고 했어. 우린 만나면 안 돼. 하지만 좀 도와줘. 내가 지금 잡혀 있어."

"누구한테?"

"범천도인이란 사람이야."

"알아. 김순심의 남편이지."

"곧 그가 돌아올 거야. 빨리 좀 와줘."

"어딜 갔는데?"

"방귀(防鬼)*에 쓸 닭 피를 구하러 간댔어."

"누굴 막는다는 거야?"

"그 사람 부인이 머릿가죽이 날아가 죽었어. 마스크로 얼굴을 칭칭 감은 사람을 막으려고 그러는 거야."

"나도 그 사람 본 적 있어. 니 능력으로 그놈을 처치 못 해?"

"그게 무슨 소리야?"

"니가 월선제력이잖아."

"하나같이 그 소릴 하는데, 난 아니야. 열아홉 살 때부터 꿈에 그 여자가 나타나 이상한 계시를 주기는 했지만. 그 계시대

* 귀기를 막음.

로 하니까 죽은 짐승도 살아나고…….”

“지원이 병도 나았다고? 니가 제력이 아니라면 왜 그런 신통력을 발휘하고 너랑 있는 사람들이 죽어 나가는 거지?”

“그건 내가 할 소리야. 그 사람들 전부 너를 만나고 죽었잖아.”

“누가 그래?”

“김순심이! 니가 자기 아파트를 뒤진 것도 알아. 지금은 이런 말 할 때가 아냐. 빨리 와서 나 좀 구해줘.”

“머리에 마스크 쓴 남자는 누군데?”

“남자가 아니라 여자일지도 몰라.”

“무슨 소리야?”

서진이 잠시 숨을 고르다가 말했다.

“김순심이 말로는 그자야말로 월선제력이고, 니가 일선제력일지도 모른다 그랬어. 내가 『단죄의 신들』을 내놓자 18년 만에 니가 나타났고 나와 함께 사진을 찍은 사람들이 죽어나갔어. 내가 그 사진을 찍을 때 태양의 남자가 찾아올 거라고 경고한 것은 꿈에서 월선제력의 계시를 받았기 때문이야. 하지만 꿈에도 그 사람의 얼굴만은 드러나지 않았어. 그런데 우리 앞에 나타난 살인마도 마스크로 얼굴을 감추고 있지.”

“니가 정말 『단죄의 신들』 작가 맞아?”

“그건 채지원이 해독한 『오성밀법강령』을 고수애가 소설로 쓴 거야. 난 출판사에 하나씩 하나씩 보냈을 뿐이고.”

“두 사람 다 죽었지. 책은 엄청난 성공을 거두었고.”

"꿈에서 계시를 받았어. 그 이야기를 사회에 뿌리라고! 죄도 없는 출판사 사람까지 죽었어. 나도 곧 죽을지 몰라. 그 돈 니가 다 가져도 좋아. 제발 나 좀 도와줘!"

"어딘데?"

"1306호야. 니가 갔던 곳 앞집."

"이마에 점이 있는 그자가 범천도인이지?"

"맞아."

주생은 서둘러 집을 나섰다. 하지만 다급한 상황이 있을지 몰라 전화를 끊진 않았다.

"지금 바로 갈게. 조금만 더 얘기하자. 그동안 왜 연락을 한 번도 안 했어?"

"큰아빠가 오성교 교주라는 걸 알고 더 이상 그 집에 있을 수 없었어. 내 몸에서 정말 저주의 표식이 나왔단 말이야. 네겐 그런 표식 나타난 적 없어?"

"없어. 그 표식은 뭐야?"

"김순심과 범천도인은 제력의 표시라고 그랬지만 내 생각엔 아니야. 오히려 이 표식이 살인마를 불러들인 것 같아. 범천도인이 그자를 잡으려고 닭 피를 뿌리고 거울을 깨고 부적을 붙여 함정을 팠는데도 전혀 먹혀들지 않았어. 하지만 범천도인은 포기하지 않고 더 강한 재료를 구하러 나갔어. 그자도 무서운 무당이야. 범천도인은 내가 월선제력인 줄 믿었는데 잘못 안 건지도 모르겠다고 했어. 그 때문에 날 죽일지도 몰라."

"그 사람 스승은 왜 죽인 거야?"

"그건 만나서 얘기해줄게. 이 핸드폰도 며칠 전 마트에서 어떤 아줌마 걸 몰래 훔친 거야. 그자가 돌아올 때가 됐으니까 꺼놓을게. 그 사람, 출입문에 이중으로 자물쇠를 채웠어. 만약 자물쇠가 없다면 그 사람이 돌아온 줄 알아. 절대로 초인종 누르거나 노크하지 마. 비밀번호가 4165니까 그냥 누르고 들어와. 나는 왼쪽 큰방에 갇혀 있어."

주생은 묻고 싶은 것이 많았다. 서로의 부모는 오성교 악연의 굴레에 갇혀 사망하는 비극을 맞았다. 자신의 주위에서 벌어지고 있는 미스터리한 일들은 전화로 간단히 얘기할 수 있는 게 아니었다. 그녀가 월선제력이 아니고 오히려 마스크를 쓴 자일 수도 있다? 정말 내가 일선제력인가?

피범벅이 된 고수애, 정미정, 채지원, 채보서의 얼굴이 뇌리를 스쳐 지나갔다.

"아니야!"

주생은 가스총의 공포탄은 빼버린 뒤 고무탄과 가스탄으로 탄창을 채웠다. 치명상을 입힐 수도 있는 고무탄이니 어떤 괴인이라도 쓰러뜨릴 수 있었다. 문을 따고 들어가는 대로 제압해버릴 참이었다.

그는 시속 160킬로미터로 섭주로 달렸다. 그사이 서진에게 무슨 일이 일어나지 않기만을 바랐다. 속도를 내고 난폭운전을 해도 아무런 위험이 없었다. 죽을 수 없는 운명이어서? 자기가 일선제력이고 마스크를 쓴 괴인이 월선제력이라면 왜 나를 미행했던 걸까? 그것도 일종의 대척인 걸까? 아니면 진정한 화합을 위한 접근이었던 걸까?

*

네버힐에 당도한 주생은 곧장 13층으로 가 주위를 둘러봤다. 아무도 없었고, 문에 자물쇠도 걸려 있지 않았다. 가스총을 뽑아 든 주생이 잠금장치의 비밀 번호를 누르자 1306호의 문이 열렸다. 문이 열리자마자 신발을 신은 채 들이닥쳤다. 지독한 악취가 그를 맞이했다. 벽마다 피칠갑이 되어 있었고, 군데군데 벗겨진 벽지 사이로 아수라 마귀들이 그려져 있었다. 이곳에도 머리 없이 피범벅으로 널브러진 닭들이 있었다. 주생은 가스총을 겨눈 채 큰방으로 움직였다. 문가에 택배가 쌓여 있는 것까지 1305호와 너무나도 흡사했다. 마치 1305호를 통째로 이곳에 옮겨놓은 것 같았다. 맨 위에 놓인 상자를 흘낏 보니 연옥 출판사에서 온 것이었다.

'거울이로구나! 완전히 똑같은 집이야!'

서진의 시체와 마주칠 일은 없기만을 바랐다. 문손잡이를 돌리자 예상과 달리 잠겨 있지 않았다. 주생은 문을 발로 차고 방으로 뛰어들었다.

"서진아?"

피범벅 된 벽과 커튼 앞에 놓인 의자에 누군가 꽁꽁 묶여 있었다. 주생은 놀라 기절할 뻔했다. 그 사람이 머리에 쓰고 있는 것은 1305호의 냉동실에서 봤던 거대한 돼지머리였다. 비정상적으로 큰 돼지머리는 사람의 머리가 들어가고도 남았다. 누구 솜씨인지는 몰라도 악의적인 연출이었다. 인위적으로 뚫어놓은 눈구멍으로 공포에 질린 남자의 눈빛이 고스란히 드러났다.

"범천도인?"

"너로구나! 사촌동생!"

"서진이 어딨어?"

"몰라."

"말해! 서진이 어딨어?"

주생이 범천도인의 정강이를 걷어찼다. 고통스러운 듯 돼지머리가 이리저리 움직였다.

"정말 모른다니까!"

"누가 당신을 이렇게 만들었지?"

"네가 그런 거 아냐?"

"무슨 개소리야?"

"집에 들어오자마자 누가 몽둥이로 내 뒤통수를 때렸어. 깨어보니 이렇게 되어 있더군."

"난 다홍에서 이제 막 여기 도착했어. 서진이 전화를 받고."

"네가 한 게 아니라면 날 좀 풀어줘. 숨을 못 쉬겠어."

주생은 돼지머리를 치워주지도, 밧줄을 풀어주지도 않았다.

"머리에 그건 왜 쓰고 있는 거지?"

"내 신통력을 막으려고 이마의 천중혈(天中血)을 막은 거지."

"서진이가 구해달라고 전화했다. 당신한테 잡혀 있다고."

"그 아일 못 본 지 열흘이 넘었어."

"어디로 갔는데?"

"몰라. 말도 없이 사라졌어."

범천도인은 돼지머리의 무게를 이기지 못하고 점점 숙여지는 고개를 가까스로 다시 들었다.

"1305호에 장기간 불이 켜져 있는 걸 봤겠지? 이상한 일은 벌써 그때부터 생기고 있었어. 아무리 열려고 해도 문이 열리지 않았거든. 비밀번호는 나하고 마누라만 알아. 서진이도 몰라. 니가 가진 마스터키 따윈 애시당초 있지도 않았고! 우리가 집을 비울 땐 도어록에 손 못 대도록 개를 묶어놨지. 그런데 개가 사라지고 나선 비밀번호를 눌러도 문이 안 열렸어. 며칠 전부턴 다시 열렸고. 어쩌면 개가 집 안에 숨어 있었던 건지도 몰라."

"샅샅이 뒤졌지만 서진인 없었어."

주생이 물었다.

"누가 당신을 촬영하지 않았나?"

"촬영?"

"동영상으로 당신 부인을 봤어."

"어떤 동영상?"

돼지머리가 꿈틀거렸다.

"누가 지금 당신처럼 당신 부인을 의자에 묶어놓고 머릿가죽을 벗겨냈어. 그걸 촬영해서 내게 보냈어."

돼지머리가 꿈틀꿈틀대더니 흐느끼기 시작했다.

"설마 했는데…… 순심이 머릿가죽이 맞구나. 순심이가 죽었다니…….”

“눈과 입에 마스크를 쓴 자였어. 그자가 누군지 알아?”

“몰라.”

“왜 그 오랜 세월 내 사촌을 붙잡고 있었지? 울지 말고 어서 대답해!”

“그 아인…… 월선제력의 현신이었어. 그래서 월선제력의 165년 재림 해인 올해 그 아이를 죽여서 혼백을 내 아내에게 명도(明圖)받게 하려 했지.”

“당신 아내를 월선제력으로 만들려고 했다, 이 얘긴가?”

“그랬지.”

“당신 스승은 왜 애초에 목사에게서 서진일 데려간 거지?”

“광성도인께서는 그 아이가 월선제력의 재래임을 알았어. 그 아이의 몸에 나온 오성밀법의 표식으로 안 거야. 스승님은 나처럼 세속의 욕심에 사로잡힌 무속인이 아니야. 진심으로 이 세상을 걱정하는 살아 있는 신령이지. 스승님은 그 아이가 윤회한 월선제력을 내림받으면 이 세상 큰 화근이 된다는 걸 안 거야. 그래서 음양의 반쪽인 일선제력이 세상에 도래하기 전에 그 반쪽을 죽여 없애려 한 거지. 스승님은 그 아이를 큰 장독에 가둬 일주일을 굶긴 뒤 복어국을 먹였어. 맹독을 품은 알을 제거하지 않은 복어로 말이야. 한데 서진이는 복어 독에 중독되지 않았어. 오히려 복어 독이 섞인 침을 뿜어 스승님의 눈을 멀게 했지. 서진이는 그 상태에서 스승님을 칼로 해쳤어. 44번을 찔렀지. 난 그 모습을 보고 그 아이가 월선제력이라는 사실을 확신할 수 있었지. 자살을 하려고 하길래 운명에서 벗어날 굿을 해주겠다고 실살 달랬시. 서진인 내 말에 속아 넘어갔어. 그래서 광성도인을 산에다 묻으라 조언한 뒤 몰래 경찰에 신고했지. 그리고 순심이에게도 범죄를 저지르게 하고 옛날 스승님의 지인이었던 법무부 고위공무원에게 두 사람이 같은 감방을 쓰게 해달라고 부탁했지."

"교도소만큼 사람을 곁에다 두고 관리하기 좋은 공간은 없으니까?"

"그래."

"삶이 망가지는 소리에 내 귀가 멀겠구나. 그걸 18년 동안이나 했다고? 그리고 지금 또 그 애를 여기에 가둬두었다고?"

주생은 머리가 가려워 총구로 정수리를 긁다가 돼지머리를 향해 겨눴다.

"넌 거짓말을 하고 있어. 그렇게 무서운 애를 죽이려는 목적이 기껏 혼백을 받으려 한 거라고? 그 애가 정말 신이라면 니들이 상대할 수 없는 존재일 텐데?"

"기회는 한 번이야. 말했다시피 올해가 제력께서 고초굴에서 마지막 모습을 보인 지 165년이 되는 날이니까! 신성이 재래하는 대길년(大吉年)이라고! 모험을 걸 만한 값어치가 있지. 걔가 죽든 우리가 죽든, 혼백을 취하는 데 성공하면 내 아내는 살아 있는 신이 되는 거니까."

"하지만 서진인 자기가 월선제력이 아니라고 했어. 당신이 가뒀으니까 날더러 구하러 와달랬어."

"누군가 계략을 짠 것 같은데? 내 뒤통수를 때려 기절시킨 놈이라면 알겠지."

"마스크를 쓴 자가 나를 따라다녀. 그자는 누구지?"

"나도 모르겠어."

"난 혼자가 아니었어. 내가 가는 곳마다 늘 그자가 내 주변에 있었어."

"정말 몰라! 아무리 치성을 드리고 점쳐봐도 그자의 정체만큼은 모르겠어."

탄창을 튕겨낸 주생은 첫 발이 가스탄임을 확인하고 수건으로 입을 막았다. 돼지머리가 벌벌 떨었다.

"네 스승은 나쁜 놈이야. 서진이의 목숨을 함부로 뺏으려 했어. 하지만 너희 부부는 더 나빠. 사람 목숨을 빼앗는 것도 모자라 혼백마저 뺏으려 했으니까. 흥, 명도? 있지도 않은 혼백 따위를 뺏겠다고 별 굿판을 다 했을 테니 서진인 얼마나 괴로웠겠느냐 말이야!"

고막을 찢는 소리와 함께 가스탄이 발사되었다. 화약 냄새와 연기가 솟구치자 돼지머리가 고통으로 요란하게 들썩였다. 귀가 축 늘어지고 살에 흠집이 생겼다.

"혼백은 있어! 쿨럭쿨럭! 그런 아이의 영기와 혼백을 명도 받으면 돌팔이 무당도 위대한 능력자가 되는 거야. 예수 부처보다도 더! 쿨럭! 난 어릴 적부터 그런 걸 숱하게 봐왔어! 살아있는 신이 될 수도 있어! 세상에 예수가 어딨고 부처가 어딨어? 성서와 불경 속에서만 존재하잖아? 쿨럭쿨럭! 하지만 제력의 영기를 가진 사람의 혼백을 취하면 정말 일선제력 월선제력이 될 수도 있단 말이야!"

돼지머리에 가려져 보이지 않았지만 범천도인은 종교적 환희에 취해 있는 게 분명했다. 그 불같은 열망이 돼지머리 속 눈빛에서 고스란히 드러났다. 주생은 수건으로 입을 막은 채 고함을 질렀다.

"혼백 따위는 없어! 네가 무당이니까 그따위 미친 소릴 하는 거야! 사진 속의 서진인 비쩍 말랐고 아파 보였어. 전부 너희들의 욕심 때문이야! 너희 같은 놈년에게 서진이가 당한 고통을 생각하니 나 같은 쓰레기도 눈물이 다 나는구나. 이 죽일 놈!"

"혼백은 있다니까! 일선제력과 월선제력은 사람들의 혼백을 흡수해. 콜록콜록! 혼백을 취하고 혼백을 저장하지! 인간의 영혼을 관장하는 신이니까! 도깨비가 창을 휘두르고 신장이 심판을 내리는 저승의 이미지는…… 엄연한 현실에서 나온 거야, 콜록콜록! 뭘 잘 모르나 본데 서진이는 그것까지도 이미 다 알고 있었어. 왜냐하면 네 아버지가 오성교 교주니까."

"아버진 그런 사람이 아니야!"

주생이 두 손으로 귀를 틀어막았다. 갑자기 돼지머리 속 두 눈이 커다랗게 떠졌다.

"문신이 가득한 그자는 왜 널 따라다니기만 했을까? 태양의 남자에게 감히 접근하지 못해서 그런 게 아닐까?"

"닥쳐! 서진이 어딨어?"

총 손잡이로 머리를 강타하자 돼지머리가 뒤로 기울어졌다.

범천도인의 드러난 턱 아래로 콧물과 침이 범벅되어 떨어졌다. 하지만 움푹 파인 돼지머리 속 눈동자는 계속 주생을 응시했다.

"날 그런 눈으로 보지 마!"

"네 몸에는 표식이 나타나지 않았나?"

"38년 동안 단 한 번도 없었어!"

"그런데 아까부터 머리는 왜 그렇게 긁는 거지? 그것도 정수리만을."

총구를 겨눠도 범천도인은 꿈쩍하지 않았다.

"언제부터 가려웠지? 서진이가 나타난 뒤부터 아니야?"

"……."

"면도기로 한번 밀어봐. 정수리에 어떤 표식이 있는지."

"입 닥쳐!"

"장난 아니냐. 내가 도와줄 수도 있어."

"이번엔 고무탄이야. 애꾸로 만들어줄까?"

총구가 돼지의 오른쪽 눈앞으로 이동했다.

"고수애나 정미정 사고 말고도, 최근에 네 주변에 이상한 일이 생기지 않았나? 보기 싫은 놈들이 제거된다든지."

"문신 가진 놈 짓이야. 내가 아니야."

갑자기 돼지머리가 벌벌 떨기 시작했다.

"내 말 잘 들어. 서진이 짓이 아니라면, 또 다른 누가 널 일선제력으로 일깨우기 위해 이런 일을 계획한 건지도 몰라. 그러니 그 시작점을 샅샅이 파헤쳐야 해. 분명 너를 여기로 보낸 사람이 있을 거야. 그게 누구지?"

"서진이라니까!"

술수에 넘어가면 안 된다는 걸 알면서도 주생은 범천도인과 계속 대화를 이어나갔다. 알지 못하는 과거가 궁금했고 자신의 정체가 궁금했다. 흥분한 범천도인이 입에서 침을 튀겼다.

"거슬러 올라가야 해. 누가 처음으로 재림의 165년인 금년에 서진이와 너를 만나게 하려 했지?"

답을 찾을 수 없는 질문 같았지만, 생각해보니 답이 있었다.

"출판사 대표와 편집장이지."

"그 출판사 이름이 어떻게 돼?"

"연옥."

"연옥? 지옥의……."

"이어지는 집이란 뜻의 연옥이야. 원래 이름은 신유림이고."

돼지머리가 고개를 끄덕였다.

"신유림은 신라 시대 명랑대사가 '사천왕사'를 세운 곳의 지명이야. 1857년에 일선제력과 월선제력은 고초굴에 재현한 사화사빙 지옥에 자신들만의 사천왕상을 세웠지."

"이런 말 할 시간 없어! 서진이를 찾아야……."

"말 끊지 말고 대답해! 그자들 이름이 뭐야?"

돼지머리가 부들부들 떨렸다.

"대표는 이종하, 편집장은 석도신애."

"잠깐만! 석도신애? 무슨 이름이 그렇지?"

"아버지가 석씨, 어머니가 도씨니까. 양쪽 성을 따르는 건 요즘 시대 유행이야."

"내겐 다르게 들리는데……. 발음상 석은 삼(三)이지? 그리고 신애는 시내랑 발음이 같지?"

"그런데?"

"시내는 한자로 내 천(川)이지."

석도신애. 삼도천(三途川). 삼도천녀 월선제력.

말도 안 돼! 석도신애도 이미 죽었는데! 하지만 그게 쇼라면? 아니면 태양의 남자를 깨닫게 하는 임무를 마치고 죽은 것이라면? 주생의 맥박이 북처럼 뛰었다. 그 순간 이종하가 입버릇처럼 말했던 문장이 귀에 쩌렁하게 울렸다.

"나는 모든 일을 하늘에 감사드리는 수행자일 뿐입니다."

범사(凡事)에 감사하다, 이 말은 기독교에서 흔히 쓰는 말이다. 그런데 그는 감사를 주님이 아닌 하늘에 드렸다. 주생은 급히 핸드폰을 꺼내 인터넷 검색창에 '존자'를 쳤다.

존자(尊者) : 학문과 덕행이 높은 부처의 '수행자'를 일컫는 말.

범천존자.

주생은 기독교와 불교의 언어를 한데 뒤섞은 신성모독적인 힌트를 이미 받은 셈이었다. 처음 접근했을 때부터 이종하는 일부러 십자가와 목탁 액세서리를 그의 눈앞에 보였다. 이게 과연 우연일까.

“흥, 출판사까지? 그들이 오성교의 새 교주일지도 모르겠군. 오성교의 조직은 여기저기 널려 있어. 정치인에 연예인까지 파고들지. 그거 알아? 영화감독 노해조, 배우 박환경도 유명한 오성교 신도야.”

“알아. 직접 봤어.”

주생이 정신 나간 사람처럼 중얼거렸다. 확실해졌다. 사이비 종교의 신흥 교주는 바로 이종하였다. 서진과 주생 남매를 일선제력 월선제력으로 떠받들기 위해 일을 꾸민 것이다. 먼저 잡힌 건 서진이었고 자신에게도 마수를 뻗었다. 자본주의의 신을 미끼로 내걸고, 재림의 해인 165년째의 올해에. 하지만 그 역시 죽지 않았나?

범천도인이 자조적으로 말했다.

“내 본명은 오인국이야. 명도를 계획할 땐 우리 부부보다 훨씬 흉악한 작자들이 있을 줄은 몰랐는데.”

“그들은 죽었어.”

“직접 봤어?”

“동영상으로.”

“조작된 거라면?”

범천도인의 말에 주생은 대답하지 못했다.

“스승님은 이런 말을 했어. 제력의 표식이 나타났으니 찾는 자들 또한 곧 생길 것이다. 그래서 속히 아이를 죽여 세상을 어지럽힐 단초를 없애야만 한다.”

"서진이 몸의 화상은 그 표식을 스스로 태운 거겠지?"

"네 아버지 책을 훔쳐 보다가 알게 된 지식 덕분이지."

"그래. 내 아버지 덕분이야. 오성교의 숨은 교주였던 아버지는 바보같이 당신 조카가 월선제력인 줄도 몰랐어."

"때가 되기를 기다린 거겠지. 때가 되었을 때 그걸 먼저 알게 된 조카는 자기 운명을 받아들이지 못해 도망쳤고."

"서진이는 큰아버지와 친아버지가 서로 충돌해 죽은 걸 알고 깨달은 거야. 피할 수 없는 운명이라는 걸."

주생이 고개를 떨구었다. 비통한 눈물이 뺨을 타고 흘러내렸다.

"내 돼지머리 좀 벗겨줘. 이렇게 된 이상 내가 두 사람을 도울 책사가 되어주겠어. 나는 이런 일에 정통한 사람이야. 문신을 새겼다는 그놈이 아무래도 꺼림칙해. 그놈 신상부터 파악해야 해."

주생은 가스총을 쥔 손을 관자놀이에 댄 채 고개를 저었다. 정수리가 미칠 듯 가려웠지만 참았다.

"넌 사이비야. 날 혼란시키지 마. 난 피와 살로 이루어진 평범한 인간일 뿐이야. 혼백을 저장한다는 말 따위 씨부려대는 너희 무당들을 난 믿지 않아."

"이런 일들을 겪고도 안 믿어?"

"눈에 보이지도 않는 혼백을 어떻게 저장한단 말이야!"

"호리병에 저장하지."

"뭐라고!"

보이지 않는 한 방의 번개가 주생의 정수리를 내리갈겼다.

"『오성밀법강령』 7장에 나오는 내용이야. 일선제력 월선제력은 무수한 호리병을 갖고 있어. 중생의 몸에서 뽑아낸 혼백을 거기에다 저장하지. 호리병을 열면 연기 같은 것이 공중에 흩뿌려지면서 그 사람은 완전한 무화경지에 들어가는 거야. 하지만 삶도 끝나는 거지."

"그만해!"

이종하가 호리병 위로 발을 굴리며 웃는 껄껄껄 소리가 들리는 것만 같았다. 주생은 가스총을 들고 미친 듯 방 안을 왔다 갔다 했다. 급격히 태양이 지고 방은 어둠에 싸였다. 그늘에 파묻힌 돼지머리가 해괴한 음영을 발했다.

"총소리를 듣고도 왜 아무도 오지 않지? 윗층 여자는 내 담배 연기에 예민했던 여자야. 왜 안 내려올까? 여기가 1305호가 아닌 1306호라서? 총소리 화약 냄새도 못 듣고 못 맡은 거지. 그 여자가 이상한 걸까? 천만에! 네가 바로 '그'이기 때문이야."

"닥쳐!"

주생은 광란 상태가 되어 온 방 안을 헤집고 다녔다. 존재의 증명을 찾아 헤매는 그의 눈에 문가에 쌓인 택배상자가 보였다. 그새 연옥 출판사에서 보낸 박스는 하나가 더 쌓여 있었다. 1쇄를 찍을 때마다 보내준다는 증정본 두 권.

"단죄의 신들인지 나발인지!"

주생이 상자를 내동댕이쳤다. 박스가 터지면서 내용물이 튀어나왔다. 책이 아닌 사람의 손목 두 개였다. 썩어 들어가기 시작하는 김 전무의 손. 피비린내보다 더 심했던 악취의 실체가 밝혀졌다. 광기에 찬 눈으로 주생은 두 번째 박스도 집어 던졌다. 피에 젖은 남자의 성기가 튀어나왔다. 돼지머리가 켈켈켈켈 웃기 시작했다. 주생은 세 번째 커다란 박스도 열어젖혔다. 눈을 크게 뜨고 죽은 동물이 주생을 노려보았다. 재갈이 물린 것처럼 동물은 고수애의 핸드폰을 입에 물고 있었다. 고운 은빛 털은 거친 회색으로 변해버린 후였다. 어떤 정체 모를 짐승인지 알지 못했지만 그것은 고양이를 닮긴 했다.

“저 고양이의 정체는 뭐야? 네가 섭주 교도소로 몰래 들여보냈다면서?”

“옛날 이름난 무가의 실력자들은 축생도 마음대로 부릴 줄 알았다. 나 역시 그런 전통의 실력자로서…….”

갑자기 범천도인이 히스테리를 부렸다.

“거기 누구야? 누가 왔어! 제발 나를 살려줘! 이 돼지 대가릴 빼달란 말이야! 어서!”

주생이 돌아봤지만 이미 검은 그림자는 범천도인을 뒤덮은 후였다. 그것은 어둠이 그려낸 한 폭의 작품이었다. 머리에 돼지머리를 쓴 남자가 앉아 있고 그 뒤에 마스크로 얼굴을 칭칭 동여맨 사람이 있었다. 하얀 마스크, 사인펜으로 그려진 눈과 입. 그가 손에 쥔 도끼를 높이 쳐들자 돼지머리가 그 어느 때보다 격렬하게 움직거렸다. 이윽고 사형은 집행되었다. 도끼가 돼지머리 한가운데 정통으로 박혔다.

“으아악!”

범천도인의 머리가 꺾이면서 돼지의 코와 입으로 피가 쏟아졌다.

주생이 가스총을 치켜들었지만 총은 발사되지 않았다. 마스크 괴인이 다가와 손을 쳐버리자 총이 바닥에 떨어졌다. 괴인은 문신이 가득한 한 손으로 주생의 목을 조름과 동시에 한 손으로 몸을 뒤져 핸드폰을 찾아냈다. 주생을 방바닥에 던진 괴인이 어딘가로 전화를 걸었다. 그리고 주생에게 손짓했다. 조잡하게 그려진 눈과 입이 일그러지며 어서 받으라고 종용했다. 찍힌 숫자는 김순심의 전화번호였고 누군가 전화를 받았다. 주생이 떨리는 음성으로 물었다.

"서진아?"

"오, 하 교위?"

"이종하 대표?"

"지금 바로 서울로 오실 수 있소? 일일생활권 시대잖아요."

"당신은 죽었잖아. 정말 그게 쇼였군. 무슨 짓을 한 거야?"

"비대면 말고 대면으로 말합시다. 지금 바로 오지 않으면 당신 사촌누나는 무화의 경지로 들어가오."

주생은 뭔가 대꾸하려다 머리칼을 잡는 사나운 손에 비명을 질렀다. 괴인이 가위로 그의 정수리 부분을 자르고 있었다. 저항할 틈도 없이 머리를 깎인 주생은 욕실로 끌려갔다. 강제로 보게 된 거울 속 정수리에는 붉은 색깔이 뚜렷한 卍 자 표식이 거꾸로 새겨져 있었다.

괴인이 팔을 잡자 떨어져나갈 것처럼 아팠다. 점점 피의 영역을 넓혀가는 돼지머리를 두고 둘은 1306호를 나섰다. 밖으로 나가 차에 올랐고 주생은 서울의 연옥 출판사를 향해 질주했다. 괴인이 쥔 식칼의 칼끝은 주생의 옆구리에 밀착해 있었다.

*

강남에 들어섰을 때 주생은 빌딩 전광판의 뉴스를 봤다. 전광판 크기만큼이나 뉴스의 내용도 거대했다. 소리가 나오지 않아 자막으로만 내용을 유추할 수 있었다.

마스크 제조업체 [메리고라운드] 대표 임유신 씨 지명수배 출국금지.

임유신의 얼굴이 처음으로 공개되었다. 주생은 이종하와 임유신이 동일인물임을 마침내 알았다. 임유신이라는 이름이 신유림의 '대척'이라는 걸 깨닫는 데는 그리 오래 걸리지 않았다.

마스크 원단에서 환각을 유발하는 신종 마약 성분 검출. 아프리카 야생 식물 이오투비스를 원료로 하는 이 마약은 피아초라는 이름으로 조선 후기에도 문제가 된 기록이 있음. 마스크 제조 과정에서 주입된 것으로 추정. 국제적 테러단체와의 연결 가능성. 대표 임유신 사이비 종교 교주 의혹.

강남 거리는 소란스러웠다. 차가 서 있고 자동차 운행이 막힌 가운데 사람들이 싸웠다. 주먹이 오가고 피가 흐르는 과격한 싸움이었다. 말리는 사람은 없었고 촬영하고 환호하는 사람은 많았다. 그들은 마스크 대신 천이나 화장지로 입을 감싸고 있었다. 그들의 머리 위 빌딩 꼭대기에 있는 것은 『단죄의 신들』 광고판이었다. 누군가 광고판에 스프레이로 '구원! 새 시대의 성서'라고 써놨고 또 누군가는 '사탄! 지옥!'이라고 써놨다. 옆구리를 떠미는 쇠붙이의 감촉에 주생은 고개를 돌렸다. 마스크에 그려진 사인펜 눈이 운전을 독촉했다.

'도서출판 연옥'이 있는 빌딩에 들어섰을 때 건물은 텅 비어 있었다. 경비원이 없음에도 차단봉이 저절로 열리고 닫혔다. 넓은 라운지에 사람은 한 명도 없었고 엘리베이터를 탈 때도 마주치는 이 하나 없었다. 출판사 안도 마찬가지였다. 그 많던 편집부, 미술부, 홍보부 직원들이 하나도 보이지 않았다. 책상은 그대로 있었지만 그 위에 있던 책과 컴퓨터 따위 부속물들이 남김없이 사라졌다.

"하 교위, 어서 와요."

"어서 오세요, 하 교위."

두 사람이 주생을 기다리고 있었다. 멀쩡한 다리로 호리병을 굴리며 발을 지압하는 이종하와 그 옆에 서 있는 석도신애. 둘의 몸에는 상처 하나도 없었다. 이종하가 손짓하자 괴인이 주생의 어깨를 눌러 의자에 억지로 앉혔다. 주생이 말했다.

"다치신 줄 알았는데 멀쩡하네요? 아주 훌륭한 특수효과였습니다."

"내가 감독이니까."

이종하가 웃었다. 마스크가 사라진 그의 턱은 무성한 수염으로 뒤덮혀 있었다.

"기획, 각본, 제작, 감독, 주연까지. 난 오손 웰즈요. 위대한 일선제력 월선제력을 위해서라면 모든 걸 다 할 수 있소."

"좀 더 극적인 효과를 바란 거예요."

주생을 바라보는 석도신애의 눈이 빛났다.

"오래된 과거를 기억하려면 '단죄'를 직접 겪어야 하니까."

"그래서 그런 삼류영화를 보여준 겁니까?"

"맞아요. 본인의 위대한 정체성을 이제 깨달았나요?"

석도신애가 반기는 눈길을 보냈지만 주생은 반응하지 않았다. 주생은 마스크 쓴 괴인을 손가락으로 가리켰다.

"내 주변의 사람들은 저 사람이 죽인 거예요. 난 아니에요."

"맞아요. 저분은 일종의 조교예요. 조교는 시범을 보이는 자지요. 곁에서 직접 보고 알아가면서 본인의 정체성을 깨달아야 하니까요."

석도신애가 싱긋 웃었다. 이종하가 발을 굴리자 호리병이 끼익끼익 귀에 거슬리는 소리를 냈다. 주생이 물었다.

"거기 정말 사람의 혼백이 들어 있나요?"

"그럼요. 여기 있는 호리병마다 혼백이 다 들어 있어요."

"서진인 지금 어디 있습니까?"

"곧 알게 될 겁니다. 신이 없는 세상에 이제 신이 재림합니다. 심원하고 무량한 지혜의 입구가 열립니다. 사람들은 무생(無生)을 받아들이고 멸망해가던 지구는 혼돈에서 벗어나 휴식한 후 다시 무멸(無滅)을 맞이하게 될 겁니다. 대척의 진리로 끝을 본 세상은 시작을 가져오는 새 세상을 맞이하게 될 겁니다. 두 신의 도움으로요."

두 사람의 환희에 찬 눈에 주생은 눈을 부릅뜨고 맞섰다.

"난 일선제력이 아닙니다."

"그럼 뭐라고 생각하시오?"

"난 인간입니다. 돈을 밝히고 악덕에 찬 인간이지요. 무화의 경지니 대척의 진리니 따위는 생각해본 적 없습니다."

이종하와 석도신애가 서로를 바라보았다. 주생이 물었다.

"마스크에 마약 섞은 미치광이가 당신입니까?"

"『단죄의 신들』 책 인쇄 때도 같은 성분을 넣었지요."

"당신이냐고요?"

"오성교의 교주가 넣었습니다."

"그 마약 때문에 폭력사건이 저렇게 벌어지는 거죠?"

"죄악 때문입니다."

"대표님은 대체 직함을 몇 개나 갖고 있는 겁니까? 당신이나 나나 서로 악덕에 물이 들 대로 든 것 같은데 하나는 강남 부자고 하나는 시골 가난뱅이라는 차이점이 있네요. 이건 인간의 고난입니까, 신의 고난입니까?"

"오성밀법의 대척이지요."

이종하가 하하하 웃으며 소파에 양팔을 척 얹었다. 그의 뒤로 무수한 호리병이 놓여 있었다.

“하서진 씨는 영특한 사람입니다. 하 교위 아버지의 오성교 관련 기록을 읽고 자기 육신에 돋은 표식을 불로 태워버릴 지혜를 갖췄으니까요. 운명을 거부했다는 점에서 하 교위보다 아는 것이 많은 분입니다. 그게 아니었으면 우리도 만날 일이 없었겠죠. 하지만 저 어리석은 무당 부부가 부처님 손바닥 안인 줄도 모르고 기어이 그녀의 표식을 드러내게 했습니다. 은빛 미물을 살리게 하고 불구자를 치료하게 했습니다. 대중들이 보는 앞에서 그런 일을 해서는 안 됩니다. 신에 대한 모독이자 불경이거든요. 신의 행업은 사람들이 알지 못하게 해야만 하는 것입니다.”

이종하의 말에 석도신애가 덧붙였다.

“그런 상황에서도 하 교위는 말씀하신 것처럼 악덕에만 물이 들었죠. 서진 씨가 나타나지 않았으면 하 교위는 지금까지와 똑같은 삶을 살고 있었을 거예요. 그게 과연 좋은 삶일까요?”

“서진인 어디 있어요!”

주생이 소리치자 석도신애가 호리병 하나를 꺼내놓았다. 이종하가 말했다.

“하서진이 당신한테 전화한 건 이 상태에서 한 겁니다. 직접 말을 걸어보세요.”

“무슨 미친 소리지?”

“말 그대롭니다. 누님의 육신은 이미 죽었고 혼백만이 이 안에 남아 있습니다.”

주생이 두 사람을 노려보자 석도신애가 그 어느 때보다 친절한 어조로 말했다.

"말을 걸어보라니까요."

—주생이니?

호리병 안에서 목소리가 나왔다. 주생은 입을 떡 벌리며 호리병을 바라보다가 손으로 만지려 했다. 이종하가 과장되게 놀란 표정을 지으며 손을 내밀었다.

"어어, 조심조심! 뚜껑이 열리면 혼백이 날아가요."

—주생이니?

"너 서진이니?"

—주생아, 미안해. 내 혼백을 없애버린다고 해서 어쩔 수 없이 너한테 전화했어.

"누가?"

—네 앞에 있는 자들이.

"넌 죽은 거야?"

—그래. 저 둘이 널 찾아갔을 때 내 육신은 이미 저들에게 죽은 후였어.

"저들이 누군데?"

—일선제력과 월선제력이야.

주생은 이종하와 석도신애를 바라보았다. 그리고 사무실 여기저기를 둘러보았다.

"당신들 지금 연극하는 거지? 이런 걸 복화술이라고 하나?"

—그런 거 아냐. 주생아, 내 혼백은 정말 여기 갇혔어. 그들

은 이 세상에 재림한 오성교의 신들이야. 너한테 뭐라 그러든 무조건 받아들여. 난 내 운명에 저항했다가 이렇게 되어버렸어. 하지만 너까지 그럴 필요가 없어. 정해진 운명이라면 받아들여야 해.

"무슨 운명! 무슨 저항!"

—할아버지도 몰랐고 큰아버지도 몰랐어. 그들은 아무것도 몰라. 우린 아무것도 모르는 나약한 존재들이야. 헛된 삶만이 우리들의 전부지. 이 헛되다는 것이 얼마나 큰 인간의 고통인지 아무도 모를 거야.

"무슨 말인지 좀 알아듣게 얘길 해봐!"

이종하가 호리병을 손에 들었다. 부리부리했던 그의 눈은 어느새 산신의 탱화에서처럼 찢어지고 검은자가 강화되어 있었다.

"네 아버지 형제를 서로 충돌해 죽게 만든 건 내가 한 일이다."

"대체 왜?"

"광성도인인지 뭔지 벼룩 한 마리가 감히 신의 존재를 그 피조물인 하서진으로 하여금 시험케 했다. 그는 스스로 목숨을 끊어 우리와 만나게 하지 못하는 방법을 서진에게 가르쳤다. 시험에 응한 하서진에게 난 아비와 백부를 서로 부딪쳐 산산조각 내 답을 줬다. 그로써 하서진은 스스로의 존재에 진리의 깨달음을 얻었다. 그래서 가족의 죽음에 대한 대척으로 그자에게도 죽음을 준 것이다."

"너 그날 왜 집에 전화한 거니, 서진아?"

주생이 물었다. 호리병 안에서 흐느끼는 소리가 흘러나왔다.

"내가 한 거예요. 내 모습을 숨긴 채 서진이에게 그 광경을 보게 했지요."

이번엔 석도신애가 대답했는데 그 음성이 서진의 목소리와 똑같았다. 그녀의 얼굴도 고전 탱화의 보살과 비슷한 인상으로 변하고 있었다. 다시 석도신애는 자신의 목소리로 답했다.

"하서진은 광성도인을 44번이나 찔렀지요. 신에 대한 힘겨운 믿음의 인정과 인간으로서의 번뇌 가득한 증오심이 섞인 행동이었어요. 그 후 그녀는 스스로 목숨을 끊으려 했어요. 가족의 죽음에 책임을 느낀 거죠. 하지만 신의 손길을 결코 피할 순 없어요. 그녀에겐 업이 있었으니까요."

인간을 초월한 힘 앞에서 주생은 삶의 무력함을 느꼈다.

"태양의 남자가 찾아올 거라는 말은 저 사람을 두고 한 말이었니?"

주생이 이종하를 가리키며 호리병에 말을 걸었다.

―맞아. 교도소 법당의 거울 속에서 내 참모습을 발견했을 때, 더 이상 신의 손바닥 안에서 벗어날 수 없는 운명임을 알았어. 재림의 165년이 돌아올 2022년을 대비해 고수애에게 책을 쓰게 한 이유도 그거야. 하지만 너만은 어떻게든 운명을 피하게 하고 싶었어. 그래서 널 멀리 했던 거야.

"부처님 손바닥 안인 걸. 아무리 너희가 머리를 짜내도."

이종하가 호리병 위에 발을 얹고 악의적으로 굴렸다. 머리채를 잡아당기는 듯한 여자의 비명 소리를 주생은 분명히 들었다.

"안 돼. 그러지 마! 그만해!"

"하서진과 사진을 찍은 네 명은 진짜 신을 보지도 못한 주제에 신을 영접했다고 난리를 벌였다. 김순심이란 돌팔이 무당 역시 진짜 모습을 보지도 못했으면서 법당에서 신을 봤다고 큰 소리쳤다. 신은 그런 방식으로 너희에게 나타나지 않는다."

"알지요. 깨진 거울, 잘려진 손목, 끊어진 성기, 죽어나가는 생명. 그런 걸로 보여주겠죠. 왜 그렇게나 우리를 길게 고문하면서 알려주셨나요?"

주생의 음성은 다 타버린 재를 연상시켰다. 이종하의 음성이 창 너머 거대한 도심을 소리 없이 진동시켰다.

"너희가 잊어버린 죄악을 깨닫게 해주려고 그런 것이다."

"신은 고문을 즐기는군요."

"마음은 거울이다. 닦지 않으면 더러워진다. 쳐다보기 급급하고 내세우기 급급한 너희들은 거울을 닦을 생각은 하지 않는다. 너희들에게 깨우침을 주려고 내가 너희들의 거울을 깨버린 것이다. 거울을 깨는 순간 비로소 보이지 않던 것들이 보이게 된다."

"대체 우리가 당신들에게 무슨 잘못을 했습니까?"

—주생아, 우린 신을 능멸했어.

"무슨 능멸? 난 그런 적이 없어!"

이종하가 호통쳤다.

"네 사촌이 보는 것을 왜 너는 보지 못하고 네 사촌이 믿는 것을 왜 너는 믿지 못하느냐?"

호리병 속에서 단호한 음성이 나왔다.

―주생아, 어떤 일이 있어도 놀라지 마. 그저 운명을 받아들여. 이제 와서 섭리를 돌이킬 수는 없어. 난 단죄를 받았지만 넌 순리에 따라.

"대체 우린 뭐야? 신이 아니라면 뭐니?"

―우린 무(無)였어.

울먹이는 소리가 호리병에서 쏟아졌다. 서진이 서럽게 울고 있었다. 그 울음을 듣자니 주생의 뺨에도 눈물이 쏟아졌다. 석도신애는 이제 완전한 여래보살의 얼굴이 되어 네 개의 작은 인형을 가져다가 호리병 옆에 놓았다. 두 개씩 마주 보도록 놓인 인형은 전국의 사찰 출입문에서 볼 수 있는 사천왕상을 축소시켜놓은 인형이었다. 지국천왕, 증장천왕, 광목천왕, 다문천왕.

주생이 흐느끼며 호리병을 집으려 했다. 손가락이 살짝 닿은 순간 그는 서진의 얼굴을 기억해냈다. 그 겨울의 서진이었다.

"이건 꿈일 거야. 말도 안 돼. 네가 이런 곳에 갇혀 있다니."

―마음 단단히 먹어, 주생아! 이걸 꼭 알아둬! 우린 무에 불과했지만 너와 함께한 시간은 무 속의 유였어!

"모습이 없어도 좋아, 서진아. 집에 가자, 우리."

이종하가 손가락을 움직여 석가모니상의 자세를 취했다.

"어리석은 중생아! 나의 천안통(天眼通),* 천이통(天耳通),** 타심통(他心通),*** 숙명통(宿命通),† 신족통(神足通)††을 보고도 내게 불경한 소리를 해대느냐?"

불법을 비꼬던 이종하가 호리병을 발로 짓밟았다. 요란한 파열음과 함께 빛이 솟구쳤다. 주생은 쓰러지면서 보았다. 호리병 안에서 나와 상승하는 부적 한 장을. 반으로 접혀진 부적은 나비처럼 움직이면서 은은한 광휘 속을 날았다. 서진의 음성이 점점 멀어져갔다.

—주생아…… 잘 있어…… 주생아…….

주생이 부적을 향해 팔을 뻗었다. 높이 날아가던 부적이 멈칫거리더니 나비처럼 주생의 손에 내려앉으려 했다.

"이제 속세의 연은 잊어라."

일선제력 이종하의 한마디에 부적에 불이 붙고 주생의 몸은 튕겨나가 벽에 부딪쳤다. 꺼져가는 비명과 함께 서진의 존재가 영원 속의 찰나처럼 완전히 사라졌다. 주생은 주먹을 움켜쥐고 일어섰다.

"이렇게 절망만을 주고서도 너희가 과연 신이더냐?"

어느새 이종하의 몸에는 탱화 속 신장처럼 갑옷이 입혀져 있었고 턱에는 관운장 같은 수염이 자라나 있었다. 주생이 가스총을 뽑아 들었다. 이종하의 긴 손가락이 가리키자 총은 뱀으로 변했다. 채보서를 죽게 한, 말벌집을 감싸던 뱀이었다. 주생이 기겁하고 던지자 뱀은 이종하의 발아래에서 다시 가스총

* 보통 사람이 보지 못하는 것을 꿰뚫어보는 능력.

** 보통 사람이 듣지 못하는 것을 듣는 능력.

*** 남의 마음을 꿰뚫어 아는 능력.

† 전생의 일을 꿰뚫어 아는 능력.

†† 걸림 없이 어디든지 오갈 수 있는 능력. 이 다섯 가지 신통은 『법화경』에 나오는 부처의 법력이다.

으로 변했다.

석도신애가 말했다.

“그 오랜 세월 동안 그대의 사촌은 오직 그대 하나를 지키려 거리를 두고 살아왔다. 그걸 알아라.”

“내가 누군데? 내 사촌이 대체 누군데?”

이종하가 눈을 부라렸다.

“네놈이 감히 제력들의 손을 벗어날 수 있을 거라 생각했느냐?”

“내가 누구냐고 물었잖아!”

월선제력 석도신애가 긴 타원형의 거울을 들고 다가왔다.

“어리석은 아이야. 현실의 거울을 보지 말지어니, 마음의 거울을 닦을 준비가 되었느냐? 그러면 네 참모습을 볼 수 있을 것이다.”

주생이 거울을 보고 비명을 질렀다.

10

1857년

월선제력은 자신의 가슴을 관통한 두 자루의 검을 바라보았다. 일선제력이 수염을 휘날리며 곁으로 다가왔다.

"너희 어리석은 중생들에게 참을 보여주었더니 그 대척인 거짓으로 신을 대하였구나."

이합정이 몸을 떨었고 초아가 그 곁에 바짝 다가섰다. 신성에 칼을 겨눈 두 사람을 쳐다보는 마귀들의 눈빛이 이글이글 타올랐다. 아수라들이 달려들면 두 사람은 조각조각 찢겨 넋조차 구제될 수 없을 판이었다.

초아의 팔에선 아직도 피가 흘렀지만 얼굴에는 고통이 흐르지 않았다. 보다 숭고한 무언가가 얼굴에 가득했다. 그녀는 자신보다 이합정을 더 생각하는 사람이었다. 그런 그녀를 유심히 쳐다보던 월선제력이 불교의 방식과 다른 이상한 합장을 하자 검이 실에서 뽑혀 땅바닥에 떨어졌다. 월선제력은 전혀 상처를 입지 않았다.

"너희 마음의 거울이 더럽구나. 보여주는 것조차 믿지 못하다니."

일선제력의 몸이 천장에 닿도록 커졌다. 솥에서 나오는 안개 같은 김이 그를 뒤덮었다.

"속세의 끈끈한 연은 결국 번뇌를 가져온다. 너희에게 무화의 경지를 주지는 않겠다. 신을 부정했기 때문이다. 너희 부부는 신을 속였고 하나로 마음이 맞아 대척의 진리에 저항했다. 그런 것은 일시적인 마음의 형태일 뿐, 결코 길게 유지되지 못하고 상황에 따라 변한다. 그것이야말로 미약한 인간의 마음인 것이다. 여기 군사들 모두가 무화의 경지에 들도록 우리는 은전을 베풀 것이지만 너희 부부는 영원히 신을 깨닫고 영원히 신을 모시도록 벌을 내릴 것이다."

아수라 하나가 바구니를 들고 왔다. 월선제력이 바구니를 받아 그 속에서 꺼낸 가루 한 줌을 뒤쪽으로 뿌리자 푸른 색깔의 마귀들이 긴 타원형의 거울 두 개를 가지고 달려왔다.

"이제 믿게 될 것이다."

거울이 초아와 이합정을 비추었다. 두 사람은 피하지 못한 채 거울을 바라보았다. 마귀들이 외우는 주문 소리가 경문처럼 동굴을 진동시켰다. 거울 속에서 차츰 변화가 생겼다. 이합정과 초아의 옷이 찢어지고 머리칼이 뽑혀 나갔다. 눈알이 천천히 돌출되고 귀도 길어졌다. 피부가 빨간색으로 변하고 어금니가 입술을 뚫고 솟구쳤다. 하지만 이는 거울 속에서의 변화로, 거울 바깥에선 전혀 변화가 없었다.

일선제력이 말했다.

"너희는 속세의 모든 업에서 해방되어 오성교에 귀의하게 되었으며, 영원한 반복을 사는 가운데 번뇌와 죄악에 찬 인간들에게 단죄의 형을 집행하는 일을 수행하게 될 것이다."

초아와 이합정이 거울 밖의 서로를 바라보고 경악했다. 각자의 눈에 비친 배필이 탱화 속 지옥 마귀의 모습과 같았기 때문이다.

2022년

"네 모습이 보이느냐?"

석도신애가 물었다. 주생이 1305호 벽지 속에서, 『단죄의 신들』 표지 속에서 보았던 붉은 마귀가 거울 속에 있었다. 손을 들고 정수리를 만지니 거울 속의 마귀도 똑같이 정수리를 만졌다. 이종하가 웃었다.

"네가 본래 모습도 모르면서 감히 일선제력인 줄 알았느냐?"

"내 곁에선 많은 사람들이 죽어 나갔어요. 서진이 곁에서도……."

주생이 뿔이 있는 자리를 만지며 울먹거렸다.

"그게 다 네가 한 일이라고 생각하느냐?"

"내가 한 일인 줄 알았어요. 그게 아니라서 기뻐요. 아니, 너무 슬퍼요."

"겉으론 부정하면서 속으로는 자신이 신이라는 절대적인 기분을 맛보았겠지? 죽이고 싶은 놈들이 척척 죽어 나가니까?"

이종하의 눈동자가 붉은색을 띠었다.

"그 모든 것이 나의 법력을 깨닫게 하려는 계시였다."

"법당에서 서진이가 봤던 모습도 이 모습인가요?"

"하서진은 너보다 많은 것을 알고 있었다."

월선제력 석도신애가 말했다.

"너를 보고 싶어 했지만 끝내 네 앞에 나타나지 않았다. 우리한테서 널 지키려고."

주생이 울먹이며 눈을 비볐다.

"난 사람의 아들 하주생이야. 본래 이름은 하왕생……."

"너는 우리가 던져놓은 진리의 말씀과 기적을 통해 스스로의 티끌 같음과 천지신명의 위대함을 이제 알게 되었다. 우리는 너를 눈뜨게 하기 위해 긴 세월을 지켜보았다. 이제 네 전생과 현생을 알게 되었으니 영원히 신에 헌신해라."

"아니야! 아니야!"

주생이 눈을 감은 채 머리를 거세게 흔들었다. 두 신의 준엄한 꾸짖음이 이어졌다.

"네가 왜 교도관을 직업으로 선택했고 악덕에 싸여 살아왔다고 생각하느냐?"

"벌레만도 못한 것. 제력들의 법체에 칼을 겨누고도 감히 그 손길을 벗어날 수 있다고 생각했느냐?"

"나는 몰라! 전생이고 뭐고 나는 몰라!"

주생이 외면했지만 이종하는 커다란 거울을 가볍게 움직여 계속 주생을 비추었다. 주생은 손으로 얼굴을 가렸다.

"나는 인간 하주생이다! 나는 인간 하주생이야! 너희는 가짜 신이야! 깨우침을 준다고 해놓고 사람을 죽였어!"

"그 모든 것은 선택받은 중생의 대오와 각성을 위해 무화로 향하는 길을 인도한 것이었다. 눈이 있어야만 앞을 제대로 볼 수 있겠느냐?"

"아냐, 신은 사람을 살리지 죽이지 않아. 너희는 불법을 흉내 낸 사이비들이야!"

"그렇다면 부처를 불러보거라. 너를 도와주러 오는지. 예수를 불러도 좋다."

"난 지옥의 심문관이 아니야! 삼지창 든 마귀가 아냐! 흐흐 흐흑."

이종하가 흰자위까지 검게 물든 눈알을 부라렸다.

"너의 전생은 165년 전의 무관 이합정이란 자다. 너의 사촌 서진은 초아라는 이름을 가진 전생의 네 아내였다. 너희 둘은 유이신을 믿지 않고 칼을 겨누었지만 제력들의 자비심으로 귀의할 길을 찾게 되었다. 하지만 뜻밖의 불운이 닥쳐 고초굴에서 죽고 말았다. 너희는 1985년에 윤회했고 이제 재림한 우리가 너희의 본 모습을 알려주려고 찾아온 것이다."

"그럼 서진이는 왜 죽였습니까?"

"전생을 알고도 끝내 귀의를 거부한 까닭이다. 그러므로 그것은 순교가 아니다. 서서히 기억이 돌아오면 너는 짝을 잃은 슬픔으로 고통받을 것이다. 자고 일어나면 사무치는 원인 모를 슬픔, 기분이 좋다가도 우울해지는 기분, 어딘가를 가보면 이전에 와봤던 것 같은 느낌을 받는 것, 모두 전생의 업에서 비롯한다."

"제발 꿈이라고 말해주세요."

"너의 장인으로 유중활이란 자가 있었지. 그도 네가 아는 누군가로 윤회를 했었다. 하지만 그자는 165년 전에 우리에게 큰 죄를 지었기에 무화의 경지에 들게 했다."

"그게 누군데요?"

"네 여정에서 유일하게 네 의식 바깥에서 움직인 사람이다. 생산의 주체이기도 하지. 직접 알아보거라."

주생이 탄식하자 석도신애가 하얗고 긴 손가락을 뻗쳐 사천왕상 인형을 가리켰다.

"너희는 저 천왕들이 밟고 있는 마귀들에 불과해."

"아니야, 아니야."

마스크를 쓴 괴인이 가까이 다가왔다.

"제력의 말씀이 틀리지 않다. 그대는 165년 전의 이합정이 윤회한 것이다. 그대는 한때 내가 모시던 상전이었다."

그러고는 자신의 얼굴에서 손수 마스크를 치웠다. 앞뒤 머리를 가리고 있던 마스크가 사라지자 뒤통수가 드러났다. 이자의 머리도 거꾸로 돌아간 상태였다. 그가 뒤로 돌아서자 풍속도에서나 볼 법한 옛날 사람의 얼굴이 나타났다.

"내 이름은 명설이다. 과거 나는 그대와 그대의 부인을 지키기 위해 나선 토포사의 이름난 장수였다. 제력을 알아보지 못한 채 불손함으로 칼을 뽑아 들다가 이 모습이 되었다. 그러나 무화의 경지로 나아가지 못한 채 오성밀법에 귀의해 시대를 거슬러 살아왔고 165년 뒤에 제력의 현신을 도우라는 계시를 받았다."

이종하가 일어섰다. 그의 모습은 다시 원래의 카리스마 있는 강남 사업가로 돌아가 있었다.

"165년만의 현현이라고는 하지만 사실 나는 어디에도, 어느 때에도 있어왔다. 너희가 전쟁의 위기를 겪고, 금융의 대란에 겁을 먹고, 병마의 창궐에 두 손 두 발을 든 그 모든 곳에 우리가 있어왔다. 사바세계의 고난이 다 너희로 비롯된 일이라고 생각하느냐? 물론 저지른 건 너희가 맞겠지. 하지만 거기에 따른 공포심. 그 두려움의 마음은 나와 월선제력이 보낸 것이었다. 이러고도 신을 부정하겠느냐?"

"잘못했습니다."

주생이 울먹였다. 편집장 석도신애의 모습으로 돌아간 월선제력이 주생의 머리를 쓰다듬었다.

"곧 『단죄의 신들 3부 : 극락정토의 시작』이 나와요. 부처가 사는 깨끗한 세상(淨土)이란 뜻이 아닌, 두들기고 벌을 내린다(征討)는 뜻의 정토예요. 이제 당신들 미물들의 세상은 한층 큰 혼돈을 겪게 될 거예요. 내 탓 아닌 남의 탓으로만 여겨왔던 인간의 모든 죄악을 뉘우친 후 우리의 존재를 뼛속 깊이 알아차리게 될 것이지요."

"너희의 혼백은 신의 존재를 일깨워주고 신의 그림자를 크게 하며, 앞으로도 영원히 신을 찾게 될 증거가 될 것이다."

석도신애의 미소는 자비로우면서도 잔혹했다.

"당신 할아버지도 표식만 보고 스스로를 신이라 착각했지요. 그렇게나 목탁을 두드리고 마음의 거울을 닦아도 거울에 비친 본인 모습조차 알아보지 못하니 십년불공 나무아미타불이란 건 이런 경우를 두고 하는 말이 아니겠어요?"

"심원하고 무량한 지혜의 문이 열린다."

주생이 구도자처럼 중얼거렸다.

"혼백은 당신들의 영양분. 공포를 먹고 당신들은 살아가지."

이 말에 일선제력은 아픈 곳을 찔린 듯 불쾌한 표정을 지었다. 거꾸로 된 卍 자가 그 얼굴에 겹쳐졌다.

"네놈은 165년 전에도 의심만 하더니 결국 또 이렇게 의심을 하느냐?"

"의심하는 게 사람이니까."

주생이 고개를 끄덕인 후 양팔을 십자가처럼 펼쳤다.

"신들이시여! 묻겠습니다! 왜 20여 년 동안이나 서진이를 붙잡아뒀고 왜 그 세월보다 더 긴 마음의 고통을 주셨습니까?"

"고양이는 쥐를 잡으면 그냥 죽이지 않아. 실컷 갖고 논 뒤에 죽이지."

"그럼 우린 죽을 운명이었습니까?"

"그렇지 않다. 무화의 경지에 들어가는 것이다."

"신들이란 아주 거짓말쟁이에 이기적이로군요."

"지금까지의 신들이야말로 거짓 형상, 거짓 관념일 뿐이었다."

"당신들은 부처님을 욕보였습니다. 부처님은 대자대비하지 당신들처럼 무자무비하지 않습니다."

"미련한 것아. 끝내 네 존재에 의문을 품느냐?"

이종하가 걸음도 없이 다가와 주생의 어깨를 잡았다. 그리고 창밖으로 던졌다. 그곳은 16층이었다. 추락하는 주생은 가까워지고 커져가는 죽음을 보았고 느꼈다. 하지만 겁먹지 않았다.

난 사람이야. 아수라가 아니야.

11

1857년

일선제력과 월선제력의 음성이 아수라의 귀를 갖게 된 이합정과 초아에게로 흘러들었다.

"너희는 속세의 모든 업에서 해방되어 오성교에 귀의하게 되었으며, 영원한 반복을 사는 가운데 번뇌와 죄악에 찬 인간들에게 단죄의 형을 집행하는 일을 수행하게 될 것이다."

초아와 이합정은 서로만이 볼 수 있는 모습에 견우와 직녀처럼 눈물을 흘렸다. 군사들에게는 두 사람이 평소의 모습 그대로였기에 유중활은 사위와 딸이 홀렸다고 생각했다.

"이제 너희 부부는 제력들의 수행자가 된다. 이쪽으로 건너오너라."

월선제력의 손짓에 초아가 먼저 자포자기의 걸음을 옮겼고 이합정도 아내의 뒤를 따랐다. 안개와 비명과 암흑으로 뒤덮인 고초굴은 두 사람을 집어삼켰다.

바로 그때였다. 수백 명이 외우는 염불 소리, 수백 명이 두드리는 목탁 소리가 동굴 밖에서 쩌렁쩌렁 울려왔다. 승려들이 내는 『법화경』이었다.

"이게 무슨 불측한 소리더냐?"

일선제력의 분노한 소리가 고초굴에 메아리로 울려 퍼졌다. 월선제력의 품행에도 이전의 반듯함이 사라졌다.

"세속의 관리야! 네가 감히 불가의 아이들을 달고 왔구나! 임금이 숭유억불의 명을 내려도 도저히 말을 듣지 않으니 너희들 인간은 구제 못할 중생이다."

그러자 유중활이 앞으로 나섰다. 한 번도 판단다운 판단을 내리지 못했던 조직의 수장은 의혹과 두려움이 가득한 가운데에서도 용감하게 군사들을 둘러보았다. 딸과 사위가 저편으로 걸어 들어간 직후에 일어난 변화였다.

"내 오늘 토포사로서 겁을 먹은 것은 저 가짜 신들 때문이 아니다. 그대들을 사지로 내몰아야 하는 고통스러운 심정 때문이다. 그대들 모두 가정이 있고 부모가 있는 사람들이다. 하지만 우리가 사는 세상과 우리의 후손들이 오늘 우리들의 희생 덕에 가짜 신에 의존치 않고 살 수 있다면 이 희생은 가치가 있다. 오직 사람만이 희망이고 사람만이 해결법이다. 모두 나를 믿고 마지막을 받아들여라. 국토를 뒤흔든 사교는 스러지고 우리는 저 가짜 신이 아닌 부처님의 극락정토로 가는 거다."

염불과 목탁 소리가 점점 커졌다. 동굴 입구 쪽에서 터지는 폭약 소리도 뒤를 이었다. 돌이 떨어지며 동굴이 흔들리기 시작했다. 군사들은 유중활의 말을 간신히 알아듣긴 했지만 장렬하게 따르는 이는 없었다. 유중활은 임금의 밀명을 받았다. '자폭을 해서라도 국기를 뒤흔드는 사교를 일망타진하라.' 딸과 사위까지 가담시킨 비밀 작전의 완수를 눈앞에 두고 마침내 그는 의기를 회복했지만 군사들은 아니었다. 위험한 임무에 속아서 왔다는 분노가, 사랑하는 이들과 떨어져야 한다는 슬픔이, 갇힌 동굴에서 개죽음당한다는 공포가 그들의 인간적인 얼굴에 가득했다. 목탁 소리 염불 소리에 일선제력 월선제력이 뒤로 물러났다. 아수라 마귀들이 원형으로 둘을 에워쌌다. 그들을 따라가는 이합정과 초아는 뒤돌아보지 않았다. 그 순간 유중활은 스스로에게 물었다.

"저들은 정말 신이 아닐까?"

폭약이 터졌다. 거대한 솥이 넘어져 뜨거운 물이 쏟아졌다. 천장에서 돌이 떨어지고 기둥이 쓰러졌다. 동굴 한 켠에 기대 놓았던 자루들이 넘어지고 그 안에 있던 약초들에 불이 붙었다. 세상이 무너지는 소리와 함께 일대 아비규환이 일어났다. 일선제력이 입을 열지 않고 말했다.

"우리는 잠시 입적에 들어가겠다. 하지만 영원한 입적은 아니다. 69년과 96년의 대척이 모이는 165년 후에 다시 돌아올 것이다. 그대 토포사, 그리고 그대의 딸과 사위는 이 동굴을 나가지 못한다. 신의 존재를 의심하는 그대들은 정확히 그때 오늘의 일을 깨닫게 될 것이다."

마귀들이 합창처럼 고함을 질렀다.

"윤회한다! 윤회한다!"

동굴 천장이 무너져내리며 차츰 그들의 모습을 지워버렸다. 하지만 죽음을 두려워하는 건 군사들뿐 제력과 마귀들은 동요가 없었다. 유중활은 죽음을 각오하고 온 처지이므로 물러서지 않았다. 달려 나간 그는 일선제력을 끌어안아 같이 최후를 맞으려고 했다. 그러나 투명한 일선제력의 몸은 유중활의 손을 그대로 관통시켰다. 신적 존재의 육신과 정신이 스쳐 지나간 순간 유중활은 저 너머 세상의 풍경을 보았다. 그곳은 무한한 어둠밖에 없는 세상이었다. 보이지 않는 진리가 가득한 공백이 있었고, 하루살이가 영겁의 시간을 알게 될 영원의 비밀이 있었다.

초아와 이합정이 손을 잡았다.

"전 두렵지 않아요, 서방님."

"나도 마찬가지요."

"우리, 다음 생에서 만나요."

"그때도 꼭 부부로 만납시다."

거센 폭발음과 함께 동굴은 완전히 붕괴되었고 고초굴에 있던 모든 것은 묻혀버렸다.

2022년

주생은 차 안에서 긴 꿈을 꾸다가 눈을 떴다. 죽은 고수애가 유중활이란 조선 시대 장군이었고, 서진은 유중활의 딸인 초아, 자신은 유중활의 사위인 이합정이 된 꿈이었다. 세 사람은 신의 음성을 들었고 신에 반항하다가 돌에 파묻혀 죽고 말았다. 그러다 현실의 고층 건물에서 떨어지는 추락이 꿈의 마지막이었는데 일어나보니 다친 곳이 없었다.

잠들기 전에 DMB 방송을 틀어놓은 모양이었다. 핸드폰 화면이 뉴스를 보내고 있었는데, [메리고라운드]의 임유신 회장이 긴급체포되었다는 소식이었다. 그는 마약 피아초와 관련된 사실을 전면 부정했는데 주생이 놀란 건 그 때문이 아니었다. 얼굴이 이종하와 완전히 다른 사람이었다. 이어서 입가에 허연 가루를 묻힌 마약 구매자들이 등장했다. 고통을 모르고 극도의 환각에 몸도 정신도 마비되어버린 이 중독자들이 도처에 일으킨 폭력사고가 다음 뉴스로 나왔다. 『단죄의 신들』을 읽고 벌인 살인, 테러, 방화, 집회가 그것이었다.

주생은 뉴스를 끄고 『단죄의 신들』을 검색했다. 온라인 서점에 '판매 중지'라고 표시되어 있었다. 『단죄의 신들』 관련 강력사건은 기하급수적으로 늘고 있었다. 변종 바이러스의 치명률이 약해 마스크 대란에 희망을 준 반면, 『단죄의 신들』은 여전히 암울한 그림자를 드리웠다. 도서출판 연옥은 유령회사인데 어디서 어떻게 책을 찍어냈는지 몰라 관련자들을 불러 조사하고 있다고 했다.

“절반만 꿈이었구나.”

주생은 『단죄의 신들』의 저자 반야심을 찾기로 했다. 호리병이 깨져 날아간 사촌누나 서진의 혼백은 꿈일 뿐이었다. 결코 현실에서 있을 수 없는 이야기였다. 차 밖으로 바다가 보였다. 이곳에 온 기억이 없는데 내가 어떻게 바닷가에 와 있지?

과거를 묻어버리고 현재를 닦아버리며 미래를 기대시키듯 파도가 쉼 없이 거세게 치고 있었다. 바깥으로 나가려는데 누가 문을 두드렸다. 김 전무의 얼굴을 알아본 주생이 화들짝 놀랐다. 하지만 주생을 보자마자 김 전무는 공손하게 머리를 숙였다. 평소의 그답지 않은 행동에 주생은 떨떠름한 심정으로 차에서 내렸다.

“김 전무님이 날 여기로 데려왔나요?”

“아닙니다. 수염 난 남자분과 아름다운 여자분이었습니다.”

“그들이 누군데요?”

“이름을 안 밝히셨습니다. 하 교위님께 신을 믿는 법을 배우라고 전하라 하셨습니다.”

김 전무가 고해성사라도 하듯 다시 한번 머리를 숙였다.

“제 죄를 대오각성하고 무화에 드는 대신 이렇게 구차하게 목숨을 연명하게 되었습니다. 옛날에도 그런 사람이 있었다고 들었습니다. 지난 세월, 괴롭혀 드려서 정말 죄송했습니다.”

이렇게 말하며 그는 손목을 가지런히 모았다. 붕대로 칭칭 동여맨 손목 아래에 손이 없었다. 그 모습에 주생은 그렇게나 기억해내려 애썼던 과거의 한 자락을 드디어 기억해냈다.

손과 손.

아래로 내민 손, 위로 내민 손.

그날은 폭설이 내린 다음 날 아침이었다. 관리실의 제설 작업은 더뎠고 이웃의 평수 넓은 아파트로 가는 오르막길은 맨들맨들했다. 제설 전에 일찍 출근하는 차들이 오고 다닌 결과였다. 전날 늦게 귀가한 아버지는 주차 공간이 없어 다른 동에다 차를 대어놓았고 둘은 그날 아침 아버지의 전화를 받고 나갔다. 아버지는 바퀴가 눈 위에서 헛돌고 있으니 좀 나와서 밀어보라고 했다. 원래 주생만 불렀지만 눈 구경을 하고 싶다며 서진이 따라나섰다. 두 사람 앞을 설탕 고개 같은 오르막이 가로막았다. 좀처럼 웃는 일이 없는 서진이 갑자기 미소를 보이더니 양손을 앞으로 내밀며 앉았다.

"주생아, 나 썰매 좀 태워줘."

"오르막이야. 넘어지면 어쩌려고?"

"넌 운동신경이 좋으니까 안 넘어져."

"살도 쪘으면서."

"내가 누나야. 빨리 끌어봐."

서진이 뭐가 좋은지 웃었다. 바람은 찼지만 공기는 상쾌했다. 서진이 쓴 군밤장수모자는 어린 마녀의 착한 고깔 같았고, 서진의 입에서 나온 입김은 나타나기가 무섭게 사라졌다. 아파도 금세 회복되고, 상처 나도 바로 아무는 젊음처럼. 서진의 빰은 장미처럼 붉었고 눈은 너무 웃느라 눈물이 고일 정도였다.

"뭐가 그리 좋대?"

주생도 웃으며 등 돌려 손을 내밀었다. 서진이 쪼그려 앉아 주생의 손을 잡았다.

"자, 하 기사. 출발."

"꽉 잡아라."

사람 썰매가 나아갔다. 털신발이 눈을 흩뿌렸고 화창한 하늘에 무지개가 걸렸다. 오르막을 오르면서도 서진은 계속 웃었다. 그 소리를 듣자니 주생도 따라 웃을 수밖에 없었다.

"그만 좀 웃어! 자, 여기까지!"

"안 돼, 주생아! 꼭대기까지! 중간에 멈추면 안 돼!"

"여기까지만 누나."

"내가 오빠라고 부를 테니 끝까지 가!"

"니들 여기서 뭐 해?"

영미가 다가왔다. 서진이 쉿, 하고 코에 손가락을 댔다. 그 손가락에 다른 손가락이 가로로 겹쳐져 십자가 형상을 만들었다. 영미가 고개를 끄덕였다. 교회 가자는 신호가 끝난 뒤 서진은 다시 손을 내밀었고 주생이 손을 잡고 이끌었다. 영미가 흥 하고 콧방귀를 뀌면서 웃었다.

"뭐야 니들? 꼭 부부 같네? 야, 하주생. 나도 한번 끌어줘."

웃음이 무지개를 타고 포물선으로 번졌다. 운명도 저주도 지옥도 신도 그 모든 게 그곳 그 시간엔 존재하지 않았다. 무한이 아닌 유한, 무화가 아닌 생의 의지로 가득했던 정경이었다. 전원이 꺼지듯 모든 과거가 박살난 호리병처럼 사라지고 눈앞엔 진눈깨비처럼 차가운 현실만이 남았다. 수생은 억울한 사람처럼 인상을 구기며 흐느꼈다. 김 전무가 다가와 손목으로 주생의 어깨를 도닥였다.

"아니, 왜 우세요?"

"슬퍼서요."

주생은 차창에 비친 자신을 보고 있었다. 힘찬 파도 앞에서 눈물 흘리는 자신의 모습은 『단죄의 신들』 표지에서 보았던 붉은 벌거숭이 아귀였다. 말뚝이 탈처럼 생긴 아수라가 더러운 팔뚝으로 눈가를 훔쳤다. 그 뒤에 우뚝 선 일선제력과 월선제력이 눈물의 대척인 웃음을 뿌리고 있었다.

작가의 말

나는 유물론자이지만 가끔 신의 존재를 느낄 때가 있다. 엄밀히 말하면 '우연=신'이겠지만 어떤 우연은 그 자체로 불가사의한 면이 많아 도무지 우연으로 느껴지지 않는다. 사람마다 살다 보면 나름의 신비가 섞인 우연한 기적을 겪기 마련인데 거기에 섭리를 부여할 때 신은 존재의 자격을 얻는다. 그러면 신은 그 사람 위에 서서 착하게 살라 가르치고 죄짓지 말라 가르치고 사랑하라 가르치고 자비로워지라 가르친다. 사람의 내면이 하는 말과 똑같다. 그럼 이게 신이 맞을까? 그냥 우연과 마음이 빚어낸 자기 합리적 환상은 아닐까?

한낱 사람이 위대한 신의 존재를 의심하거나 인정하는 건 신이 눈으로 볼 수 있는 존재가 아니기 때문이다. 눈으로 볼 수 있는 신이 정말 존재한다면 모든 의문은 사라지고 복종만 남지 않을까? 신의 은혜를 좋아하고 신의 징벌은 겁내는 게 인간이니까.

나의 이 생각은 발전을 거듭했다.

만약 눈으로 볼 수 있는 신이 존재한다면 그 신은 선할 것인가, 악할 것인가? 사람에게 도움을 줄 것인가, 훼방을 놓을 것인가?

내 답은 이렇다.

아마도 신은 믿는 자에겐 복을, 안 믿는 자에겐 벌을 내릴 것이다. 신의 형상을 본떠 만들어진 피조물이 인간인데, 인간은 착하기도 하지만 나쁘기도 하다. 즉, 신 역시도 착하기도 하지만 나쁘기도 한 불완전한 존재일지 모른다.

눈으로 볼 수 있는 신이 세상을 활보하고 다닌다면 사회는 혼돈에 빠질 것이다. 그래서 신은 사람들이 모르게 존재해야 하며 신을 알아본 사람이 있다면 입을 막아야만 한다. 여기서 또 의문이 생긴다. 신은 사람을 복되게 하려고 존재하지, 심판하러 존재하는 건 아니지 않은가?

이 모든 생각을 담아보려고 애쓴 작품이 『단죄의 신들』이다.

사람에겐 사람이 우선이지 결코 신이 우선이 될 수 없다고 믿는다. 이런 불경한 생각 때문인지 집필하는 동안 이상한 일을 참 많이도 겪었다. 묘지 옆을 지날 때 차의 라디오가 저절로 켜지기도 했고, 내 전작들이 오디오북으로 큰 인기를 끌 때 정작 나는 고막을 다쳐 이어폰을 귀에 댈 수도 없는 처지가 되었다. 뭔가가 내게 『단죄의 신들』을 집필할 힘을 선사하는 동시에 나를 고통스럽게 하는 것 같았다. 그것은 신일 수도 악마일 수도 있겠지만, 사실 나는 이 모든 현상을 어떤 '에너지 혹은 기운의 과도한 소모' 탓이라 여긴다. 그것은 내가 『단죄의 신들』의 완성에 강박적으로 집요하게 매달리느라 소모한 체력, 정신력과 무관하지 않다. 다행인 것은 소설을 끝내면서 정신이 평온을 찾았고 이비인후과 치료도 성공적이었다는 점이다.

이 소설은 사이먼 보스웰(Simon Boswell)의 〈Burning the bed〉라는 음악을 듣다가 영감을 받아 써나가기 시작했는데, 집필하며 3천 번 이상 들은 것 같다. 덕분에 소설의 분위기를 한결같이 유지할 수 있었다.

간만에 네오북스에서 낸 작품이다. 네오북스는 내 초창기 무속공포 3부작을 연이어 출간한 친정 같은 출판사이다. 내 욕심으로 여러 출판사와 작업을 하고 있어 수년 만에 뵌 네오북스 관계자분들께 미안함이 있었다. 강병철 사장님과 정은영 대표님은 출판사보다 작가를 우선시한 조건으로 창작에 격려를 보태주셨고, 김정은 편집자님은 여전히 박해로 소설은 어디를 강조하고 어디를 줄여야 할지 정확히 꿰뚫고 계셨다. 집필하는 동안 과부하가 걸릴 정도로 정신력을 소모했는데 결과는 만족스럽다. 당분간 『단죄의 신들』을 능가하는 소설은 쓰지 못할 것 같다.

단죄의 신들

초판 1쇄 인쇄일 2022년 9월 5일
초판 1쇄 발행일 2022년 9월 20일

지은이 박해로
펴낸이 정은영
편집 김보성
디자인 서은영
마케팅 최금순 오세미 공태희
제작 홍동근

펴낸곳 네오북스
출판등록 2013년 4월 19일 제2013-000123호
주소 04047 서울시 마포구 양화로6길 49
전화 편집부 (02)324-2347, 경영지원부 (02)325-6047
팩스 편집부 (02)324-2348, 경영지원부 (02)2648-1311
이메일 neofiction@jamobook.com

ISBN 979-11-5740-342-4 (03810)